Daniela Krien

Die Liebe im Ernstfall

ROMAN

Diogenes

Alle Rechte vorbehalten
Copyright © 2019
Diogenes Verlag AG Zürich
www.diogenes.ch
150/19/44/6
ISBN 978 3 257 07053 8

Paula

Der Tag, an dem Paula feststellt, glücklich zu sein, ist ein Sonntag im März.

Es regnet. Bereits in der Nacht hatte es angefangen und seither nicht mehr aufgehört. Als Paula gegen halb neun erwacht, prasselt es auf das schräge Schlafzimmerfenster. Sie dreht sich zur Seite und zieht die Decke bis ans Kinn. In der Nacht ist sie nicht ein einziges Mal aufgewacht. Auch an Träume kann sie sich nicht erinnern.

Ihr Mund ist trocken, und ein leichter Druck im Kopf erinnert sie an den vorangegangenen Abend. Wenzel hatte gekocht und einen französischen Rotwein dazu aufgemacht. Später hatten sie nebeneinander auf dem Sofa gesessen und Musik gehört – Mahlers *Lied von der Erde,* Beethovens letzte Klaviersonate, Lieder von Schubert, Brahms und Mendelssohn. Auf Youtube hatten sie nach diversen Interpreten gesucht, die sie miteinander verglichen, und sie freuten sich wie Kinder, wenn sie einer Meinung waren.

Paula hätte bei ihm bleiben können, die Nacht mit ihm verbringen können, aber sie behauptete, ihr Medikament zu Hause vergessen zu haben. Das Hydrocortison befand sich in ihrer Handtasche. Was fehlte, waren Zahnbürste und Gesichtsreinigung. Wenzel hätte diese Dinge unwichtig gefunden und sie zum Bleiben überredet.

Gegen zwei Uhr nachts war sie in ein Taxi gestiegen. Wenzel hatte vor dem Haus gestanden, bis das Auto um die Ecke bog.

Sie greift nach der Wasserflasche neben dem Bett und trinkt, dann schaltet sie das Telefon ein und liest seine Nachricht. *Guten Morgen, Liebste. Mein erster Gedanke gilt wie immer Dir.* Jeden Morgen und jeden Abend ein Gruß. Seit zehn Monaten schon, ohne Ausnahme.

Auch Leni mag Wenzel, und Wenzel mag Leni.

Bei ihrer ersten Begegnung hatte er sie mit einer sekundenschnellen Zeichnung ihres Gesichts beeindruckt. Die Ähnlichkeit war frappierend, und Leni wollte mehr, um in der Schule damit angeben zu können.

Paula sieht auf die Uhr. Noch neun Stunden, bis Leni zurückkommt. Sie wird ihre Sachen abwerfen, ein *Hallo* murmeln und sich in ihr Zimmer zurückziehen oder aber einen ohne Punkt und Komma vorgetragenen Wochenendbericht abliefern, inklusive Fotos ihrer Halbgeschwister und Schwärmereien über Filippas Kochkünste.

Während Paula seinen Morgengruß beantwortet, sehnt sie sich nach Wenzel.

Früh ist ihre Lust auf ihn am größten. Als sie in der Küche den Kaffee aufsetzt, schreibt sie ihm eine eindeutige Nachricht.

Seit es Wenzel gibt, vermisst sie Leni an den Wochenenden weniger. Und was kann sie schon tun? Leni ist kein kleines Kind mehr. Morgens vor dem Spiegel übt sie auf unterschiedliche Weise zu lächeln, sie schneidet Löcher in

Hosen, trägt Shirts, die ihr scheinbar beiläufig von der Schulter rutschen, benutzt Lipgloss und verschickt rätselhafte Nachrichten an den Klassenchat der 7b, meist bestehend aus Emojis und Abkürzungen. Sie redet manchmal ohne Unterlass, nur um kurz darauf in aggressives Schweigen zu verfallen. Mit nächtlichen Alpträumen kommt sie allein zurecht, und nackt hat Paula ihre Tochter schon lange nicht mehr gesehen. Nicht einmal, als Leni eines Morgens fragte, ob man mit dreizehn schon Hängebusen haben könne. Sie habe sich ihre Brüste angeschaut und festgestellt, dass sie *so* eine Form hätten. Und dann zeichnete sie mit der rechten Hand eine lächerlich übertriebene Form in die Luft, den linken Arm hielt sie vor ihren Oberkörper gepresst. Und noch bevor Paula etwas erwidern konnte, beschuldigte Leni sie, ihr überhaupt nur das Schlechteste vererbt zu haben, die Sommersprossen und die helle Haut, die roten Haare, die knochigen Knie, die Kurzsichtigkeit und die Begriffsstutzigkeit in den Fächern Physik und Chemie.

Vererbung sei Zufall und keine Entscheidung, hatte Paula bemerkt und wollte ihrer Tochter übers Haar streichen. Doch Leni entzog sich ihr, lief hinaus und schlug die Tür zu. Kurz darauf kam sie wieder und warf sich in Paulas Arme, wie um sich aufzufüllen für die nächste Stufe der Distanz.

Es regnet nach wie vor. Paula presst Orangen und schäumt Milch für den Kaffee auf. Auf dem Tisch steht ein Strauß Tulpen.

Noch ein Jahr zuvor hätte die Länge des vor ihr liegenden Tages Panik ausgelöst. Sie hätte angefangen zu putzen oder zu waschen, wäre joggen gegangen oder ins Kino, hätte Judith angerufen, um mit ihr hinauszufahren zu ihrem Pferd. Es war egal gewesen, *was* sie tat, entscheidend war gewesen, *dass* sie etwas tat. Denn sonst wären die Dämonen gekommen und hätten sie vor sich hergetrieben.

* * *

Nach der Trennung von Ludger hatte sie sich oft gefragt, wann das Ende seinen Anfang genommen hatte. Wann waren die Dinge außer Kontrolle geraten?

Johannas Tod war ein entscheidender Bruch gewesen. Doch mit der Zeit datierte sie ihr Scheitern auf andere, frühere Ereignisse, weiter, immer weiter zurück, bis es kein *Weiter zurück* mehr gab.

Begonnen hatte alles mit einem Fest.

Paula und Judith waren zufällig vorbeigekommen, als der Bioladen in der Südvorstadt eröffnete. Sie waren am See gewesen, hatten nackt in der Sonne gelegen, sich gegenseitig eingecremt, Eis gegessen und Blicke auf sich gezogen. Zufrieden mit sich und ihrer Wirkung waren sie anschließend am Wildpark vorbei durch den Auwald zurück in die Stadt geradelt, wo noch immer eine klebrige Hitze hing.

Schon von weitem hatten sie die Luftballons gesehen, die Pflanzkübel voller Blumen und die vielen Leute vor dem Geschäft. Sie hatten Lust auf ein kühles Getränk und deshalb angehalten.

Ludger stand nicht weit von der Tür entfernt, als sie den Laden betraten. Paula sah ihn sofort. Später sagte er, dass auch er sie aus den Augenwinkeln wahrgenommen hatte und seine Blicke ihr gefolgt waren. Paula trug ein moosgrünes, trägerloses Kleid und einen Sonnenhut, unter dem die roten Locken hervorquollen.

Draußen brannte die Sonne, der Geruch nach Abgasen und Lindenblüten stand in den Straßen, und jeder Windhauch wehte das stickig-süße Gemisch in den Laden herein. Ludger trug ein Leinenhemd. Seine Haare waren blond, die Augen blau. Er war kein Eroberer.

Kurz darauf verließen sie das Fest. Sie schoben ihre Räder nebeneinanderher und plauderten.

Immer wieder sah Ludger zu ihr herüber, aber er hielt ihrem Blick nicht stand. Wenn er länger sprach, blieb er stehen.

Wie Paula suchte er die schattigen Wege.

Am Ufer des Flusses streifte er beiläufig ihren Arm.

Auf einer Parkbank im Abendlicht küsste sie ihn.

*

In den ersten Wochen sahen sie sich täglich.

Die Treffen begannen an einer Eiche im Clara-Park. Paula, die immer zu früh kam, sah ihn mit seinem Rennrad in den Weg einbiegen und winkte ihm schon von weitem. Jedes Wiedersehen begann mit einer leichten Verlegenheit, die nach dem ersten Kuss jedoch verschwand.

Von dem Baum aus unternahmen sie Spaziergänge durch die Parks und die angrenzenden Stadtviertel. Paula mochte die Art, wie er den Kopf schieflegte und strahlte, wenn er sie ansah. Seine tiefe Stimme und sein ruhiges Erzählen gefielen ihr. Sein Bewegungsdrang steckte sie an, sein Wissen über ökologisches Bauen, autarkes Leben und Fauna und Flora beeindruckte sie.

Häufig kam Ludger sie in der Buchhandlung besuchen.

Manchmal sah sie zuerst seinen Kopf auftauchen, wenn er auf der Rolltreppe in die Abteilung Belletristik hochfuhr. Manchmal überraschte er sie, während sie mit Sortieren beschäftigt war oder Bestellungen aufgab. Dann berührte er dezent ihre Hand oder ihren Arm, und sie drehte sich zu ihm um und empfand eine heimliche Freude darüber, dass die Kolleginnen wohl bemerkten, wie gutaussehend er war.

Die gemeinsamen Nächte verbrachten sie bei ihm. Nur einmal übernachtete er in ihrer Wohnung, die sie damals mit Judith teilte. Bei Pizza und Rotwein waren sie zu dritt zusammengesessen. Von jedem Gesprächsgegenstand schlug Ludger den Bogen zu seinem Fachgebiet – dem ökologischen Fußabdruck, den ein Mensch hinterließ, und wie man ihn so klein wie möglich hielt. Immer wieder unterbrach er Judith, um ein Thema zu vertiefen, eine ungenaue Aussage zu korrigieren.

Paula hatte den wippenden Fuß und den angespannten Zug um den Mund ihrer Freundin gesehen und Bescheid gewusst.

Am Tag danach kam Judith in ihr Zimmer. Mit einem Stapel medizinischer Fachbücher in den Händen erklärte sie Paula, dass sie so kurz vor den Abschlussprüfungen Ruhe in der Wohnung brauchte und es besser sei, wenn Ludger vorerst nicht mehr käme.

*

Nachts lagen sie eng beieinander.

Immer berührten sich ihre Hände oder Füße. Paula strich über seinen Rücken, zählte dabei die Glockenschläge vom Kirchturm gegenüber, und wenn es noch lang genug bis zum Morgen war, legte sie ihre Hand zwischen seine Beine.

Sie sorgte sich nicht über die Art, wie sie miteinander schliefen, und dass Ludger zu allem, was sie taten, *das* sagte. Magst du *das*? Willst du *das*? Sie wunderte sich auch nicht, dass er zurückwich, als sie zum ersten Mal mit ihrer Zunge die unnennbaren Stellen seines Körpers erkundete. Schließlich ließ er es zu. Ganz still lag er da, seine Arme über dem Gesicht verschränkt.

Danach waren sie offen.

Ludger erzählte vom Tod seiner Eltern. Als er berichtete, wie sie am Ende eines Staus von einem LKW zerquetscht worden waren, wurde seine Stimme hölzern. Sie waren auf dem Weg zu ihm gewesen. Wenige Tage zuvor hatte er sein Architekturdiplom bekommen.

Paula küsste seine Schultern und seinen Hals, und er legte seinen Kopf an ihre Brust.

*

Ein paar Monate nach ihrem Kennenlernen bat Ludger sie, im Büro vorbeizukommen. Er klang aufgeregt, wollte den Grund aber nicht verraten. Als Paula bei *Brinkmann & Krohn* auftauchte, drehten sich die Brinkmann-Brüder zeitgleich auf ihren Stühlen um und grinsten. Ludger senkte den Kopf, nahm Paulas Hand und zog sie mit sich in den Besprechungsraum.

Auf dem Tisch lag der Plan einer Wohnung. Es war ein Loft mit vier Meter hohen Decken und einer Wohnfläche von dreihundert Quadratmetern. Ohne Luft zu holen, erklärte er ihr, an welchen Stellen Podeste den Raum strukturieren sollten, wo die Treppe zu einer offenen Galerie hinaufführte und warum Wohnen auch ohne einzelne Zimmer, ja sogar ohne Trennwände funktionierte. Von seiner eigenen Begeisterung mitgerissen, verkündete er schließlich wie beiläufig: *Da werden wir wohnen.*

Paula sagte nichts. Sie brauchte einige Augenblicke, um zu begreifen.

Ihr fiel ein, wie oft er erwähnt hatte, dass ihn die Kirche gegenüber seiner Wohnung deprimierte. Ludger wollte nicht täglich daran erinnert werden, welche Ehrfurchtsbauten die *Christenmenschen,* wie er sie nannte, ihrem Gott errichtet hatten.

Was sagst du dazu?, fragte er. *Freust du dich?*

Am nächsten Tag fuhren sie mit den Rädern zur Besichtigung. Sie trafen sich an der Eiche im Park. Mit Mützen, Schals und Handschuhen radelten sie in eines jener Viertel, in das Paula sich selten verirrte, dem Ludger aber einen raschen Aufstieg prophezeite. Das Loft lag in einer baumgesäumten Kopfsteinpflasterstraße, blickte auf den Kanal und war groß wie eine Bahnhofshalle. In der Nähe gab es nicht nur keine Kirchen, sondern auch sonst nicht viel. Unverputzt stand das Gemäuer vor ihr, kalt war es darinnen, und ihr erster Impuls war, so schnell wie möglich von dort wegzukommen.

Ludger legte den Plan auf dem Boden aus. Er schritt die

Halle ab, prüfte Mauerwerk und Fenster und begann zu beschreiben. Schon sah Paula den Küchenblock auf dem Holzpodest stehen, schon fühlte sie die Dielenbretter unter den Füßen, ging die Treppe zum Schlafbereich hinauf und blickte, an das Geländer der Galerie gelehnt, über den ganzen Raum.

*

Der Abschied von Judith fiel ihr schwer.

Fünf gute Jahre hatten sie zusammengewohnt. Niemand sonst war ihr so nah. Als Babys waren sie von ihren Müttern in beinahe identischen Kinderwägen nebeneinanderher geschoben worden, sie hatten dieselbe Krippe, denselben Kindergarten, dieselbe Schule besucht. Sie waren gemeinsam konfirmiert worden, hatten ihre Regel im selben Monat, im selben Jahr bekommen, und beide hatten sie Naumburg mit achtzehn Jahren verlassen. Judith war zum Medizinstudium nach Leipzig gegangen, Paula für eine Buchhandelslehre nach Regensburg.

Beim Umzug stand Judith unbeteiligt im Weg herum. Dem Lobgesang aller auf die Wohnung hörte sie schweigend zu, und noch bevor die letzte Kiste aus dem Umzugswagen getragen worden war, verabschiedete sie sich von Paula.

*

In den ersten Monaten ihres Zusammenlebens gab es für Ludger nur ein einziges Thema – ein Sanierungsprojekt im

Zentrum der Stadt. Es handelte sich um ein Haus aus dem siebzehnten Jahrhundert. Trotz Sanierung wurde es immer wieder von Feuchtigkeit und Schimmel befallen. Den ursprünglich beauftragten Architekten war der Auftrag entzogen worden. Ihre neue Kostenberechnung lag vielfach über der ursprünglich veranschlagten Obergrenze, und Ludger nutzte diese Chance. Er schrieb ein Angebot, das niemand unterbieten konnte. Es war so günstig, dass es Misstrauen erregte, und die Lösung klang zu gut, um wahr zu sein.

Der Erfinder der Methode, der Restaurator Henning Großeschmidt, hatte die *Temperierung* nach dem Wärmeverteilungsprinzip in vielen Schlössern und Museen erfolgreich erprobt. Ludger war sein Schüler gewesen. Mehrfach hatte er Seminare bei Großeschmidt besucht.

Statt gewöhnlicher Heizkörper wurden Heizungsrohre in die Außenwände unter Putz verlegt, und die gleichmäßige, auf allen Ebenen wirkende Wärme beendete das Problem mit Feuchtigkeit und Schimmel. Das Raumklima verbesserte sich, die Qualität der Luft nahm zu, der Energieverbrauch sowie der Wartungsaufwand waren gering.

Selbst während des Abendessens breitete er Pläne aus und erklärte Paula, wie weit unter Putz die Rohre liegen würden, aus welchem Material sie bestünden, in welchen Gebäuden die Methode bereits erfolgreich angewendet worden sei. Das Wort *Temperierung* klang fast ehrfurchtsvoll aus seinem Mund, und nicht ein einziges Mal rief die Planung der bevorstehenden Hochzeit die gleiche Begeisterung bei ihm hervor.

Eine kirchliche Trauung lehnte Ludger ab, und Paula fügte sich. Durch Zustimmung Gleichklang zu erzeugen fühlte sich richtig an. Von ihrer Seite kamen auch die meisten Hochzeitsgäste. Ludger hatte die Brinkmann-Brüder samt Frauen eingeladen und die Mannschaft, die schon beim Umzug dabei gewesen war. Aus seiner Verwandtschaft kam keiner. Seine Kontakte beschränkten sich auf Kollegen, Auftraggeber und Handwerker.

Die Planung des Essens hatte Paula übernommen, ebenso wie die Auswahl der Getränke, die Gestaltung der Einladungen und die Dekoration der Wohnung. Nur bei der Musik hatte Ludger mitreden wollen.

Eine halbe Nacht lang hatten sie zusammengesessen. Ludger suchte die Jazzplatten nach den besten Stücken ab, rauchte dabei, summte manchmal leise mit, und als Paula nach ihrem zweiten Glas Wein spontan zu tanzen begann, sah er ihr zu. Er tat es mit der typischen Verlegenheit, die Paula inzwischen kannte.

Mit gesenktem Kopf und hochgezogenen Schultern, die Bierflasche dicht am Mund, saß er da und schaute. Sein Blick folgte ihr.

Als Paula sich auf seinen Schoß fallen ließ, stellte er das Bier beiseite, legte seine Arme um ihre Taille und küsste sie. Gleich darauf schob er sie von sich und stand auf. Sein Körper spannte sich, sein Blick ging einmal rundherum, und begeistert verkündete er, dass auch in dieser Wohnung Temperierung die beste Lösung sei.

Kein Mensch war, wie man ihn haben wollte.

Paula hoffte, dass die Zeit die Lücke zwischen Wunsch und Wirklichkeit schließen würde.

* * *

Sie trägt noch ihr Nachthemd, als sie nach dem Frühstück auf den Balkon hinausgeht und in den Garten hinuntersieht. Es ist Paulas fünfte Wohnung in dieser Stadt; endlich fühlt sie sich wohl.

Krokusse und Schneeglöckchen blühen in dem gemeinschaftlich genutzten Garten, der durch hohe Steinmauern von den benachbarten Gartengrundstücken abgegrenzt ist. Unter Paula und Leni wohnt eine Familie mit zwei kleineren Kindern, im Hochparterre ein älteres Ehepaar. Meistens existieren sie friedlich nebeneinander. Einzig der Garten führt gelegentlich zu Auseinandersetzungen. Der Wunsch des älteren Paares nach Ordnung kollidiert mit den planlosen und selten von Erfolg gekrönten Spontanpflanzungen der Familie im Mittelgeschoss. Insgesamt jedoch respektieren sie sich, und einmal im Jahr gibt es ein Sommerfest.

Paula geht langsam von einem zum anderen Ende des Balkons, der sich über die Breite dreier Zimmer streckt, von denen jedes einen Zugang hat. Der Regen lässt langsam nach, und von Wenzel noch keine Antwort. Vielleicht ist er im Atelier und arbeitet, vielleicht hat er ihre Nachricht noch nicht gelesen, vielleicht ist er auf dem Weg zu ihr. Daran, dass er kommen wird, zweifelt sie nicht.

Sie fährt mit den Händen über die hölzerne Balkonbrüstung, macht sich die Bewegung ihrer Arme bewusst, ihrer Hände, dann ihren Atem und die Tatsache, dass sie sich anstrengen muss, ihren Körper zu spüren. Er drängt sich nicht auf durch Schmerzen, Unbeweglichkeit oder übermäßige Mattigkeit. Schon lange hat sie aufgehört, die scheinbaren Selbstverständlichkeiten als selbstverständlich anzusehen.

Während der Ehe mit Ludger war ihr Blick in eine unscharfe Zukunft gerichtet gewesen, nach Johannas Tod in eine überscharfe Vergangenheit. In der Gegenwart hört sie die Türglocke und läuft zur Wohnungstür.

Wenzel hat gestohlene Blumen dabei. Er findet sie auf seinem Weg durchs Rosental, später werden sie auf winzige Vasen in Paulas Wohnung verteilt.

Sein lichter werdendes Haar hat er kurzrasiert. Wenzel ist der erste Mann, der sie nicht zu formen versucht. Der erste, der sich manchmal nur um ihre Lust kümmert. Der erste, den sie ihren Eltern nicht vorstellt.

Sie nimmt ihn an der Hand und geht mit ihm ins Schlafzimmer.

Während er sie langsam auszieht, ihr befiehlt, sich auf den Bauch zu legen, und ihr mit seinen Fingerspitzen hart vom Nacken abwärts bis zu den Schenkeln streicht und sie auseinanderschiebt, fühlt sie sich kurz an das erinnert, was sie in sich verschlossen hält. Und dann erzählt sie ihm von den Männern. Erzählt ihm, wie weit sie gegangen ist, welche Dinge sie ihnen erlaubt hat, nur um eine andere Art von Schmerz zu spüren. Einen Schmerz, der die Trauer, die wie ein freigelassener Dämon in ihr wütete, dominierte. Unter Tränen erzählt sie, wofür sie sich schämte, was ihr gefallen hat, *obwohl* sie sich schämte, und wie die Unterwerfung sie für einige Stunden den Tod ihres Kindes vergessen ließ. Und wenn sie aufhört zu sprechen, küsst er sie, folgt mit seinen Lippen dem Weg seiner Fingerspitzen.

* * *

Am Morgen der Hochzeit erwachten sie von einem Geräusch. Über Nacht hatte ein Fenster offen gestanden. Ein Vogel war hereingeflogen. Panisch flatterte er zwischen Lampen und Möbeln umher. Er flog gegen Scheiben und stürzte zu Boden, nahm neuen Anlauf und verfehlte den Weg nach draußen erneut.

Paula sprang aus dem Bett. Sie öffnete alle Fenster. Ihr Herz raste. Jedes Mal, wenn der Vogel sich anstieß, zuckte sie zusammen. Ludger half ihr. Gemeinsam scheuchten sie ihn durch den riesigen Raum. Doch vergebens. Er fand nicht hinaus. Es war noch früh; der Morgen dämmerte in rosafarbenem Licht. Der Vogel ruhte am Boden, und sie beschlossen zu warten.

Zurück im Bett rückte Ludger dicht an sie heran. Er legte einen Arm um sie und wühlte seinen Kopf in ihr Haar. Seine Fingerspitzen streichelten ihren Bauch. Als ein Zittern durch ihren Körper ging, hielt er in der Bewegung inne. Kurz darauf schlief er wieder.

Paula hörte auf das Flügelschlagen und die kurzen, schrillen Schreie des Vogels, während sich ihre Finger zwischen ihren geöffneten Beinen bewegten. Vorsichtig hatte sie sich aus seiner Umarmung herausgewunden. Sie lag auf dem Bauch und drückte ihr Gesicht ins Kissen.

Später ließ das Klingeln des Weckers sie hochfahren. Sofort stand sie auf und suchte den Raum ab. Der Vogel war verschwunden.

*

Von der Hochzeitsreise, die sie wandernd in den Vogesen verbrachten, kehrte Paula angenehm erschöpft zurück. Von Sainte-Odile hatten sie sich über Col du Kreuzweg nach Kaysersberg und dann südlich in das Naturschutzgebiet durchgeschlagen, bei ständig wechselndem Wetter und – nach Paulas Einschätzung – lebensgefährlichen Auf- und Abstiegen. Manchmal waren sie stundenlang wortlos hintereinandergelaufen, weil die Pfade schmal waren und das Reden zu viel Kraft verbrauchte. Dann wieder waren sie nebeneinandergegangen und hatten sich die Zukunft ausgemalt.

Über weite Strecken hinweg begegneten sie keinem anderen Menschen. Sie picknickten auf sonnenwarmen Felsen, in Burgruinen und alten Kriegsbefestigungen.

Sobald sie sich niedergelassen hatten, packte Ludger die Karten aus. Er besaß mehrere in verschiedenen Maßstäben und zeigte Paula stets, wo sie sich exakt befanden. Während sie Brot, Käse und Äpfel aßen, erklärte er ihr die Route für die nächsten Stunden. Seine Begeisterung über die Genauigkeit der Wanderkarten, in denen noch der kleinste Pfad verzeichnet war, kannte keine Grenzen.

In den *Fermes Auberges,* in denen sie übernachteten, teilten sie die Mehrbettzimmer mit anderen Wanderern. Nur in der ersten und der letzten Nacht der zehntägigen Reise nahmen sie Quartier in Hotels, mit eigenem Bad und bequemem Doppelbett, und nur in jenen beiden Nächten schliefen sie miteinander. Ludger hatte die Angewohnheit, sich danach zusammenzurollen und den Kopf an Paulas Brust zu verbergen. So schlief er am liebsten ein. Drehte Paula sich vorsichtig weg, weil sie in dieser Stellung nicht schlafen konnte, rückte er nach. Selbst im Tiefschlaf rückte er auf, sobald ihre Körper den Kontakt verloren. Paula stand dann auf der einen Seite des Bettes auf, nur um sich auf der anderen wieder hinzulegen. Dennoch mochte sie diese physische Bestätigung seiner Liebe.

*

An ihrem ersten Arbeitstag nach der Reise wurde Paula von den Kollegen mit ihrem neuen Namen begrüßt – Paula Krohn. Und als Marion, die mit ihr in der Abteilung Belletristik arbeitete, ihr am Ende jenes Tages *Paula, dein Mann ist da!* zurief, richtete sie sich auf und lächelte.

Es war einer jener Augenblicke, die sie auch nachträglich nicht entwerten würde.

In Jeans und Leinenhemd stand Ludger vor dem Tisch mit den Neuerscheinungen und winkte ihr zu. Warum sie das stolz machte, hätte sie nicht sagen können.

*

Der Schleier der Hormone hob sich.

An vielen Abenden war Paula allein in dem Loft. Wenn sie die Fenster zum Kanal hin öffnete, strömte der brackige Geruch des schmutzigen Wassers hinein, schloss sie die Fenster, wurde es unheimlich still. Ihre eigene Stimme hallte in dem riesigen Raum. Es gab keine abgetrennten Zimmer, nur einen Kubus in der Mitte, in dem sich das Bad befand.

Jeden Abend wartete sie auf Ludgers Heimkehr. Der Temperierungsauftrag beanspruchte ihn wie kein anderes Projekt, und oft kam er spät. In den Stunden des Wartens kochte oder las sie, telefonierte oder stand am Fenster, ohne je zu vergessen, dass alles Tun nur Überbrückung war. Die Angespanntheit endete erst mit dem Geräusch seines Schlüssels im Schloss, und Paula fragte sich, ob es wirklich nur die Wohnung war und die Leere darin.

Immer wieder verirrten sich Vögel in das Loft. Nicht alle fanden den Weg hinaus. Eine Taube mit gebrochenem Flügel saß eines Tages neben dem Esstisch auf dem Boden. Ein toter Spatz lag unterhalb des Fensters, durch das er hereingekommen war.

Fortan blieben die Fenster verschlossen.

*

Jeden Sonntag frühstückten sie im Café Telegraph.

Ludger las die *FAZ* und die *Neue Zürcher Zeitung*, Paula den *Spiegel* und die *Zeit*.

Sie fuhren die Radwanderwege an Saale und Mulde entlang, besuchten Ausstellungen, gingen ins Kino und stritten über die Auswahl des Films. Ludger bevorzugte Dokumentarfilme, Paula Künstlerbiographien. Ludger bemängelte daran, dass Paula in Wahrheit keinen Tag im Leben eines Georg Trakl ertragen hätte, keine Woche im Leben der Camille Claudel. Sie warf ihm vor, alles zu ernst zu nehmen, ohne Humor zu sein, ohne Leichtigkeit, und er konterte, dass eben diese Leichtigkeit, diese Sorglosigkeit die Welt zugrunde richte.

Sie stritten über Dinge, von denen sie nicht geglaubt hatten, dass man über sie streiten konnte. Beim Radfahren fuhr er schneller als sie. Er schaute sich nicht nach ihr um. Er raste mit seinem Fahrrad über Ampeln, die auf Rot umschalteten, und fuhr auf der anderen Seite weiter, während Paula auf die nächste Grünphase wartete. Auch die Strecke legte er fest. Von jedem beliebigen Punkt in der Stadt zu jedem beliebigen Ziel kannte er die beste Route. Paulas Widerspruch brach spätestens beim Blick auf die Karte, die er stets bei sich trug.

Manchmal ließ sie sich absichtlich zurückfallen und fuhr einen eigenen Weg. Sie wusste, wie sehr es ihn ärgerte, und sie wusste, dass die Versöhnung manchmal im Bett stattfand.

Wenn Ludger wütend war, hielt er seine körperliche Kraft nicht zurück. Der Sex war freier als sonst. Und jene Nächte waren es, die Paula Hoffnung machten. In anderen Nächten lag sie wach, wand sich aus seiner Umarmung und wusste nicht, wohin mit ihrer Lust.

*

Der Auszug aus dem Loft war die erste Entscheidung, die Paula durchsetzte.

Vernünftig war es nicht. Die Mietpreise stiegen, und Ludger steckte in einer Krise.

Trotz des Erfolgs hatte es keine weiteren Temperierungsaufträge gegeben. Sein Ziel war ihm so nah erschienen. Bald schon hätte *Brinkmann & Krohn* dafür bekannt sein können, das beste Architekturbüro auf dem Gebiet des ökologischen Bauens zu sein. Er hatte andere, lukrative Aufträge abgelehnt und mit den Brinkmann-Brüdern gestritten.

Zu diesem Zeitpunkt war das Kind in ihrem Bauch etwa acht Zentimeter groß. Es konnte den Daumen in den Mund stecken, die Nabelschnur zwischen den Fingern halten, und es bewegte sich lebhaft.

Das Ultraschallbild lag zwischen ihnen auf dem Tisch. Paula weinte. Sie hatte geredet und gefleht. *Wände und Zimmer!,* hatte Ludger wiederholt und den Kopf dabei geschüttelt. Das Bett sei groß genug für drei und das Loft ideal für ein kleines Kind. Spiele aller Art seien möglich. Fahrradfahren, Trampolinspringen, Schaukeln – was wolle sie mehr?

Als Paula vom Tisch aufstand, wischte sie sich die Tränen aus dem Gesicht, nahm das Ultraschallbild und steckte es in ihre Tasche.

In den folgenden Monaten fuhr sie mit ihrer Gazelle kreuz und quer durch die Stadt. Sie telefonierte mit Maklern und privaten Vermietern, besichtigte etliche Wohnungen und traf eine Vorauswahl, die sie Ludger am Abend vorlegte.

Es stellte sich dann heraus, dass die Wohnungen in Stadtteilen lagen, die für Ludger nicht in Frage kamen, in baumlosen und deswegen inakzeptablen Straßen, in Sanierungszuständen, mit denen er nicht leben konnte, mit Nachbarn, die ihm schon vom Hörensagen unsympathisch waren. Er lehnte es ab, Tür an Tür mit Anwälten, Steuerberatern oder Immobilienmaklern zu leben. Er hasste ihre SUVs, aus denen sie von oben auf die anderen herabsahen, die Vorfahrtsregeln außer Kraft setzten und in zweiter Reihe parkten. Ihm graute vor ihren Statussymbolen, ihren Baumfällanträgen zugunsten neuer Parkplätze, ihrem mangelnden Bewusstsein für das richtige Leben.

Als sie eines Tages auf dem Balkon einer halbsanierten Vierraumwohnung standen, über den südlichen Auwald blickten und Ludger endlich zustimmte, empfand Paula keine Freude. Der modrig-feuchte Geruch des Bärlauchs rief Übelkeit bei ihr hervor. Sie lehnte sich gegen die Brüstung des Balkons und schloss die Augen.

Die Wohnung lag in einem Hinterhaus. Es gab keinen Autolärm, kein Straßenbahnrattern, nur die grünen Kronen der Bäume und die Stimmen der Vögel. Bis in die innere Stadt waren es zehn Minuten mit dem Rad, beide Arbeitsstellen waren ebenso schnell zu erreichen. Das Treppenhaus stand voller Fahrräder, und egal, aus welchem Fenster man blickte, Autos waren keine zu sehen. Es war perfekt.

Am Tag des Umzugs konnte Paula nur zusehen und die Helfer anweisen. Es blieben ihr vier Wochen bis zum Geburtstermin. Ihre Beine schmerzten, und die Schuhe drückten auf die geschwollenen Füße. Sie hatte Sodbrennen und war unsagbar müde. Am liebsten hätte sie sich wie eine Schnecke in den Schutz ihres Gehäuses zurückgezogen.

Am Ende jenes Tages jedoch, inmitten des Durcheinanders von Kisten, Koffern und Möbelteilen, stand nur das Bett an seinem Platz. Und als sie endlich lag, dachte Paula an die Nächte, die sie schlaflos darin verbracht hatte, und an das noch namenlose Kind in ihrem Bauch.

Das Baby kam zwei Wochen vor dem Termin, und es landete in diesem Bett. Die Hausgeburt war Ludgers Idee gewesen. Judith, die in Hannover als Ärztin im Praktikum arbeitete, verschwieg sie das Vorhaben. Paula kannte die Meinung ihrer Freundin. *Mittelalterlich,* hätte sie gesagt, *vollkommen bescheuert.*

Ihre eigenen Ängste hatte sie mit der Gewissheit beruhigt, dass innerhalb weniger Minuten ein Arzt zur Stelle wäre, wenn es nötig sei. Auch die Kollegen hatten sie in der Entscheidung bestärkt, zu Hause zu gebären. Geschichten von multiresistenten Keimen kursierten. Das Krankenhaus war kein sichererer Ort als das eigene Bett.

Nun kniete sie davor und schaute nach oben. Eine nackte Glühbirne hing an einem Kabel. Noch mussten Lampen angeschlossen und Regale angebracht werden. Zwanzig Minuten waren seit ihrem Anruf vergangen. *Nimm ein Taxi,* hatte sie ohne große Hoffnung gesagt. Doch wie erwartet, kam Ludger mit dem Fahrrad nach Hause. Sie hörte seinen Schlüssel im Schloss, seine Schritte im Flur und das Geräusch der hingeworfenen Tasche und dann – nichts mehr. Eine Wehe fegte sie weg, ihre Wahrnehmung verengte sich auf Rücken und Unterleib.

In den folgenden neun Stunden ging er häufig hinaus und kam wieder herein. Kniete neben ihr, lag bei ihr, hielt ihre Hand und wischte ihr den Schweiß von der Stirn.

Haargummi!, rief sie. *Musik aus!,* befahl sie und *Fenster zu!,* und als die Hebamme endlich das Pressen erlaubte, hatte sie längst keine Kraft mehr für Worte.

Doch wie schnell die Details verblassten, wie schnell die Schmerzen vergessen waren. Die Hebamme legte das Baby auf Paulas Bauch, und als Paula sah, dass es ein Mädchen war, sank sie lächelnd zurück auf das Kissen. Ludger durchtrennte die Nabelschnur, und kurz darauf saugte Leni Antonia Krohn an Paulas Brust.

Drei Wochen blieb Ludger zu Hause.

In diesen drei Wochen waren er und sie und Leni die Welt. Selbst während des Stillens lag er bei ihnen. Die notwendigen Wege nach außerhalb erledigte er so schnell wie möglich. Sie waren wie ein Kraftfeld, das die Kraft verlor, wenn einer den geschlossenen Kreis verließ.

Sie habe selten eine Familie begleitet, in der alles so reibungslos lief, bemerkte die Hebamme bei ihrem Abschiedsbesuch.

An ihrem letzten gemeinsamen Tag standen sie im Morgengrauen auf. Paula wäre gern liegen geblieben. Alle zwei Stunden hatte sie Leni in der Nacht gestillt. Die Erschöpfung war so groß, dass ihr der Gang zur Toilette schon zu viel erschien.

Der Park war menschenleer. Frühnebel lag über den Wiesen. Es war herbstlich kühl. Als sie die Eiche erreichten, an der sie sich am Anfang stets getroffen hatten, setzte Ludger den Rucksack ab, packte Spitzhacke und Spaten aus und begann mit dem Ausheben der Grube. Als die Spitzhacke auf eine Wurzel traf, schnellte das Werkzeug zurück und traf ihn beinahe am Kopf. Er suchte eine andere Stelle.

Leni hatte zu weinen begonnen. Dick eingemummelt, lag sie im Wagen. Ihre Arme ruderten, und ihr Brüllen zerriss die Stille. Paula schuckelte den Wagen hin und her. Ein Fahrradfahrer schoss vorüber. Bald würden sich die Wege füllen, mit Radfahrern, Joggern und Hundebesitzern. Langsam entfernte sie sich einige Meter von Ludger. Tat, als gehörten sie nicht zusammen, als sei auch sie nur eine Passantin.

Nach etwa zehn Minuten hatte Ludger ein gut dreißig Zentimeter tiefes Loch gegraben. Wieder griff er in den Rucksack. Aus einer Plastiktüte holte er den angetauten Mutterkuchen heraus, hielt ihn eine Weile in den Händen und legte ihn schließlich in das Loch. Dann streckte er einen Arm in Paulas Richtung.

Seine Hand war feucht, und Paula bemerkte einen süßlichen Geschmack in ihrem Mund.

Als das Loch wieder zugeschüttet war, schrie Leni noch immer. Paula drehte sich um und schob den Wagen zügig über die Wiese bis zum Weg. Nur einmal schaute sie zurück. Ein großer Hund lief zielstrebig auf die Stelle zu, wo sich die frische Erde vom Grün des Rasens abhob.

Doch bevor er das Plazentagrab erreichte, wandte sie sich ab.

*

Allein mit dem Kind war alles anders.

Der Rhythmus ihres Lebens folgte den Trink- und Schlafbedürfnissen des Säuglings. Ihr Körper war ihr fremd. Die Brüste gehörten Leni, die Gliedmaßen waren schwer, das Haar stumpf, und ihr Bauch fand nur langsam zur alten Form zurück.

Wenn Ludger nach Hause kam, hatte er nur Augen für seine Tochter. Trug Paula sie auf dem Arm, griff er nach ihr und nahm sie ihr ungefragt ab. *Papa war auf der Baustelle,* sagte er dann, oder *Papa hat einen neuen Auftrag bekommen.* Und dann erklärte er Leni, warum Niedrigenergiehäuser schimmelanfällig seien, welchen Vorteil Lehmbauplatten brachten, wie er den Auftraggeber von der Temperierung überzeugen wollte und welche Gräser und Kräuter für eine Dachbegrünung mit Erdanschüttung geeignet seien.

In den Abendstunden werkelte er in der Wohnung. Was er anfasste, wurde schön. Das selbst gestaltete, beleuchtete Regal in der Abstellkammer, der von ihm entworfene Kleiderständer im Flur, die extravaganten Lampen – alles war auf perfekte Weise unperfekt.

Wenn etwas fertig war, rief er nach ihr. Und dann kam sie und lobte ihn, und seine Hand suchte nach ihrer.

Erst später im Bett, wenn Leni zwischen ihnen lag und er sie hingerissen anstarrte, fühlte Paula das Unbehagen. Die Zärtlichkeit in seinen Augen galt nur dem Kind. Jedes seiner kleinen Geräusche entzückte ihn.

Sie schämte sich für das, was sie empfand. Doch seine Rührung stieß sie ab.

*

Sooft es ging, traf sie nun Judith, die wieder in Leipzig war und ihre Facharztausbildung begonnen hatte.

Paula mochte diese Stunden. Mit Judith war sie schlagfertig, ironisch, selbstbewusst. Doch je mehr Zeit sie mit ihr verbrachte, umso schwerer fiel ihr die Anpassung an das

Danach. Und umso schwerer wurde es, die Wahrheit vor der Freundin zu verbergen.

Von den Nächten, in denen sie erwachte, weil ihr Herz zu schnell schlug, erzählte sie nichts. Und nichts von den Momenten, in denen ihr alles falsch erschien, wie ein nicht wiedergutzumachender Fehler. Und nicht, dass Ludger seit Monaten nicht mit ihr schlief. Vor der Geburt war es das Baby im Bauch, nach der Geburt das Baby im Bett. Ein flüchtiger Kuss am Morgen, eine kurze Umarmung am Abend. Dazwischen nichts.

In jenen Wochen erwähnte Ludger oft, wie glücklich er sei. Paula erschien es, als bezahlte sie den Preis für dieses Glück. Als lebte er von ihr. Je mehr Energie er hatte, umso schwächer fühlte sie sich. Je besessener er Pläne schmiedete, umso antriebsloser wurde sie.

Es war die Zeit, als er sich einen Bart stehen ließ, als er aufhörte, Fleisch zu essen und Insekten zu töten. Als er einen Wasserfilter installierte und eine Kornquetsche kaufte. Als er begann, einen erheblichen Teil seines Gehalts an Tierschutzorganisationen und Menschenrechtsverbände zu spenden und den Umzug ihres Bankkontos zu einer ethisch vertretbaren Bank organisierte. Und die Begründung für sein Handeln war so schlicht wie wahr: weil es nicht falsch sein konnte, das Richtige zu tun.

Viele Abende dachte er laut über die Art und Weise nach, wie sie leben sollten. Wie sie die Spuren, die sie hinterließen, noch geringer halten konnten. Paula saß mit ihm am Tisch. Eine stumme Zuhörerin, die ab und zu nickte.

Gleichzeitig wuchs sein Leiden an der Welt und den Menschen. Für die Caféhausbesuche packte er Ohropax ein. Fetzen vom Privatleben anderer, die erzwungene Teilhabe an fremden Leben ertrug er nicht. Paula sah seinen Ekel an dem angespannten Ausdruck in seinem Gesicht.

Im Grunde teilte sie seine Ansichten. Sie hatte Ludgers moralische Integrität und seine Bereitschaft zum Verzicht von Anfang an bewundert. Anders als die meisten trat er für seine Überzeugungen ein und nahm Nachteile in Kauf. Auch die Empfindlichkeit verstand sie. Und genau wie er wollte sie, dass Leni in eine bessere Welt hineinwüchse. Und war dieser Gleichklang nicht die Liebe, von der Ludger sprach?

Doch all das hatte nichts mit ihr *persönlich* zu tun. Mit ihr – Paula.

* * *

Paula, flüstert er und streicht ihr die Haare aus dem verweinten Gesicht.

Wenzel versteht. Er scheint alles zu verstehen. Er verachtet sie nicht, er urteilt nicht, er runzelt nicht einmal die Stirn.

Bevor sie zum ersten Mal mit ihm geschlafen hatte, war sie zum Arzt gegangen. Sie war sich sicher gewesen, krank zu sein. Innerhalb eines Jahres hatte Paula mit fünfzehn Männern geschlafen. Laut den Angaben auf dem Seitensprungportal waren sie verheiratet gewesen. Paula kannte ihre Vornamen und ihr Alter, sonst wusste sie nichts. Wenn sie behauptet hatten, gesund zu sein, hatte sie ihnen geglaubt.

Und auch die Männer hatten nichts wissen wollen.

Als die Ergebnisse vorlagen, kannte sie Wenzel seit acht Wochen. Sie hatten eine Brahms-Sinfonie und ein Rachmaninov-Klavierkonzert gehört, waren im Theater gewesen, hatten lange Spaziergänge unternommen und sich auf Bänken im Park geküsst. In acht Wochen hatte sie früher eine Beziehung begonnen, geführt und beendet. Wenzel hatte sie noch nicht einmal nackt gesehen.

Anfangs fürchtete sie, er würde das Weite suchen, wenn er erkannte, wie beschädigt sie war. Doch als er immer wieder aufs Neue pünktlich an den verabredeten Orten erschien, ließ die Angst langsam nach.

Als sie in der Praxis vor dem Tresen stand, versuchte Paula vergeblich, aus dem Gesicht der Arzthelferin das Ergebnis abzulesen. Die Augen der Frau flogen über einen Bogen Papier, ihre Miene war ausdruckslos. Das Telefon klingelte, sie ging ran, vergab einen Termin, dann schaute sie erneut auf das Papier. *Alles in Ordnung, Frau Krohn,* sagte sie, ohne aufzusehen.

Paula fuhr Fahrrad. Der Wind in ihrem Gesicht war warm.

Auf dem Markt kaufte sie Fisch, Tomaten, Paprika, Gurken, Radieschen, grünen Salat, Zwiebeln und Knoblauch, frische Kräuter, Zitronen und Safran. Mit vollen Fahrradtaschen machte sie halt beim Weinhändler, probierte einen Grauburgunder, einen Weißburgunder und einen Sauvignon blanc, spürte die angenehme Wirkung des Alkohols und verließ den Laden mit einem fränkischen Silvaner.

Zu Hause band sie sich eine Schürze um, legte Chopin-Balladen ein und fing an zu kochen.

Es war der Tag, als die Mauersegler kamen. Wie in jedem Jahr waren sie plötzlich da. Von südlich des Äquators kamen sie angeflogen, in der ersten Woche des Monats Mai. In atemberaubender Geschwindigkeit jagten sie durch die Straßen. Ihre schrillen Rufe gellten durch den Abend und waren selbst durch die geschlossenen Fenster zu hören.

Paula lief ins Wohnzimmer und setzte sich aufs Fensterbrett. Für ein paar Minuten spiegelte sich die Abendsonne in einem der gegenüberliegenden Fenster. Wie ein Scherenschnitt erschien ihr Halbprofil auf dem Vorhang, der das Zimmer teilte, und die Schatten der Mauersegler huschten darüber hinweg.

In jener Nacht schliefen sie miteinander. Wenzel tat nichts, was Paula nicht schon kannte, und doch war etwas an diesem Lieben anders. Es war wie eine komplexe Musik – nach dem ersten Hören traten andere, feinere Klänge hervor, zeigte sich die Schönheit noch im leisesten Ton und selbst in den Pausen. Und als sie am nächsten Morgen die Augen aufschlug, war Wenzel noch immer bei ihr.

* * *

Als Ludger aufhörte, sie beim Namen zu nennen, begann sie, Dinge zu tun, die einzig und allein zum Ziel hatten, anders zu handeln, als er es für richtig hielt.

An einem Sonntagmorgen duschte Paula ganze fünfzehn Minuten am Stück.

An einem Mittwochabend warf sie vor seinen Augen einen angeschlagenen Apfel in den Müll.

Sie kaufte Kleider und Schuhe, obwohl sie Kleider und Schuhe in großen Mengen besaß. Doch ihren Namen hörte sie erst wieder, als sie eines Abends ein Rindersteak briet.

Zu diesem Zeitpunkt war Ludger erst wenige Wochen Vegetarier. Jeden Abend war diese Entscheidung Thema, er nannte Zahlen zum weltweiten Fleischkonsum, zur Massentierhaltung, zum Futtermittel- und Wasserverbrauch. Sein Faktengedächtnis war beeindruckend, und die notwendige Folge aus diesem Wissen war der Verzicht.

Als er zur Tür hereinkam und *Hallo Liebes!* rief, nahm Paula das fertiggebratene Steak aus der Pfanne und legte es auf ihren Teller. Sie pfefferte es, streute Meersalz darüber und tat sich Salat auf. Mit einem scharfen Messer schnitt sie das Fleisch auf. Bratensaft trat aus. Innen war es roh. Ein kleines Rinnsal Blut bahnte sich seinen Weg durch die grünen Salatblätter.

Paulas Herz klopfte ihr bis in den Hals. Hunger hatte sie keinen mehr. Einen Augenblick lang dachte sie daran, das Fleisch im Müll verschwinden zu lassen, doch da stand Ludger schon neben ihr.

Was machst du da, Liebes?, fragte er.

Und als sie ihn nur schweigend anblickte, sagte er *Paula!* und sonst nichts.

Nach dem Kauf des Autos sprach er wochenlang so gut wie gar nicht mehr mit ihr.

Es war ein unnötig großes Auto – ein alter schwarzer Volvo, fast fünf Meter lang.

Wie ein Verwundeter lief er umher, gebückt, niedergeschlagen.

Paula leistete keine Abbitte. Sein Schweigen quälte sie, doch als sie endlich wieder sprachen, verteidigte sie ihr Handeln damit, dass er seine Zustimmung ohnehin nicht gegeben hätte. Während sie den Boden des Badezimmers wischte, verkündete sie, er sei nur ihr *Mann* und nicht ihr *Herr*. Ludger erwiderte, sie wünsche sich doch manchmal einen Herrscher, und als sie begriff, was er meinte, lachte sie. Auch über sein Gesicht huschte ein Lächeln, und diesen Augenblick ließ sie nicht verstreichen. Sie küsste ihn. Dann beugte sie sich über die Waschmaschine, und Ludger war noch wütend genug, um nicht zurückzuweichen.

Der Frieden währte kurz.

An einem Sonntagnachmittag schellte die Klingel. Judith stürmte herein, ging gleich in die Küche durch und legte wortlos Fotos von einer dunkelbraunen Quarter-Horse-Stute mit weißer Blesse auf den Tisch. Wenige Tage zuvor hatte sie die Facharztprüfung für Endokrinologie und Diabetologie erfolgreich bestanden. Das Pferd war ihr Geschenk an sich selbst.

Mit Leni auf dem Arm starrte Ludger auf die Fotos, während Judith begeistert über den Ausbildungsgrad des Pferdes berichtete, seine Rittigkeit, Biegsamkeit und Gelehrigkeit beim Springen. Als sie fertig war, sagte er mit unverhohlener Abscheu in der Stimme, dass man als ethisch bewusster Mensch Tiere weder reiten noch dressieren dürfe, das alles verursache unnötiges Leiden.

Judith stemmte die Hände in die Seiten, warf einen Blick auf Leni und hob herausfordernd den Kopf. *Wenn du unnötiges Leiden verhindern willst,* erwiderte sie, *dann setz*

keine Kinder in die Welt. Denn dieses Kind, wie jeder ein-
zelne Mensch auf der Welt, wird Leid erfahren.

Und dann sammelte sie ihre Bilder ein, steckte sie in die
Tasche und schaute zu Paula. An einem anderen Tag vielleicht hätte sich Paula auf die Seite ihrer Freundin gestellt.
An einem anderen Tag vielleicht hätte sie zu Ludger gesagt,
er solle nicht aller Welt seine Meinung aufdrängen und
nicht jeden verurteilen, der anders lebt als er.

Judith kam lange nicht mehr zu Besuch.

Sie rief nicht mehr an und antwortete auf Paulas Nachrichten knapp und abweisend. Zur Neueröffnung der
Hausarztpraxis, die Judith von einem Freund ihrer Mutter
übernahm, schickte sie an Paula eine ebensolche Einladung
wie an alle anderen Gäste. Ohne persönliches Wort, ohne
ein Zeichen der lebenslangen Freundschaft.

Paula machte Ludger dafür verantwortlich.

Sie dachte an Trennung.

Doch sie trennte sich nicht.

In der kommenden Zeit zogen sie sich zurück. Einladungen
schlugen sie aus, Besucher kamen selten. Sie schliefen wieder öfter miteinander. Im inneren Kreis der Liebe funktio-
nierten sie.

*

Zu Beginn der zweiten Schwangerschaft wurden Entschuldigungen ausgesprochen und Versprechen gemacht. Paula
gab zu, manchmal aus Protest zu handeln, Ludger gestand,

sie erziehen zu wollen. Das Aussprechen gab ihnen das Gefühl, die Dinge geklärt zu haben, und seine zärtliche Zuwendung bestätigte sie in der Annahme, dass die Probleme der Vergangenheit in der Zukunft keine Rolle mehr spielen würden.

Hunderte Fotos entstanden. Ludger mit Leni in einem Schlauchboot auf dem See, Paula und Leni im blühenden Bärlauch sitzend, Leni und Ludger vor einem Faultier im Zoo, sie alle drei auf einer Wiese an der Mulde liegend, mit Kränzen aus Gänseblümchen im Haar.

So, wie es war, war es gut.

Und so, wie es war, war es fragil.

Wirklich ruhig fühlte sie sich nur, wenn Ludger bei ihr war. Kam er nicht zur verabredeten Zeit, nahm sie das Schlimmste an – ein Sturz vom Gerüst einer Baustelle, ein Fahrradunfall, ein geplatztes Aneurysma.

Doch nichts geschah.

Für die Welt da draußen waren sie einfach ein schönes Paar.

Bei einer Informationsveranstaltung für einen Waldkindergarten, den Leni besuchen sollte, spürte Paula die Blicke der anderen Eltern. Sie saßen auf einer Lichtung in einem großen Kreis, und es war ihr, als träte sie aus sich heraus und betrachtete sich von außen – eine selbstbewusste schwangere Frau mit einem rotgelockten kleinen Mädchen auf dem Schoß, ein nachdenklich blickender, gutaussehender Mann an ihrer Seite, der seinen Arm um sie legte.

An jenem Abend liebten sie sich. Trotz der Schwangerschaft trank Paula ein volles Glas Rotwein, und als Ludger zu ihr ins Bett stieg, griffen seine Hände ohne Zögern nach ihr. Sein Begehren war plötzlich wieder da. Er küsste sie hastig, doch seine Finger zwischen ihren Beinen suchten vergeblich nach der warmen Feuchtigkeit, die ihn empfangen sollte.

Als es vorüber war, klammerten sie sich fest aneinander.

An anderen Tagen war alles echt und gut. Wenn Ludger Leni von der Tagesmutter holte und mit ihr in die Buchhandlung kam, um Paula eine Freude zu machen. Wenn sie durch den Park zum Spielplatz fuhren, an blühendem Jasmin vorüber und mit einem Halt beim Eiswagen auf der Sachsenbrücke. Wenn sie ihr Viertel erreichten mit den neugepflanzten Linden und den in frischer Farbe erstrahlenden Häusern. Wenn Leni sich morgens zwischen sie schob und wieder einschlief, während draußen die Vögel zwitscherten. Wenn sie Pläne schmiedeten und die Zukunft glänzte. Wenn Ludger seine Hände auf Paulas Bauch legte, um die Bewegungen des Babys zu spüren.

Zeitweise jedoch schien es fraglich, ob dieses Kind je einen Namen erhielte. Ludgers Vorschläge riefen bei Paula allenfalls ein Heben der Augenbrauen hervor. *Freya* und *Runa* waren noch die geläufigsten unter ihnen. Bei *Sonnhild* hatte sie genervt gestöhnt, und bei *Hedwig* war sie in Lachen ausgebrochen.

Die Einigung auf *Johanna* gelang erst vier Stunden nach der Geburt. In dieser Zeit war das Baby ein schlichtes *Es* gewesen. Schweigsam waren sie von der Klinik nach Hause zurückgekehrt. Ludger trug die Plastiktüte, in der sich die Plazenta befand, Paula trug Johanna.

Sie wusste selbst nicht, warum sie der Mut für eine weitere Hausgeburt verlassen hatte. Die erste hatten sie ohne Probleme geschafft. Waren es Judiths Geschichten von Geburtsstillständen, von Nabelschnüren, die sich um Hälse wickelten, von Sauerstoffmangel, Behinderung und Tod gewesen? Oder war es, damit Ludger seinen Willen nicht bekam?

Zu Hause ging er als Erstes zum Kühlschrank und verstaute die Plazenta im Gefrierfach. Dann holte er Leni von den Nachbarn ab. Sie stürmte zu Johanna, die in der Babyschale lag und schlief. Begeistert fasste sie an die Hände, den Kopf und die Nase ihrer kleinen Schwester, und Ludger musste sie schließlich wegtragen, um Johannas Schlaf nicht zu gefährden.

Paula legte sich sofort ins Bett. Ludgers Anblick erschöpfte sie. Als sie auf dem Klinikparkplatz das Auto erreicht hatten, hatte er die Babyschale auf der Rückbank befestigt und war dann auf der Beifahrerseite eingestiegen. Nach seiner Ansicht gab es keinen Grund, ihr das Fahren abzunehmen. Es sei nicht sein Auto, hatte er gesagt, er wolle so wenig wie möglich damit zu tun haben.

Tatsächlich fuhr Ludger den schwarzen Volvo in der gesamten Zeit ihrer Ehe genau zwei Mal. Das erste Mal auf dem Weg in die Klinik, in der Johanna zur Welt kam, das zweite Mal zu Johannas Beerdigung.

Das war im Juni. Die Sonne schien mit praller Wucht, in der ganzen Stadt wehten Deutschlandfahnen, die Fußballfans feierten die Siege bei der Weltmeisterschaft, und die Klimaanlage des Volvos war ausgefallen. Ludger öffnete wortlos alle Fenster, der warme Sommerwind strich über ihre Köpfe hinweg und wehte den süßen Duft der Linden zu ihnen hinein. Das Auto war von Honigtau bedeckt. Die Griffe klebten, die Scheiben waren blind, aber Ludger tat nichts dagegen. Er fuhr, ohne die Scheibenwaschanlage zu benutzen.

Auf dem Südfriedhof umflogen sie Bienen und Schmetterlinge, und hunderte Rhododendronsträucher säumten Wege und Gräber. Ihre Blüten waren längst verwelkt, und wegen der anhaltenden Trockenheit hingen die Blätter schlaff herunter. Es war der längste Tag des Jahres. Der Tag der Sommersonnenwende. Der Tag vor ihrem fünften Hochzeitstag.

Paula nahm jeden Windhauch wahr, jedes Blätterrauschen, jedes Insekt. Nur durch die Menschen starrte sie hindurch. Ludger hatte Leni an der Hand. Sein Gesicht war erloschen.

*

Zwei Tage vor ihrem Tod hatte Johanna eine Impfung bekommen.

Wir gehen heute zum Arzt, hatte Paula gesagt, ohne ihre Arbeit zu unterbrechen, *Hanni wird geimpft.* Johanna saß auf seinem Schoß und patschte mit den Händen auf seinen Teller. Das Scheppern machte ihr Freude. Sie lachte und jauchzte, und ihr draller, kleiner Körper geriet mehr und mehr in Bewegung. Ludgers linker Arm lag fest um ihren Leib, mit der rechten Hand versuchte er die Kaffeetasse ohne Kleckern zum Mund zu führen. Er hatte zugehört und die Augen zusammengekniffen. Paula kannte den Ausdruck in seinem Gesicht und ignorierte ihn. Während sie für Leni Obst und Gemüse schnitt und ihr die Brote für den Kindergarten schmierte, erklärte Ludger mit seiner ruhigen Stimme, dass nicht Impfungen, sondern Hygiene und verbesserte Lebensumstände für die Eindämmung oder Ausrottung vieler Krankheiten verantwortlich seien. Und als sie ihm Johanna abnahm, um sie anzuziehen, sagte er, dass er von Hirnschäden und Behinderungen nach Impfungen gehört habe. *Möchtest du jetzt die Arzttermine übernehmen?*, hatte sie gereizt gefragt. *Bleibst du ab jetzt zu Hause, wenn die Kinder krank sind? Pflegst du sie, wenn sie Keuchhusten oder Masern haben?*

Eilig, ohne eine Antwort abzuwarten, band Paula Johanna ins Tragetuch und verließ die Wohnung. Ihr knöchellanges buntes Sommerkleid wehte beim Gehen. Draußen auf der Straße nahm sie den Sonnenhut vom Kopf und hielt ihn schützend über Johanna. Sie erreichten die Praxis pünktlich.

Später behauptete er, er habe protestiert.

Noch später war er sich sicher, überhaupt nicht informiert worden zu sein.

*

Auch an dem Tag, als Johanna starb, trug Paula ihr Sommerkleid mit den großen Blumen darauf. Die Wohnung war plötzlich voller Menschen. Der diensthabende Gerichtsmediziner nahm den Balkon, den Ort des Todes, in Augenschein, um sicherzustellen, dass kein Verbrechen vorlag. Eine Psychologin saß neben Paula. Der Notarzt, der den Tod des Kindes festgestellt hatte, nahm ihr gegenüber Platz. Er stellte Fragen zum Verlauf des Tages und der vorangegangenen Tage, und Paula gab mit tonloser Stimme Antwort. Sie wollte alles richtig machen. Wenn alle Fragen beantwortet wären, dann schlüge das Kind vielleicht die Augen auf. Wenn sie jetzt stark bliebe, dann hätte der Spuk vielleicht ein Ende.

Nach der Impfung hatte Johanna stundenlang geschrien. Sie glühte, wollte nicht trinken, nicht essen, und nichts konnte sie beruhigen. Erst nachdem Paula ihr einen fiebersenkenden und schmerzstillenden Saft eingeflößt hatte, schlief sie ein. Als sie erwachte, schrie sie erneut. Am zweiten Tag war das Fieber weg, doch das Kind lag apathisch in seinem Bett. Mit geöffneten Augen schien es zu schlafen. Es starrte an die Decke, ausdruckslos, tonlos. Es spielte und lachte nicht und suchte keinen Blickkontakt zu Paula. Auf dem Arm war Johanna schlaff, und so, wie Paula sie legte, blieb sie liegen. Der Kinderarzt versicherte ihr, es sei lediglich die Erschöpfung nach dem Fieber.

Am dritten Tag starb Johanna.

Paula hatte sie auf den Balkon gelegt. In ein Nest aus Decken und Kissen gehüllt, war sie eingeschlafen. Als sie sich zwei Stunden später noch immer nicht regte, beugte sich Paula, die bis dahin in einem Liegestuhl neben ihr gesessen und gelesen hatte, zu ihr hinunter und strich ihr über die Wange. Die Haut fühlte sich kühl an, obwohl es angenehme fünfundzwanzig Grad waren.

Paula wusste es sofort.

Sie packte ihr Kind und hob es hoch. Drückte es an sich, schrie. Legte es wieder hin und begann, es mit dem Mund zu beatmen. Rannte zum Telefon, um den Notarzt anzurufen. Rief Ludger an, während sie neben Johanna kniete und so sehr zitterte, dass ihr das Telefon schließlich aus den Händen fiel.

*

Für die Trauer gab es keine Strategie.

Sie war unbeherrschbar, unvorhersehbar, grenzenlos. Für jedes andere Gefühl in ihrem Leben hatte Paula einen Umgang gefunden. Nicht für dieses. Die Erstarrung der ersten Wochen war noch der beste Teil gewesen. Diese Zeit, als das Begreifen nur im Kopf und noch nicht im Herzen stattgefunden hatte, als es noch nicht weh tat, noch abstrakt war. Obwohl der kleine Körper begraben worden war, das Bett leer stand, die Spieluhr stumm blieb, ließ der Schmerz auf sich warten. Doch sie ahnte, dass er sich sammelte, wuchs und Anlauf nahm.

*

Ludger lebte beinahe lautlos neben ihr.

Er war da und war es nicht. Die meiste Zeit verbrachte er mit Lesen. Ständig spuckte der Drucker neue Seiten aus. Bücher und lose Textsammlungen stapelten sich um den Schreibtisch herum. Ludger saß dazwischen. Er schlief kaum, aß wenig. Keinen Augenblick lang hatte er dem Untersuchungsergebnis des Gerichtsmediziners geglaubt.

42

Plötzlicher Kindstod. Angeblich waren in Johannas Gehirn keine Auffälligkeiten gefunden worden, die auf einen Zusammenhang mit der Impfung hinwiesen. Angeblich sei es zufällig passiert. Grundlos. Schuldlos. Und somit sinnlos.

Aber das konnte nicht sein. Ein acht Monate alter Säugling stirbt nicht grundlos, schuldlos, sinnlos. Und eines Tages hatte er genug gelesen. Die quälende Ungewissheit wich einer reinen Überzeugung. Die Suche nach der Wahrheit war beendet. Die Schuld geklärt.

Er arbeitete nur noch selten, verdiente kaum Geld. Sein Blick für alles Unnötige, Unnütze und Unmoralische hatte sich geschärft, und auch die Bereitschaft zur Konsequenz war gewachsen. Aufträge, die seinen Ansprüchen zuwiderliefen, nahm er nicht mehr an. Verächtlich sprach er über die Kollegen. Ihre Argumente interessierten ihn nicht. Er wollte nichts hören von ihren Kindern und Frauen und materiellen Bedürfnissen, die erfüllt werden müssten.

Das Architekturbüro *Brinkmann & Krohn* brach auseinander. Das Namensschild wurde ausgewechselt, der Name *Krohn* aus dem Geschäftspapier getilgt.

Anfangs hatte Paula seine Nähe gesucht, ihren Kopf in seinen Schoß gelegt und Ruhe dort gefunden. Doch Ludger erwiderte ihre Berührungen nicht. Steif ließ er es geschehen, und fortan hielt sie Abstand.

Der Fröhlichkeit von Leni stand sie stumm und hilflos gegenüber. Sie spiegelte kein Lächeln ihres Kindes, keine Freude in seinen Augen.

Wenn der Schmerz kam, war er wild. Manchmal klang

ihr Weinen kaum mehr menschlich. Die Töne, die aus ihr herausbrachen, erschreckten sie, und in den Gesichtern ihres Mannes und ihres Kindes stand die Angst.

Jeden Morgen erwachte sie und war entsetzt. Jeden Morgen wünschte sie, es wäre Abend – der Tag vorüber, die Schlaftablette eingenommen, der schwere Vorhang zugezogen. Sie wollte nicht sterben, aber leben konnte sie nicht. Sie wollte vergessen, doch das war unmöglich. Und als Ludger den Satz sagte, der ihre Ehe beendete, wunderte sie sich, dass das Schwarz, das sie umgab, noch nicht das dunkelste gewesen war.

Du hast Johanna auf dem Gewissen, sagte er eines Tages. Er stand in der Küche im Türrahmen, sprach die Worte, drehte sich um und ging hinaus.

* * *

Eine Zeitlang liegen sie still nebeneinander.

Ich habe Glück, sagt Wenzel, *ich habe dich erst jetzt getroffen.*

Sie greift nach seiner Hand und legt sie sich auf den Bauch.

Später ziehen sie sich an und gehen in die Küche.

Er putzt Gemüse, sie legt ihm das Messer bereit, sie wäscht das Fleisch und tupft es trocken, er schneidet es in Streifen. Er deckt den Tisch, während sie das Fleisch brät und das Gemüse dünstet. Sie kommen sich nicht in die Quere. Wenn er an ihr vorbeigeht, streift seine Hand ihren Arm.

Sie essen.

Sie trinken Wein und Wasser.

Sie räumen das Geschirr in die Spülmaschine.

Sie trinken Kaffee.

Sie liegen auf dem Sofa und lesen.

Sie legen die Bücher beiseite.

Noch drei Stunden, bis Leni wiederkommt –

Die Kleider sind rasch ausgezogen, seine Hände gleiten über ihr Haar, ihren Hals, ihren Rücken abwärts. Immer will er alles sehen. Immer lässt er sich Zeit.

Ihr Körper reagiert sofort auf die Berührung seiner Hände, seiner Lippen, seiner Zunge. Sie hat keine Angst, ihre Wünsche auszusprechen.

* * *

Siebzehn Monate nach Johannas Tod und nur wenige Wochen nach der Scheidung fuhr Ludger nach Kopenhagen. Er kam bei Bekannten unter. Die Auszeit sollte Klärung bringen, eine Neuorientierung. Aus den geplanten sechs Wochen wurden zwei Jahre.

Er verpasste Lenis sechsten und siebenten Geburtstag, ihren Sturz von einem Baum, bei dem sie sich den rechten Arm brach, ihren Schuleintritt, ihre ersten in Schreibschrift geschriebenen Worte *Mama ich hap dich liep,* eine Menge verlorener und neugewachsener Zähne, ihren ersten Galopp auf Judiths Pferd.

Etwa einmal pro Woche meldete er sich, um mit Leni zu sprechen. Die Telefonate endeten nach wenigen Minuten. Außer *Ja, Nein* und *Gut* schien Leni ihrem Vater nichts zu sagen zu haben. Paula tat nichts dagegen. Sollte er spüren, wie schnell die Entfremdung voranschritt, wie unwichtig er war.

Anfangs halfen ihre Eltern. Sie nahmen Leni übers Wochenende mit nach Naumburg, machten Ausflüge in den Zoo, Kurzreisen ins Erzgebirge und die Sächsische Schweiz. Paulas Mutter tat, was getan werden musste, und sie tat es auf die gleiche Weise, mit der sie schon Paula und ihre Brüder großgezogen hatte. Pflichtbewusst, klaglos, ohne sichtbare innere Anteilnahme. Der Vater begegnete ihr in freundlicher Hilflosigkeit.

Der Bruch geschah zu Ostern, knapp zwei Jahre nach Johannas Tod.

Auf dem Weg nach Naumburg peitschte der Wind Schneeregen gegen die Fenster des Zuges, und auf der Autofahrt vom Bahnhof zum Haus ihrer Eltern sah Paula den Dom in dichtes Schneegestöber gehüllt. Kurz bevor sie ihr Ziel erreichten, sagte ihr Vater, sie solle sich nicht erschrecken, es gebe noch andere Gäste.

Im Wohnzimmer auf dem Teppich saßen zwei Mädchen mit langen schwarzen Zöpfen. Sie sprachen arabisch und spielten mit Paulas alten Puppen. Der Fernseher lief, und ein Mann und eine Frau mit Kopftuch saßen kerzengerade auf dem Sofa und starrten auf den Bildschirm. Am Esstisch saß ein Teenager. Vor ihm lag eine aufgeschlagene Fibel, in die er angestrengt blickte.

Der Vater verschwand in seinem Lehnsessel hinter dem Rücken eines Buchs.

Schon früher hatte sich Paulas Mutter engagiert. In jeder

freien Minute war sie dem Pfarrer zur Seite gestanden, hatte im Kirchenchor gesungen und im Altenheim Trost gespendet. Während Paula und ihre Brüder sich zu Hause bekriegten, hatte sie keine Gelegenheit versäumt, sich um die Sorgen anderer zu kümmern.

Paula hatte nichts gegen die fremden Menschen aus Irak und Afghanistan. Auch das Essen schmeckte. Statt des traditionellen Bratens gab es Hummus und gebackene Auberginen, Joghurtsauce mit Knoblauch, Couscous und Klößchen aus Lammfleisch.

Sie saßen alle zusammen am Tisch. Das Zimmer war überheizt, der Kachelofen glühte, und draußen fiel Schnee.

Paula!, sagte ihre Mutter plötzlich. *Dein Schicksal ist nicht einzigartig. Diese Menschen,* und dabei breitete sie die Arme aus, *haben Entsetzliches erlebt. Ich empfehle dir, dich ebenfalls zu engagieren, und du wirst sehen, wie schnell es dir bessergeht.*

Paula schaute in die Gesichter der irakischen Frau und der Mädchen, sie sah in die Augen des afghanischen Jungen, der sofort den Blick senkte, sie fixierte den Mann, der tat, als bemerke er es nicht.

Und sie stand auf, nahm Leni bei der Hand und ging.

Der Vater wollte sich erheben, doch ein Blick der Mutter ließ ihn in der Bewegung innehalten.

*

Paula kam zurecht.

Sie stand auf, putzte sich die Zähne, machte das Frühstück, malte sich die Lippen rot, ging zur Arbeit und verkaufte Bücher. Am Nachmittag half sie Leni bei den Hausaufgaben, brachte sie zu Freunden und zum Flötenunterricht, las ihr am Abend vor und ging kurz danach selbst ins Bett. Sie stand wieder auf, putzte sich die Zähne, machte das Frühstück und malte sich die Lippen rot, ging zur Arbeit und verkaufte Bücher. Sie lernte, das Weinen zu steuern, und tat es niemals vor dem Kind. Sie lud regelmäßig Gäste ein, damit Leben ins Haus kam. Den Haushalt hielt sie in Ordnung, die Kleider gebügelt, und die Pflanzen auf dem Balkon wuchsen und gediehen.

Am Abend saß sie wie ausgeschaltet am Esstisch, den Blick auf die Maserung des Holzes gerichtet.

Von den Freunden blieben nur wenige. Als um sie herum Ehen geschlossen, Kinder gezeugt, Häuser gebaut wurden, konnte sie sich nicht freuen am Glück der anderen. Erträglich war ihr lediglich Judith. Doch auch sie begriff nicht, was es hieß, ein Kind verloren zu haben. Ein nie geborenes Kind war weniger schmerzhaft als ein totes.

Paula fiel aus den üblichen Bezügen. Der Tod ihres Babys entfernte sie vom Durchschnitt. Ihr Schmerz blieb ungeteilt. Es war wie ein nachwachsender Kuchen, von dem sie aß und aß, ohne dass er je kleiner wurde. An ihrem Leid mussten sich alle messen lassen. Kaum jemand bestand. Was hieß es schon, ein paar Nächte nicht geschlafen zu haben, weil das Kleinkind zahnte? Es war am Leben. Jegliches Klagen verbot sich.

Niemand konnte mit dem Tod mithalten. Er war in jedem Fall größer.

Paula fing an, Ludger zu vermissen.

Nun war er lang genug weg, um ihn anders zu sehen. Fehler wurden blass, Schönes trat deutlich hervor. Sein jungenhaftes Lächeln, sein Blick von schräg unten, der Schutz in seinen Armen. Niemand schützte sie. Niemand fragte, wie ihr Tag gewesen war. Niemand kaufte ein. Niemand lag nachts neben ihr. Es gab niemanden, auf den sie sich beziehen konnte.

Neidisch schaute sie auf die anderen. Unter dem Druck äußerer Umstände rückte sie Ludger wieder näher. Selbst die Verlässlichkeit einer schlechten Ehe war immer noch Verlässlichkeit.

Einerseits fieberte sie Ludgers Anrufen für Leni entgegen, andererseits fürchtete sie sich davor. Wenn freitagabends das Telefon klingelte, klopfte ihr Herz so stark, dass das Atmen schwer wurde. Ein falsches Wort von ihm würde ihrer Sehnsucht ein Ende setzen. Aber die Sehnsucht war das lebendigste Gefühl seit langem. Den ganzen Tag lang ging sie in Gedanken die Worte durch, die sie ihm sagen wollte. Selbst während der Arbeit feilte sie an Formulierungen und wurde gelegentlich von den Kollegen darauf aufmerksam gemacht, wenn sie murmelnd vor Bücherwänden stand und die Kunden tuschelten.

In ihrer Vorstellung bewirkten ihre Worte seine Rückkehr. Er würde sich entschuldigen. Alles heilen, was sie noch immer verletzte. Den Vorwurf *Du bist schuld am Tod unseres Kindes* würde er zurücknehmen, und es wäre dann, als habe er es nie gesagt. Doch sobald sie seine Stimme vernahm, versagte sie.

Hallo, hier ist Ludger, kannst du mir bitte Leni geben?,

waren stets seine Worte. Und dann legte sie den Hörer neben das Telefon und rief nach Leni.

Das Gespräch, das der Sehnsucht ein Ende setzte, fand an einem Sonntagabend statt. Sonntags blieb Paula am liebsten drinnen. Nur die Spielplatzbesuche mit Leni zwangen sie hinaus. Dann saß sie abseits von den anderen, mit einer großen Sonnenbrille auch an dunklen Tagen, und schaute auf die Szenerie. Ganze Menschentrauben scharten sich um einzelne Kinder, die meisten Kleinen waren von beiden Eltern begleitet, einige wenige von einzelnen Müttern oder Vätern. Die Wucht familiärer Bindung lag in der Luft, und manchmal stellte sich Paula vor, wie sie alle nacheinander erschoss.

Auch an jenem Tag saß sie ganze zwei Stunden allein auf einer Bank am Rand des Spielplatzes. Während Leni am Klettergerüst Hüftaufschwung übte, las Paula Tolstois *Auferstehung*. Zurück in der Wohnung erlaubte sie Leni, ganze vier Folgen *Heidi* zu schauen, schloss sich im Badezimmer ein und legte sich flach auf den Boden. Nichts war erschöpfender als das Aufrechterhalten einer Fassade, unter der sich nichts Stützendes befand.

Später kochte sie Spaghetti Carbonara und trank ein Glas Rotwein dazu. Während des Essens klingelte das Telefon.

Ich muss mit dir sprechen, sagte Ludger.

Sie hieß Filippa. Er kannte sie seit über einem Jahr.

*

Die Krankheit erschien ihr wie eine logische Folge.

Als sie in der Klinik erwachte, die Flexüle auf ihrem Handrücken sah, den Infusionsständer neben dem Bett, da glaubte sie noch, ihr Zustand habe mit einer Lungenentzündung zu tun.

Sie erinnerte sich: Ihr Hausarzt hatte sie abgehört, die Lungenentzündung als Verdacht geäußert und sie gebeten, umgehend in die nächste radiologische Praxis zum Röntgen zu fahren. Sie hatte versucht, sich einzuprägen, was er sagte, während sie sich wunderte, wie lange sie für das Zuknöpfen der Blusenknöpfe brauchte, für das Anziehen ihrer Strickjacke und das Umlegen ihres Tuchs. Vorn am Tresen hatte sie gestanden, als die Schwester ihr den Überweisungsschein reichte. Sie hatte ihn genommen und mitten in der Bewegung innegehalten. Kalter Schweiß war ihr am ganzen Körper ausgetreten, dann war es schwarz um sie geworden.

Sie war allein im Zimmer. Die Tür stand einen Spalt weit offen, draußen waren Schritte zu hören und das Geräusch eines rollenden Bettes. Sie versuchte, die Decke wegzuschieben. Doch es ging nicht. Sie war zu schwach. Sie war zu schwach, eine Decke zu bewegen, zu schwach, die Hand zu heben, zu schwach zum Sprechen. Minutenlang zitterte sie und weinte. Dann ging die Tür auf, und ein Arzt samt Entourage kam herein.

Als die Visite weitergezogen war, ordnete sie die Gedanken.

Leni war bei Judith. Es ging ihr gut.

Alles andere ergab endlich Sinn – die merkwürdigen Veränderungen der letzten Monate, Judiths besorgte Blicke und ihr eindringliches Bestehen auf diversen Tests.

Paula hatte sich geweigert und Judith auf Abstand gehalten.

Die Kollegen hatten schließlich bemerkt, wie braun sie geworden war. Ihr selbst war es natürlich ebenfalls aufgefallen. An den Händen hatte sie es zuerst gesehen. Nur die oberen Fingerglieder waren hell geblieben. Im Gesicht erschien die Färbung fleckig. Sie breitete sich von der Nase ausgehend über Wangen und Stirn aus.

Unternommen hatte sie dennoch nichts. Was immer es war, es war ihr egal. Und als sie matter und matter wurde, schob sie es auf die Trauer. Und als sie nicht mehr arbeiten konnte, dachte sie an Depression. Und als ein Infekt den nächsten ablöste, glaubte sie, dass ihr Körper das Leben ablehnte.

In gewisser Weise hatte sie recht.

Die Addison-Krise hätte sie beinahe das Leben gekostet. Zu dem Zusammenbruch beim Hausarzt kam es durch einen rapide absinkenden Hormonspiegel. Zwei Tage hatte sie im Koma gelegen. Ihre Nebennierenrinde produzierte praktisch kein Kortisol mehr. Jeder Infekt war potentiell tödlich geworden. Nie war sie der Erlösung näher gewesen.

*

Als Ludger zurückkehrte, war Johannas Tod schon um ein Vielfaches älter als ihr Leben. Einundvierzig Monate Tod standen acht Monaten Leben gegenüber. In eine Waagschale geworfen, würde der Tod das bisschen Leben in die Luft katapultieren.

Als er an einem außergewöhnlich kalten Dezembertag

mit Filippa kam, um Leni abzuholen, sah Paula mit stumpfem Blick in das freundlich runde Gesicht der fremden Frau, auf ihr unordentliches blondes Haar, das beerenfarbene kurze Kleid, auf ihre groben Wanderschuhe und die wollenen Strumpfhosen, den riesigen, bunten, selbstgestrickten Schal und wieder zurück in das seltsam verklärte Antlitz mit den rosigen Wangen.

Ein zweiter Blick nahm Paula beinahe die Luft. Unter Filippas Kleid wölbte sich deutlich sichtbar der Bauch. Sie schob Leni in den Hausflur, drehte sich grußlos um und warf die Tür zu.

Eine Weile lag sie auf dem Bett und sah aus dem Fenster. Das Außenthermometer zeigte minus elf Grad Celsius an. Immerhin würde ihr dieser Tag in Erinnerung bleiben, anders als all die anderen Tage des Jahres. Ununterscheidbar waren sie ineinander übergeflossen, lediglich unterbrochen von wenigen Stunden unruhigen Schlafs. Still hatte Paula ihre Pflichten erfüllt, bis sie endlich wieder schlafen durfte. Wenn Leni bei Freunden war, verfiel Paula in einen vegetativen Zustand, aus dem sie erst erwachte, wenn Lenis Rückkehr nahte. Ganze Tage hatte sie nahezu bewegungslos auf dem Sofa verbracht, amerikanische Serien geschaut und sich vom Gemurmel der fremden Sprache einlullen und einschläfern lassen. Immer wieder hatte sie das Gefühl für die Zeit und die Bedürfnisse ihres Körpers verloren, hatte gerade genug gegessen und getrunken, um am Leben zu bleiben.

Auch an diesem Tag war die Versuchung, einfach liegen zu bleiben, groß. Das träge Dösen würde sie in jenen Bereich zwischen Wachen und Schlaf versetzen, in dem sie wie unter leichter Narkose vor sich hindämmern konnte.

Sie schloss die Augen und wartete auf das erlösende Gefühl des nachlassenden Schmerzes. Der Wind pfiff ums Dach, zerrte am Giebel und wirbelte die Reste vertrockneter Blätter am Fenster vorüber in einen farblosen Himmel hinein.

Aber Paulas Herz raste.

Hastig stand sie wieder auf, zog die Lammfellschuhe und den Mantel an, band sich ein Kopftuch um und stieg die Treppen hinab.

Der Wind war eisig, der Fußweg spiegelglatt. Vorsichtig, um nicht zu fallen, lief sie in Richtung des Lebensmittelladens. Sie kaufte Milch und Butter, Paprika und Eier. Mit enervierender Langsamkeit suchte sie das Geld zusammen, verstaute die Sachen in ihrem Stoffbeutel, den Blick der Verkäuferin auf ihr. Sie hörte das Schnaufen des Mannes hinter sich, er scharrte mit den Füßen, wollte drankommen, wollte sie weghaben dort, aber sie konnte nichts beschleunigen, ihre Hände gehorchten nicht. Als wäre die Verbindung zum Gehirn beschädigt, als kämen die Informationen nur noch bruchstückhaft an. Setzt euch in Bewegung, Füße, dachte sie und war erstaunt darüber, dass sie es wirklich taten.

Und wieder der eisige Winterwind. Sie kniff die Augen zusammen. Vorwärts, Schritt für Schritt, langsam, aber stetig. Vor ihr die stark befahrene Straße. Die Autos rollten zügig in endlosen Kolonnen an ihr vorüber. Es gab kaum eine Lücke. Ganz dicht trat sie an den Rand des Bürgersteigs, ihre Fußspitzen ragten ein Stück darüber hinaus.

Lichter, Rauschen, Wind. Sie hob den Kopf, drehte ihn leicht nach links und sah den LKW. Er fuhr schnell, er käme nicht zum Stehen. Ein Schritt nur, dachte sie –

Die Lichter, der Wind und dann ein Kind in Lenis Alter. Dicht neben ihr. Es beugte sich vor, schaute hin und her, und kurz sah es so aus, als würde es einfach losrennen. Paula griff mit beiden Händen zu. Sie zerrte das Mädchen unsanft zurück und packte es bei den Schultern. *Du kannst doch nicht einfach auf die Straße laufen, du hättest tot sein können!*, fauchte sie. Das Mädchen aber befreite sich aus ihrem Griff. *Wollte ich doch gar nicht,* sagte es, *ich habe nur geguckt.*

Der LKW war längst vorbeigefahren. Paulas Beine zitterten.

Langsam lief sie zurück, bis zur Fußgängerampel, Schritt für Schritt über den gefrorenen Fußweg, vorsichtig, um nicht zu fallen.

Zu Hause schaltete sie das Radio ein.

In der Hoffnung auf eine Meldung, die schlimmer war als ihr eigenes Leben, lauschte sie den Nachrichten. Wenn sie glaubte, nie mehr einen Augenblick der Freude empfinden zu können, halfen ihr die fernen Opfer von Kriegen oder Naturkatastrophen, von Hungersnöten, Armut und Krankheit. Doch an jenem Tag schien die Welt sich auszuruhen.

Pünktlich um achtzehn Uhr klingelte Ludger an der Tür und brachte Leni wieder. Sie strahlte. *Darf ich reinkommen?*, fragte er, und Paula nickte kraftlos.

Es hätte vieles zu besprechen gegeben, als sie sich einundvierzig Monate nach Johannas Tod gegenübersaßen. Aber Paulas Blick klebte am Tisch.

Ludger hatte ihn gebaut.

Es war ein großer, schöner, stabiler Tisch. *Ein Tisch für die Ewigkeit,* hatte er damals gesagt, *hier werden unsere Kinder essen und spielen.*

Daran dachte sie, als sie dasaß, die Maserung betrachtete und Ludgers Blick auf sich spürte. Und daran, wie sie gewollt hatte, dass dieser Mann ihren Körper benutzte. Sie hatte nichts entscheiden wollen, nichts sagen müssen, nur Anweisungen Folge leisten und sich spüren.

Leni war im Kindergarten gewesen, und Paula hatte dem Mann, dem ersten von vielen, die Tür geöffnet. Sie hatten sich mit einem schlichten *Hallo* begrüßt, dann war sie zu dem Tisch gegangen. Sie trug ein weißes Nachthemd und nichts darunter. Sie wollte nicht sprechen. Sie kochte keinen Kaffee, bot keinen Wein an, gab nur sich selbst.

Er schob sie nah an den Tisch heran und fuhr mit seinen Händen von ihrer Taille über die Hüften. Es lag eine Wertschätzung darin, die Paula lange vermisst hatte.

Wenn Ludger gewusst hätte –

Aber er wusste nichts.

Es hätte vieles zu besprechen gegeben, als sie sich endlich gegenübersaßen. Doch das Einzige, was an diesem Tag geschah, war, dass Paula den Blick hob, Ludger ansah und ihm sagte, er könne Leni regelmäßig sehen, wenn er wolle. Er solle seine Telefonnummer und Adresse hinterlassen, sie würde sich melden.

Ist das alles, was du mir zu sagen hast?, fragte er, und

Paula nickte. Und dann senkte sie ihren Blick und hörte in sein Schweigen hinein.

* * *

Wenzel holt sie immer zurück.

Ihr erstes Gespräch fand im Wald statt. Sie standen auf der Plattform eines Aussichtsturms, unter ihnen die Stadt und die breiten grünen Gürtel, die sich in alle Richtungen erstreckten. Wochenlang war er ihr bei ihrem morgendlichen Lauf begegnet. Immer an derselben Stelle. Irgendwann begann er kurz die Hand zum Gruß zu heben, wenn ihre Wege sich kreuzten, ein wenig später murmelte er ein von einem Lächeln begleitetes *Guten Morgen*, bis er ihr schließlich eines Tages nicht entgegenlief, sondern neben ihr erschien und sie fragte, ob er ein Stück mit ihr laufen dürfe.

Paulas Blick war genauer geworden, hatte sich gleichsam von der Ferne auf die Nähe verlegt. Sie nahm ihre Umwelt anders wahr, bemerkte Kleinigkeiten, die sie früher, in stetiger Erwartung von Größerem, übersehen hätte, spürte beim Laufen die Beschaffenheit des Bodens, die Anspannung der einzelnen Muskelpartien, den Rhythmus ihres Atems und hörte auf, sich mit Kopfhörern vom Außen abzuschotten. In einen solchen Moment der geschärften Empfindung lief Wenzel im wahrsten Sinne des Wortes hinein.

Und sie liefen zusammen. Und ihre Füße berührten den Boden zur gleichen Zeit, im gleichen Rhythmus. Sie sprachen über das Laufen, das Glück, in dieser Stadt zu leben, und Wenzel zeigte sich als Kenner fast jeder Vogelstimme. Als er eine Nachtigall hörte, fasste er sie am Arm, und sie blieben stehen. Das Männchen sang Triller und Läufe, ohne sich zu wiederholen, und Paula fand nichts Seltsames daran, mit einem fremden Mann im Wald einem Vogel zu lauschen.

Später, auf dem Aussichtsturm, stimmte sie zu, auch an den kommenden Tagen mit ihm zu laufen.

Eine Woche darauf lud er sie zum Tee ein.

Sie hatte sich seine Wohnung genau so vorgestellt – Dielenböden, Bücher, Bilder, eine schlichte, funktionale Küche mit guten Werkzeugen. Das Atelier war der größte Raum, und von den vielen Fotos, die dort hingen, fiel ihr eines sofort ins Auge: eine Frau um die fünfzig, langes dunkles Haar, schmales, ernstes Gesicht, große Augen.

Maja, sagte Wenzel, *meine Frau.*

Zwischen den Gräbern lagen kaum hundert Meter.

Zuerst besuchten sie das Grab seiner Frau.

Dann gingen sie weiter, an den Rhododendren vorüber, über knirschenden Kies.

Die Pfingstrosen blühten, das Unkraut war beseitigt, die Erde geharkt.

Paula hatte nicht geweint. Nur ein wenig Staub vom Grabstein gewischt, sich dann aufgerichtet und Wenzels Hand gesucht.

Und dann waren sie gegangen.

Judith

Jede Frau sollte einen Mann haben, der ein wenig wie Christian Grey ist …

Ernsthaft?

Judith legt die Reitgerte auf den Tisch und zieht die Reißverschlüsse der Chaps auf, während sie sein Profil überfliegt.

Manager, 39, Wohnort Radebeul, Interessen außer Sport keine, Nichtraucher, geschieden, keine Haustiere, keine Kinder. Sein Blick ist verwegen, die Eitelkeit schwer zu übersehen.

Sie klappt den Rechner zu, zieht auch die Schuhe und die Reithose aus, legt alles im Flur ab und geht ins Badezimmer.

Drei Stunden ist sie mit dem Pferd im Gelände gewesen. Auf den Muldewiesen bei Grubnitz hat sie die Stute laufen lassen. Hat die Zügel hingegeben, ist in den leichten Sitz gegangen, und dann sind sie geflogen. Es gibt keinen besseren Ausdruck dafür. Wenn das Pferd im gestreckten Galopp lang und flach wird, wenn der Wind in den Augen brennt, wenn sie spürt, dass das Tier seine Kraft ausschöpft.

Unter der Dusche schrubbt sie sich mit einer Bürste den Rücken. Ihre Haare liegen nass und schwer auf ihren Schultern. Das Öl, mit dem sie sich einreibt, riecht nach Birke. Diesen Moment nach dem Sport genießt sie besonders –

wenn sie beim Einmassieren des Öls in die noch feuchte Haut ihre festen, warmen Muskeln spürt.

Sie trocknet sich ab, zieht sich lediglich ein T-Shirt über und loggt sich erneut ein.

Arzt, 45, hat ein eigenes Pferd. Einen Wallach, Paint Horse. Sehr hübsch, nicht zu groß.

Judith sendet ein Lächeln ohne Bildfreigabe.

Projektmanager, 46, beschreibt sich als erfolgreich, markant und männlich. Seine beste Eigenschaft sei sein überdurchschnittlich ausgeprägtes Empathieverhalten. Er hat ein Lächeln geschickt, aber kein Bild dazu.

Judith zündet sich eine Zigarette an. Sie steht auf, geht zum Fenster, öffnet es, dann schreibt sie:

Lieber männlich-markanter, erfolgreicher Mann, Empathie ist das Vermögen (nicht Verhalten), sich in ein Gegenüber einfühlen zu können. Wer sich selbst als überdurchschnittlich empathisch einschätzt, macht sich verdächtig.

Sie fügt einen Zwinkersmiley hinzu und klickt auf Senden.

Sie raucht gelassen, nicht hastig wie die Süchtigen. In ihren Sucheinstellungen hat sie *Nichtraucher* gewählt und *keinen Kinderwunsch*. Beim Alter ist sie großzügig. Zwischen 35 und 55 dürfen sie sein, wobei ein 55-Jähriger einiges zu bieten haben müsste, um den Altersunterschied wettzumachen. Sie ist Ärztin, sie kennt die Probleme der Männer über 50. Eine harte, langanhaltende Erektion ist ein unwahrscheinlicher Glücksfall in diesem Alter. Wie ein Lottogewinn. Aber sie spielt kein Lotto.

Projektmanager, 46, hat geantwortet.

Dein Zukünftiger tut mir jetzt schon leid, schreibt er.

Getroffene Hunde bellen, antwortet sie prompt.

Geh zum Psychologen!, kommt zurück.

Sie verabschiedet ihn mit einem Stop-Button und sortiert ihre anderen Partnervorschläge nach Matching-Punkten. Alle unter 100 sind uninteressant.

Arzt, 45, kommt auf 107. Sie streicht sich die nassen Haare zurück, gießt Wasser und Apfelsaft in ein Glas und klickt auf das Ergebnis.

Ihr Matching-Ergebnis mit KKTROO5F *ist vielversprechend. Ihre Persönlichkeiten passen gut zueinander, und Sie können in Ihrer Partnerschaft mit* KKTROO5F *im Hinblick auf Vorlieben und Gewohnheiten viel Harmonie im Alltag erwarten. Sie werden sich bestimmt miteinander wohl fühlen. Außerdem haben Sie besonders viele gemeinsame Interessen und Hobbys – ein echtes Plus. Es wird Ihnen auch keinerlei Schwierigkeiten bereiten, Ihre Freizeit gemeinsam zu gestalten. Wir empfehlen Ihnen, Kontakt mit* KKTROO5F *aufzunehmen.*

Sein Pferd ist wirklich ausgesprochen schön.

Gute Proportionen, Tobiano-Färbung, kecker Blick.

Bei den Rollenbildern in der Partnerschaft überwiegt seine weibliche Seite gegenüber der männlichen mit 104 Punkten zu 85.

Die Skala reicht von 60 bis 140.

Judiths männliche Seite ist mit 117 Punkten ausgeprägter als beim durchschnittlichen Mann. Könnte passen, denkt sie. Sie kennt die Kollegen. Die meisten lassen sich ungern dominieren, doch dieser hier scheint eine Ausnahme zu sein.

Da kommt ein Lächeln mit Bildfreigabe von ihm zurück. Kahler Kopf, helle Augen, offenes Lachen, muskulös. Warum nicht, denkt sie und geht sich die Haare föhnen.

Hey Du, schreibt sie ihm später, *welche Fachrichtung machst Du? Klinik oder Praxis? Dein Pferd gefällt mir. Machen wir einen Ausritt? Gruß, J.*

Das Schwierigste an den Treffen mit den unbekannten Männern ist die Anstrengung, sich erklären zu müssen, immer wieder bei null anzufangen, sich auf nichts Vorhandenes berufen zu können. Es ist ein Kraftakt, verbunden mit Übelkeit in der Stunde davor und mit dem schalen Geschmack von Vergeblichkeit in der Stunde danach.

Das Zweitschwierigste ist die Eindeutigkeit. Es gibt keine Zweifel über die Absicht. Jeder lässt den anderen tief blicken in die eigene Bedürftigkeit.

Arzt, 45, schreibt zurück.

Hey J., wie wär's mit einem Kaffee Sonntagnachmittag? Bin Anästhesist, arbeite in der Uniklinik. Mein Pferd kann derzeit nicht geritten werden. Mehr dazu mündlich. Sagen wir 15 Uhr in der Südvorstadt? Café Grundmann? Grüße, Sven

Niemand ist schuld am eigenen Namen, denkt Judith, während sie antwortet.

Da habe ich Bereitschaftsdienst in Nordwest, aber das Wetter soll schön werden, da gibt es in der Regel weni-

ger zu tun. 15 Uhr könnte klappen. Telefonnummern tauschen?

Sofortige Antwort.

Ne, das ist mir zu schnell. Ich habe schlechte Erfahrungen gemacht.

Kenne ich, verstehe ich!, schreibt sie zurück und denkt an ihr erstes Mal.

Jurist, 40, geschieden, 1 Kind (0 im eigenen Haushalt), Nichtraucher, eine Katze.

Er hatte vorgeschlagen, das erste Treffen am Völkerschlachtdenkmal zu beginnen und von dort aus über den Südfriedhof zu schlendern.

Schon nach wenigen Minuten lenkte er das Gespräch auf Wesentliches. Politisch solle seine Partnerin ähnlich schwingen, und in seinem Fall hieße das: konservativ.

Auch Judith sah keinen Sinn darin, Zeit und Aufmerksamkeit an einen weltanschaulichen Antipoden zu verschwenden. Auf ihre Frage, was der Kern seines konservativen Denkens sei, hob Jurist, 40, den Blick gen Himmel, dann schaute er auf ein Grab zu seiner Linken, als läge die Antwort dort unten bei den Toten.

Pessimismus, sagte er, *genauer: ein pessimistisches Bild vom Menschen.*

Voilà, hatte sie geantwortet, *das nenne ich eine Basis.*

Sie passierten die Stelle, wo Johanna begraben lag, und diskutierten über Begriffe wie *Mut* und *Ehre*, die er seltsam ungebrochen verwendete. Die Rhododendren standen in voller Blüte. Prahlerisch drängten sie sich in Judiths Bewusstsein, und obwohl sie ihm zuhörte, war sie gedanklich weit weg. Er bemerkte es und sprach lauter. Seine Stimme konkurrierte mit Wind und Vögeln und Judiths Erinnerung an den kleinen Körper in dem kleinen Sarg. Acht Monate alt war Johanna gewesen.

Je lauter er sprach, umso dünner wurde seine Stimme, und obwohl alles, was er sagte, logisch und sortiert klang und sein scharfer Verstand sie durchaus reizte, wünschte sie sich plötzlich, er würde schweigen. Sie blickte ihn an. Sein Gang war hölzern, schwerfällig. Diese Beine würden niemals tanzen. Diese Hüfte würde unbeweglich bleiben. Geist reichte nicht.

Jurist, 40, war ein Irrtum.

Mit Widerwillen erinnerte sich Judith an Zungen geistvoller Männer, die ihr zu weit in den Mund gesteckt worden waren. An Männer, die Firmen leiteten oder über politische Macht verfügten und gleichzeitig erstaunlich wenig von weiblicher Anatomie wussten.

Den Abschied am Friedhofstor brachte sie rasch hinter sich, doch die Erleichterung währte nur kurz. Zwei Monate lang schrieb er ihr E-Mails, schickte Blumen oder Textnachrichten mit Kulturtipps aller Art. Erst ein Brief ihrer Anwältin mit dem Betreff *Stalking* stoppte den verliebten Mann.

Während sie Wachs auf ihre Beine aufträgt, kommt eine weitere Nachricht von Sven und ein hochgehaltener Daumen eines Professors, 48. *Ihre Profileinleitung kommt gut an,* steht daneben. Eine Bildfreigabe ist nicht dabei.

Judith klickt gelangweilt das Profil an. Die verschwommenen Umrisse seines Fotos verraten eine schwammige Feistigkeit. Hobbys: Computer und Golf.

Seit wann ist Professor ein Beruf?, schreibt sie, und keine Minute später kommt die Antwort. *Auf respektlose Bemerkungen kann ich verzichten. Viel Glück noch. Du wirst es brauchen!*

Mit wachssteifen Beinen sitzt sie auf einem Handtuch auf dem Boden ihres Wohnzimmers. Sie schreibt: *Männer wie du haben keine Zukunft!*

Dann schickt sie einen Stop-Button und liest, was Sven geschrieben hat.

Es bleibt bei morgen 15 Uhr? Ich werde pünktlich sein. Sven

Der Schmerz, wenn sie das Wachs von den Beinen zieht, ist nicht unangenehm. Im Hintergrund läuft Beethovens *Hammerklaviersonate*. Mit babyglatter Haut legt sie sich aufs Sofa, dessen Kopfende unter dem Fenster steht. Die Sonne scheint ihr direkt ins Gesicht.

Jedes Mal, wenn ein Mann sich die Schuhe auszog und auf dieses Sofa legte, war es vorbei gewesen. Es war der Moment gewesen, an dem das Bemühen ein Ende gehabt hatte, der Augenblick, wo sie dingfest gemacht worden war.

Sie ist eine schöne Frau, sie weiß das. Ihre Haut ist noch glatt, ihr Haar glänzend und voll, die Zähne weiß und gerade. Gegen die kleinen Furchen zwischen den Brauen hilft Botox.

Anders als bei Paula, in deren Gesicht man alles lesen kann.

Zweimal hat sie schon angerufen, und wieder erscheint Paulas Nummer auf dem Display. Judith blickt so lange auf das Telefon, bis der Klingelton verstummt. Ein leichtes

Krampfen ihres Magens wertet sie als Zeichen eines intakten Gewissens. Aber heute kann sie nicht. Heute erträgt sie keine Schwermut.

Wie ein Abgrund ist Paula, wie ein tiefes schwarzes Loch, in das man Verständnis, Geduld und Liebe hineinwirft, und alles versinkt in der Tiefe, ohne auch nur einen Hall zu erzeugen. Johannas Tod hat alles verändert.

Manchmal nimmt sie Paulas andere Tochter zu sich. Dann fahren sie aufs Land hinaus zum Pferd. Das Mädchen darf die Stute putzen und ein paar Runden an der Longe reiten. Begabt ist es nicht. Es hoppelt auf dem Pferderücken herum und hält sich am Sattel fest, anstatt den Takt zu fühlen und mit den Bewegungen des Tieres mitzugehen. Doch Leni tut ihr leid. Sie ist noch nicht einmal ein Teenager und hat bereits ein erwachsenes Gesicht.

Der dritte Satz der *Hammerklaviersonate* kommt an seine beste Stelle. Judith steht auf, holt die Noten aus dem Regal und liest sie mit. Kurz bevor der letzte Takt des dritten Satzes verklingt, läutet das Telefon erneut.

Es ist Hans, ihr ehemaliger Chef während der Facharztausbildung. In seinen depressiven Phasen meldet er sich gar nicht, in den manischen treffen sie sich mehrmals pro Woche.

Er ist ein Gott im Bett. Sie weiß, wie das klingt, aber es bleibt dabei: Er ist ein Gott im Bett.

Drei Kinder, eine kleine, dünne Frau, doch das spielt keine Rolle. Sie will schließlich nicht mit ihm leben. Will nicht, dass er die Schuhe auszieht und sich aufs Sofa legt. Will nicht, dass er nachlässt, das Bemühen aufgibt, sich bei ihr verkriecht.

Hans, sagt sie, *hast du Sehnsucht nach mir?*

Er lacht. *Wenn du wüsstest…*

Erzähl's mir, flüstert sie.

Und dann lehnt sie sich zurück und hört ihm zu, und als er aufhört zu sprechen und schneller atmet, sagt sie: *Komm zu mir, heute Abend.*

Aber Hans kommt nicht. Die kleine Frau, die das vierte Kind in ihrem Bauch trägt, braucht ihn. Und wenn sie ihn braucht, dann ist er da.

*

Das Licht in der Bar ist gedämpft.

Ihr Blick geht einmal rundherum. Nur Pärchen und Gruppen. Tom empfiehlt einen badischen Weißburgunder. Sie nickt, er schenkt ein.

Wie war die Woche?, fragt er.

Anstrengend, sagt sie, *am Donnerstag waren es 107 Patienten. Kannst du dir das vorstellen?* Sie nimmt einen Schluck und schüttelt den Kopf.

Und wie geht's dem Gaul?

Sie lacht. *Der Gaul hat Frühlingsgefühle, obwohl es Sommer ist. Heute hat er mich beinahe abgesetzt, aber ich liebe ihn trotzdem.*

Und die Männer? Er grinst.

Sie winkt ab. *Die Männer –*

Tom poliert Gläser, während sie sprechen. Seine Augen sind blau, seine Wimpern schwarz und dicht. Die jungen Frauen flirten mit ihm, und Judith fragt sich, ob sie seine

Mutter sein könnte. Sein Vollbart ist akkurat gestutzt, das Haar an den Seiten abrasiert, am Hinterkopf trägt er es zu einem Zopf geflochten. Sein Körper wirkt stark und gesund, die Muskeln sind definiert. Doch der Schein trügt.

In einer Gefahrensituation – da ist sie sich sicher – würde Tom versagen. Seine Blicke sind eitel und unschuldig, sein Wesen pazifistisch neutral. Er ist kein Mann in ihren Augen.

Judith zieht eine Zigarette aus einem silbernen Etui und geht mit dem Weinglas vor die Tür. Dort stehen die anderen Raucher in Grüppchen beieinander. Eine ihrer Patientinnen ist unter ihnen. Schwere Allergikerin, chronische Bronchitis, milde Rosacea.

Sie dreht sich weg und lehnt sich gegen die Hauswand. Der Verkehr rauscht vorüber, und die Linden verströmen ihren süßen Geruch, der manchmal im Gemisch mit den anderen städtischen Gerüchen zu kippen droht. Über ihnen fliegen Mauersegler. Immer in Gruppen, rasend schnell, schrille Schreie ausstoßend. Bald werden sie die Stadt verlassen und bis südlich des Äquators fliegen, ohne Unterbrechung. Werden während des Flugs schlafen, und nicht alle werden es schaffen.

Später überlegt sie, ob sie das Auto stehen lassen soll.

Noch später steigt sie in den schwarzen Audi und braust über die nachtleeren Straßen. Aus den Lautsprechern dröhnt die Arie einer Verdi-Oper.

Als sie die Haustür aufschließt, hört sie Schritte von hinten. Jemand schiebt sie in den Hausflur. Es ist Hans.

Rasch gehen sie die Treppen hinauf. Im Korridor ihrer Wohnung drückt er sie gegen die Wand, schiebt ihren Rock hoch, zieht den Slip runter und legt eine Hand zwischen ihre Beine. Sie steht still, während seine Finger sich bewegen. Er küsst ihren Hals und streichelt sie weiter. Er weiß, wie es geht, er kennt ihren Körper genau.

Auf dem Bett setzt sie sich auf die Kante und lehnt sich zurück. *Du hast mir gefehlt,* sagt sie.

Als er gegangen ist, schläft sie sofort ein. Doch schon nach zwei Stunden ist sie wieder wach. Es ist vier Uhr morgens.

Um fünf steht sie auf, zieht die Laufsachen an und rennt die Treppen hinunter, die Straße entlang in den Park.

Um sieben Uhr sitzt sie geduscht am Frühstückstisch. Ihr Dienst beginnt.

Um acht steht der Fahrer vor der Tür – ein Medizinstudent namens Sebastian.

Kannst Basti zu mir sagen, sagt er zu Judith. Sie beschließt, die Respektlosigkeit zu ignorieren und das Duzen als Kompliment zu nehmen.

Viertel nach acht steigen sie die Treppen zu einer Neubauwohnung hinauf.

Frau, 82, Harnwegsinfekt mit Fieber.

Halb zehn ein dehydrierter 70-Jähriger. Die ganze Wohnung stinkt nach Durchfall. Überquellende Aschenbecher, geschlossene Fenster. Judith füllt den Notfallschein aus und sagt Basti, er solle lüften.

Im Auto schläft sie ein. Sie erwacht von einem Song der Doors. *People are strange,* der Student hat lauter gedreht und wippt mit dem Kopf im Takt der Musik.

Kurz vor zwölf ein Kreislaufkollaps. Frau, 26, deutlich unterernährt. Die Wohnung sieht aus, als wohnte niemand darin. Klinisch rein. An der Wand im Flur ein Kunstdruck von van Goghs Sonnenblumen, im Schlafzimmer eine Palmentapete hinter dem Bett. Judith weist sie ein und vermerkt den dringenden Verdacht auf Magersucht.

Im Autoradio laufen Hits aus den Achtzigern. Sie nimmt eine CD aus ihrer Tasche und gibt sie dem Studenten. *Wären Sie so lieb?*, sagt sie. Pergolesis *Stabat Mater* erfüllt gleich darauf das Auto und ändert schlagartig die Atmosphäre.

*

Als Kind hatte Judith halbe Tage in der Kirche neben der Orgel zugebracht. Für sie war es das Schönste, den Vater zu seinen Übungsstunden auf die Kirchenempore zu begleiten. Die liturgische Orgelmusik fand sie langweilig, die konzertanten Werke jedoch liebte sie. Eingehüllt in Wollschals saß sie auf einem Lammfell und malte, während ihr Vater Bach spielte und in den Pausen über das Leben des Komponisten sprach.

Die Mutter arbeitete im Dreischichtsystem in der Klinik. Manchmal sah Judith sie tagelang gar nicht.

Als sie selbst Klavier zu spielen begann, war sie sechs Jahre alt. Mit zwölf belehrte sie einen Freund der Familie darüber, wie sich Astor Piazollas Erfahrung des Kontrapunkts in den Bach'schen Fugen auf seine Kompositionen auswirkte.

Musik war allgegenwärtig. Sie übte täglich Klavier, oft mehrere Stunden, und zusammen mit Paula sang sie in der Kurrende.

Paula war ihre einzige Freundin.

Sie ähnelten sich nicht. Paula war in sich verschlossen und sehnte sich danach, von den anderen Mädchen akzeptiert zu werden, Judith war altklug und vorlaut und vollkommen uninteressiert an Mädchendingen. Die Jungs fürchteten sich vor ihrem Sarkasmus und die Mädchen vor ihrer Konkurrenz. Oft stand sie am Rand des Schulhofs und sah ihnen zu. Wie sie in Grüppchen standen und kicherten, wie sie die Jungs provozierten, die Stimmen höherschraubten, die Haare fliegen ließen. Und manchmal stand Paula neben ihr und schaute auch.

*

Sie halten vor dem Haus des nächsten Patienten. Eine Villa am Park.

Mann, 56, starker Raucher.

Eine deutlich jüngere Frau erklärt aufgeregt, dass der Mann Schmerzen in der Brust habe. Einen Notarzt wolle er nicht. Die Sache sei bitte diskret zu behandeln.

Ohne Blutuntersuchung kann Judith einen Infarkt nicht ausschließen, und sein Blutdruck ist deutlich zu hoch. Sie gibt ihm ein schnell wirkendes Medikament und bereitet die Einweisung vor. Als er sich weigert, diskutiert sie nicht. Sie erklärt ihm die Risiken, lässt sich die Ablehnung unterschreiben und geht.

Zeit, Mittag zu essen, sagt sie zu Basti, der auf seinem Handy herumwischt.

Dann kurbelt sie den Sitz zurück und schließt die Augen.

Kurz vor vierzehn Uhr weiß Judith, dass Sven vergeblich warten wird. Eine Telefonnummer hat sie nicht, und für eine Absage per Mail fehlt ihr die Zeit.

Arzt, 45, wird heute allein im Café Grundmann sitzen.

Basti fährt zügig zum nächsten Patienten.

Eine simple Erkältung. Genervt stellt Judith der Frau ein Rezept aus und verlässt die Wohnung mit knappem Gruß.

Der Ärger mit der kassenärztlichen Vereinigung fällt ihr wieder ein. Sie muss dringend eine Stellungnahme schreiben. Im letzten Quartal hatte sie zu viele Kurzberatungen abgerechnet. Schon einmal wurde eine Plausibilitätsprüfung bei ihr durchgeführt. Das Problem war absurd: zu viel Leistung für zu wenig Tag. Aber so ist es eben. An manchen Tagen betritt sie die Praxis gegen sieben Uhr morgens und verlässt sie gegen zwanzig Uhr. Mittags gibt es ein Lieferessen, danach einen Kurzschlaf auf der Behandlungsliege, und weiter geht's.

Das Arbeitsethos hat sie von der Mutter.

Allein der Gedanke an die Mutter macht sie müde. Inzwischen stellt sie bei jedem Telefonat die K-Frage. Das letzte liegt nicht lang zurück. *Nein, Mutter,* sagte sie, *Enkel gibt es nicht.* Sie hörte das Atmen im Hörer und wusste genau, wie ihre Mutter jetzt aussah. Wie ernst und grau, mit dem dünn gewordenen Dutt im Nacken, den streng gezupften Augenbrauen und der immer gleichen Farbe auf den Lippen. Ein braunes Rot, das längst aus der Mode war.

Dann war sie zu ihrem Pferd gefahren, hatte es lange gestriegelt und gebürstet, bis das Fell glänzte und kein Klümpchen Dreck mehr zu finden war, hatte Mähne und Schweif gekämmt, bis kein einziger Fitz mehr zu spüren war, hatte Hufe gefeilt und Ohren und Bauch mit Insektenschutz behandelt und war schließlich aufs Feld hinausgeritten, wo das Getreide hoch stand und man in den Fahrspuren der Landwirtschaftsfahrzeuge reiten konnte, während die Ähren über die Beine peitschten. Sie hatte das Tier getrieben und dann lange rennen lassen. Und der Schweiß war ihnen beiden hinabgelaufen, und alles andere war egal gewesen.

Sie klappt den Sonnenschutz im Auto runter und schaut in den kleinen Spiegel. Die Zornesfalte zwischen den Brauen ist wieder deutlich sichtbar. Sie nimmt sich vor, bald einen Termin zum Spritzen zu machen.

Basti hält vor einem noch unsanierten Haus. Der Geruch im Treppenaufgang erinnert Judith an die Wohnung, in der sie mit Paula fünf Jahre lang gelebt hatte.

Paula und sie – zwei Spätzünderinnen. Mit vierzehn waren sie noch flachbrüstig gewesen, mit fünfzehn bekamen sie als Letzte ihrer Klassenstufe beinahe zeitgleich ihre Periode, mit siebzehn hatten sie ihren ersten Freund.

Die blasse, hochgeschossene Paula entwickelte sich in wenigen Monaten zum Schwarm aller Jungen. Ihre Erscheinung war eindrucksvoll, das Grün der Augen, das Rot der Haare, die helle Haut und die weichen, geschmeidigen Bewegungen. Judith wirkte herb dagegen, sportlich, androgyn.

Gelangweilt blieb sie stehen, wenn ihr einer der Jungs im Vorübergehen die Mütze vom Kopf zog, in Erwartung, dass sie kreischend hinterherlief. Das leicht zu durchschauende Was-sich-neckt-das-liebt-sich-Spiel beleidigte ihre Intelligenz. Wie kleine, genetisch programmierte Tierchen kamen sie ihr vor. Arme, willenlose Wesen, deren Handeln sich ohne jede Selbstkontrolle vollzog.

Ihr erster Freund war ihr Sportlehrer.

Siebzehn Jahre älter als sie, verheiratet, ein Kind.

Sie klingelt an der Wohnungstür. Ein Mann öffnet und bittet sie herein. Aus einem weiter hinten liegenden Zimmer tönt Klaviermusik. Judith erkennt den ersten Satz aus Beethovens *Pathétique*-Sonate. Die Wände hängen voller Graphiken, Zeichnungen, Fotografien.

Im Schlafzimmer liegt eine Frau im Bett. Um ihren Kopf hat sie ein buntes Tuch gewickelt, der Nachtschrank steht voller Medikamente. Schwach hebt sie die Hand, das Sprechen fällt ihr schwer.

Meine Frau Maja, sagt der Mann, er selbst stellt sich als Wenzel Goldfuß vor.

Judith setzt sich und hört dem Mann zu. Maja habe Brustkrebs in einem späten Stadium. In der Nacht sei sie aufgewacht und habe sich fiebrig gefühlt. Sie könne nicht schlucken und habe starke Kopfschmerzen. Nicht einmal zur Toilette habe sie es allein geschafft.

Wir wollen nicht in die Klinik, sagt er, *darum haben wir den Bereitschaftsdienst angerufen.*

Judith nimmt sich Zeit für die Untersuchung. Sie schätzt die Frau auf etwa fünfzig Jahre. Die Chemotherapie hat sie geschwächt. Der Infekt ist wegen der verminderten Immunabwehr heftig ausgebrochen.

Sie geht die Medikamente auf dem Nachtschränkchen durch und prüft sie auf Verträglichkeit mit jenen, die sie verschreiben wird. *Sie müssen Ihren Onkologen zu Rate ziehen,* sagt sie, *eigentlich müsste ich Ihre Frau sofort in die Klinik einweisen.* Im hageren Gesicht des Mannes ziehen sich links und rechts der Nasenflügel tiefe Furchen bis zum Mund. Doch sein Blick ist offen und klar, und sein Körper hat etwas Kraftvoll-Entschlossenes.

Morgen. Versprochen.

Judith nickt. Die meisten Patienten hält sie für unmündige Schutzbefohlene, denen man im Zweifel mit Strenge begegnet. Diese beiden jedoch scheinen zu wissen, was sie tun. *Bei einer Verschlechterung, vor allem, wenn das Fieber nicht nachlässt, rufen Sie bitte den Notarzt,* fügt sie hinzu und händigt dem Mann das Rezept aus.

Die Klaviersonate ist mittlerweile bei ihrem dritten Satz angelangt, und Judith tippt auf Alfred Brendel als Pianisten. Wenzel Goldfuß lächelt zum ersten Mal.

Das können Sie hören?

Ich wäre beinahe Pianistin geworden, sagt sie und zuckt die Achseln.

Als sie neben Basti die Treppen hinuntergeht, bemerkt sie ein verstörendes Gefühl. Sie ist neidisch auf die kranke Frau. Maja Goldfuß wird sterben. Doch nie zuvor hat sie so etwas Starkes gespürt wie die Verbundenheit zwischen diesen beiden Menschen.

Auf der Fahrt zum nächsten Patienten schweigen sie.

Basti ist ein guter Autofahrer. Keine abrupten Bremsmanöver, kein übertriebenes Gasgeben. Gleitend steuert er den Wagen durch die Stadt. Judith schließt die Augen und befindet sich Sekunden später in einem oberflächlichen Schlafzustand. An langen Klinikwochenenden, während Doppelschichten und Nachtdiensten musste sie lernen, jede Pause zu nutzen. Trotzdem hat sie ihre Entscheidung für das Medizinstudium nie bereut.

Sicher, sie wäre auch eine solide Pianistin geworden. Doch die Gewissheit, niemals über das Mittelmaß hinauszukommen, niemals zu glänzen, hatte sie nicht nur dazu bewogen, die Eignungsprüfung sausenzulassen, sondern das Klavierspielen ganz aufzugeben.

Als sie in Leipzig zum ersten Mal den Hörsaal betrat – es war eine Vorlesung in Anatomie –, ging sie die Treppen bis in die erste Reihe hinunter, nahm einen Platz in der Mitte, packte Stift und Block aus und sah kurz darauf ihrem künftigen Liebhaber in die Augen.

Friedemann Schwarz, verheiratet, zwei Kinder.

Sie trafen sich in einer extra dafür angemieteten Wohnung. Das übliche Erstsemesterleben, das in der Hauptsache aus Lernen und Feiern bestand, zog an Judith vorüber. Sie bewegte sich beinahe ausschließlich zwischen ihrem Zimmer im Studentenwohnheim, der Deutschen Nationalbibliothek und der kleinen Dachgeschosswohnung im Waldstraßenviertel.

Das Bett war das Zentrum der Wohnung. Durch das schräge Dachfenster sahen Friedemann und sie in den morgendlichen, mittäglichen oder nächtlichen Himmel hinauf. Manchmal schlug Regen hart gegen die Scheibe, manchmal beschien die pralle Sonne ihre schwitzenden Körper, und manchmal wurde das Fenster vom Schnee zugedeckt. Dann liebten sie sich unter dem fahlen, schattenlosen Winterlicht, und es war, als hätte ihr Tun keine Verbindung zu der Welt draußen. Um das Bett herum lagen all die Dinge, die sie für ihre Liebesspiele benötigten. In dieser Wohnung, diesem Zimmer, diesem Bett galten die üblichen Regeln nicht.

Als aufmerksame Beobachterinnen das Gerücht verbreiteten, sie sei die Nutte des Professors, dementierte sie nicht. Ihr vollkommen müheloses Begreifen in allen Fächern entfremdete sie ohnehin von den anderen Studenten. Sie trat keiner Lerngruppe bei und erschien auf keiner Party. Die Wochenenden verbrachte sie auf einem Reiterhof am Rand der Stadt, mit einem Wallach namens Herkules, dessen Besitzerin nicht oft genug kommen konnte, um sich ausreichend um das Pferd zu kümmern.

Im Zweifel zog Judith die Gesellschaft des Tieres der Gesellschaft anderer Menschen vor.

Nach vier Semestern bestand sie das Physikum als Jahrgangsbeste. Friedemann war der Erste, der es erfuhr. Sie feierten mit Champagner im Bett. Judith hatte ihn niemals gebeten, sich von seiner Frau zu trennen. Sie wollte nur das Beste von ihm, nicht die Kinder, die nicht ihre waren, und nicht den Hass der verlassenen und betrogenen Ehefrau.

Es war Friedemann, der die Affäre beendete. Nie mehr wollte er in diesen dunklen Bereich seiner Begierden gelockt werden. Früher, so gab er ihr zum Abschied mit, hätte man eine Frau wie sie als Hexe verbrannt.

Basti biegt in eine baumgesäumte Straße ein. Er parkt in zweiter Reihe.

Ein Fünfzigerjahrebau, der Geruch von Reinigungsmittel im Treppenhaus, Spione in den Türen und eine beklemmende Enge.

Frau, 71, hochgeschlossene weiße Bluse, blaugrauer Faltenrock.

Im Bücherregal die Werke von Marx und Engels, die russischen Klassiker und der gebündelte Kanon deutscher Literatur. Auf einer Kommode steht das Bild eines Mannes. Er trägt die Uniform der Volkspolizei mit vielen Abzeichen daran. Ein schwarzes Band spannt sich um die rechte obere Ecke. Die Wohnung wirkt, als wohnte die Frau schon ein ganzes Leben darin. Zu DDR-Zeiten ein Privileg. Gute Lage, Zentralheizung, warmes Wasser.

Bei ihr zu Hause war es kalt gewesen, an dem löchrigen Parkett riss man sich die Strümpfe auf, die Fenster der alten Villa waren undicht, der Kohlekeller voller Spinnen und Gespenster. Nur im Sommer, wenn die Türen des Wintergartens offen standen und sie vom Klavier aufspringen und in den Garten rennen konnte, wollte sie nicht mit anderen tauschen. Wenn Freunde ihrer Eltern kamen und Feste gefeiert wurden. Wenn sie mit einem Eierlikör im Schokobecher dabei sein und mitreden durfte. Sie liebte Gespräche mit Erwachsenen, und nicht einmal die Mutter, die ihr *altkluges Geschwätz* nicht hören mochte und sie am liebsten zu den anderen Kindern gesteckt hätte, verleidete ihr jene

Sommerabende unter alten Bäumen, an denen sie mit den Musikerfreunden ihres Vaters an einem Tisch saß.

Während die Frau ihre Symptome beschreibt, denkt Judith, dass es Menschen wie sie und der Mann auf dem Bild gewesen sind, die ihren Eltern das Leben schwergemacht haben. Menschen mit Parteiabzeichen, der dazugehörigen Macht. Menschen, die ihre toxische Wirkung bis in die letzte Verästelung der nächsten Generation hinein verströmen – bis in Judiths Leben.

Und als die Frau ihre Schmerzen beschreibt und die gruppierten Bläschen am unteren rechten Rücken zeigt, denkt Judith an die Schäden, die eine Gürtelrose nach sich ziehen kann. Eine Post-Zoster-Neuralgie könnte zu schweren, brennenden Schmerzen führen. Auch Lähmungen peripherer Nerven sind nicht selten.

Sie schaut noch einmal auf das Bild des Mannes. Sie sieht in die müden Augen der alten Frau und stellt sich ihre Mutter vor, wie sie wieder einmal vor dem Dienstplan in der Poliklinik gestanden und ihren Namen bei den Nacht-, Feiertags- und Wochenenddiensten in der Weihnachtszeit gefunden hatte. Und sie erinnert sich, wie sie Heiligabend wieder einmal neben Paulas Familie in der eisigen Kirche gesessen hatte, weil ihr Vater den Chor dirigierte und ihre Mutter in der Klinik Dienst versah.

Sie blickt aus dem Fenster auf einen weiteren Neubaublock. Es ist schon lange kein Privileg mehr, hier zu wohnen.

Dann verschreibt sie ein Virostatikum und verabschiedet sich knapp.

Kurz nach neunzehn Uhr setzt Basti sie zu Hause ab.

Sie kocht Tee, isst eine Banane und klappt den Rechner auf.

Sven hat geschrieben.

Schade. Wir hätten doch Nummern austauschen sollen. Neuer Versuch morgen Abend? Rufst du an?

Hinter der Telefonnummer lacht ein Smiley.

Judith klickt auf eine weitere Nachricht: Richter, 52, hat sein Bild freigegeben.

Verehrte Unbekannte, es wäre mir ein Vergnügen, Sie zu einem Spaziergang und einem anschließenden Kaffee einladen zu dürfen. Ihr Profil hat großes Interesse bei mir geweckt. Unser vielversprechendes Matching-Ergebnis lässt mich hoffnungsfroh auf Ihre Antwort warten. Herzlich, G. H.

Judith sieht sich das Profil an. 1,82 m, Nichtraucher, 2 Kinder, keines im eigenen Haushalt, Sport mehrmals pro Woche.

Wie ein perfekter Tag für ihn beginnt: *zusammen mit der Frau, die ich liebe.*

Worauf er allergisch reagiert: *gebrochene Versprechen und Rücksichtslosigkeit.*

Drei Dinge, die ihm wichtig sind: *die Kinder, die Liebste und die Kunst.*

Noch einmal betrachtet sie sein Bild. Vierzehn Jahre sichtbarer Altersunterschied.

Dennoch prüft sie das Matching-Ergebnis mit G. H.

Bei *Rollenbilder in Ihrer Partnerschaft* ist die Übereinstimmung vollkommen. Auf dem Balken *Meine männliche Seite* zeigt die Skala bei ihr und ihm jeweils 104 Punkte an, bei *Meine weibliche Seite* jeweils 109. Bei *Wie empathisch sind Sie?* kommen sie beide auf überdurchschnittliche 118.

Bei der *Anpassungsbereitschaft* erreicht Judith nur 85 Punkte, er dagegen 109.

Bei *Ausgleichsbereitschaft, Rückzugstendenz, Großzügigkeit* und *Durchsetzungswille* weichen sie höchstens zwei bis drei Punkte voneinander ab.

Ein Ergebnis wie dieses hat sie selten, G. H. bekommt Post.

Eine halbe Stunde später sitzt sie im Auto. An der Tankstelle kauft sie Gummibärchen, Vollmilchschokolade und eine Packung Zigaretten und parkt kurz darauf im Halteverbot vor Paulas Haus.

Paula öffnet die Tür. Ihre hohen Wangenknochen stehen deutlich hervor. Sie ist geschminkt und bunt gekleidet, doch das heißt nichts. Als sie lächelt, wirft Judith einen Blick auf das Kind, um zu erfahren, wie es Paula wirklich geht.

Leni ist nie weit von ihrer Mutter entfernt. Meistens sitzt sie in Sichtnähe, zeichnet oder spielt mit ihren Tierfiguren. Elefanten, Schildkröten und Igel sind ihre Lieblingstiere. Heute wirkt sie gelöst, beinahe fröhlich. Sie begrüßt Judith, freut sich über die Süßigkeiten und vertieft sich mit einer Handvoll Gummibärchen im Mund wieder in ihr Spiel.

Dass Paula noch lebt, ist ein Wunder. Nie zuvor hatte Judith einen Menschen derart erlöschen sehen.

Tut mir leid, dass ich gestern nicht mehr angerufen habe, sagt sie.

Paula verzieht das Gesicht zu diesem künstlichen Lächeln, das Judith nicht ausstehen kann. Sie füllt Wasser in einen Kessel, nimmt zwei Tassen aus dem Schrank, hängt Teebeutel hinein und sagt: *Es ist alles so sinnlos.*

Judith legt ihre Hände auf Paulas Schultern. Und dann sagt sie ihr, was sie immer sagt. Dass es besser werde mit der Zeit, dass sie sich zwingen müsse, den Blick auf das Gute zu richten, dass sie sich eines Tages wieder freuen könne, sich verlieben werde. Doch Paula schüttelt den Kopf. *Ich werde nie mehr eine Liebesbeziehung haben. Ich bin zu stark beschädigt.*

Leni hat ihr Spiel unterbrochen. Ganz still sitzt sie am Boden und hört zu. Dann steht sie auf, geht zu Paula und schlingt ihre Arme um die Mutter.

Judith wendet sich ab.

Später stehen sie auf dem Balkon und rauchen.

Heute, sagt Judith, *habe ich die wahre Liebe gesehen.*

Und dann erzählt sie von Wenzel Goldfuß und seiner Frau Maja. Sie beschreibt die zärtlichen Berührungen und die warmen Blicke und die Selbstverständlichkeit, die in all dem lag. *Die Frau wird sterben,* sagt sie, inhaliert tief und bläst den Rauch weit in den Abendhimmel hinein, *aber unglücklich wirkte sie nicht.*

Paula lächelt und zieht ebenfalls an ihrer Zigarette. *Wir hätten klüger sein müssen,* sagt sie, *jetzt ist es zu spät dafür. Jetzt sieht man uns an, dass etwas nicht stimmt mit uns.*

Das *wir* kränkt Judith. Aber sie fragt nicht. Sie will nicht wissen, was nicht stimmt mit ihr. Nicht heute. Zusammen schauen sie in den Abendhimmel.

Beim Abschied umarmen sie sich.

Ruf an, wenn etwas ist!, sagt Judith, dreht sich auf dem nächsten Treppenabsatz noch einmal um, doch Paulas Tür ist bereits geschlossen.

Keine Antwort von G. H.

Obwohl er online war.

Noch einmal prüft sie das Matching-Ergebnis. Bei der Frage *Aus welchem Winkel betrachten Sie die Welt?* gibt es drei Kategorien: *Instinkt, Gefühl* und *Verstand*. Sein Ergebnis sticht heraus. *Instinkt* und *Verstand* erreichen hohe Punktzahlen, weit über dem Durchschnittsbereich. Judiths Instinkt dagegen liegt bei schwachen 81 Punkten. Bei *Gefühl* erreicht sie gerade den Normbereich. Nur bei *Verstand* überholt sie ihn.

Bei *Häuslichkeit* kommen beide nur kurz über die 80, bei *Wunsch nach geregeltem Leben* jedoch liegen sie am oberen Ende des Durchschnitts.

Der zugrundeliegende psychologische Test wäre durchaus manipulierbar gewesen. Judith jedoch hatte ihn aus echter Neugier in vollkommener Offenheit und Wahrhaftigkeit ausgefüllt, war dann kurzzeitig über das Ergebnis entsetzt gewesen und musste schließlich zugeben, dass die Einschätzung ihrem Wesen entsprach.

Wie oft schon hatte sie instinktlos Männer in ihr Leben gelassen, die sie nicht einmal riechen konnte. Wie oft hatte der Verstand ihr Dinge vorgegaukelt, die sich später als grobe Fehleinschätzungen herausstellten.

Mittlerweile misstraut sie dem Verstand. Er ist in der Lage, Argumente für und gegen alles zu finden. Nichts behält einen Wert, nichts ist absolut, alles ist verhandelbar.

Ohne die Regulierung durch den Instinkt sind Geist und Intellekt praktisch nutzlos.

Judith sieht auf die Uhr. Es ist kurz vor 22 Uhr. Noch immer nichts von G. H.

Das Warten ist schlimm. Selbst einen Mann, den sie nicht will, will sie spätestens dann, wenn er sie warten lässt. Schlafen kann sie nicht, auch Lesen ist unmöglich. Alle Gedanken richten sich auf den einen Moment, an dem das Warten ein Ende hat.

Früher, als Paula und sie noch zusammengewohnt hatten, war selbst das schön gewesen. Sie hatten Wein getrunken und sich abgelenkt. Und wurde es mit dem einen nichts, gab es einen anderen. Mit dieser Verlässlichkeit ließ sich fast jede Niederlage ertragen. Doch dann kam Ludger und nahm Paula mit.

Gegen 23 Uhr klappt sie den Rechner zu und legt sich hellwach ins Bett.

Sie braucht ein Erfolgserlebnis. Sie weiß, was ein dauerhafter Mangel an Dopamin und Serotonin anrichtet. Das Immunsystem wird schwach, Unglück macht krank – so einfach ist das.

Sie braucht einen Mann, obwohl sie ihn früher oder später verachten wird.

Manchmal steht sie fassungslos vor der Großzügigkeit anderer Frauen. Wie mild sie urteilen, wie sanft sie sich ihren Männern zuwenden, wie großherzig sie deren Schwächen hinnehmen und übersehen.

Es ist Mitternacht, als sie einschläft, doch kurz vor halb vier wacht sie von ihrem eigenen Weinen wieder auf. Erst am Morgen fällt sie noch einmal in einen tiefen Schlaf.

Das Wartezimmer ist bereits bis auf den letzten Platz besetzt, als Judith eine Viertelstunde zu spät in die Praxis kommt. Den vorwurfsvollen Blick von Siegrun ignoriert sie. Die jüngere ihrer Arzthelferinnen würde sich so etwas nicht erlauben. Siegrun darf es, weil sie drei Kinder alleine großzieht und für die Praxis unentbehrlich ist.

Guten Morgen, es geht sofort los!, ruft Judith in die Runde, eilt in Sprechzimmer 1, zieht den Kittel über und wäscht sich die Hände. Die Karteikarte der ersten Patientin liegt vor ihr. Über die Sprechanlage ruft sie Frau Lichtblau auf. Brida Lichtblau kommt wegen Schlafproblemen und mit einem Packen bedruckten Papiers.

Ist der Roman fertig?, fragt Judith.

Brida bejaht und lässt den von einem Gummi gehaltenen Papierstapel geräuschvoll auf den Schreibtisch fallen. *Wenn Sie ihn bis nächste Woche lesen könnten, wäre das wunderbar. Und bitte achten Sie auf nichts anderes als auf sachliche Korrektheit.*

Judith nickt. *Und?*, fragt sie. *Was passiert dann?*

Wenn alles gutgeht, erscheint er in einem halben Jahr.

Brida Lichtblau steht schwungvoll auf. Sie schreitet auf den hohen Absätzen ihrer Wildlederstiefel Richtung Tür, dreht sich noch einmal um und sagt überschwänglich: *Ich danke Ihnen tausendmal!*

Ihr langer Zopf liegt als Kranz um den Kopf gewunden. Die altmodische Frisur wirkt wie eine Tarnung, um die

Wucht zu verbergen, die in ihr steckt. Ein wenig fühlt Judith sich durch Brida an sich selbst erinnert. An die eigene Mimikry. An Begebenheiten in ihrer Kindheit, als sie die Beherrschung verloren und ihrer Kraft freien Lauf gelassen hatte. Und daran, wie die Eltern ihr gesagt hatten, sie sei anstrengend und unangenehm und mache es anderen schwer, sie zu mögen. Kein Wunder, dass niemand mit ihr befreundet sein wolle.

Doch das stimmte nicht. Judith hatte eine Freundin. Sie hatte Paula.

Den Rest des Vormittags kommen keine interessanten Kranken.

Routiniert souverän arbeitet sie die Fälle ab. Nur selten geht ihr etwas nahe. Wie man hundertmal am Tag Mitgefühl entfalten soll, weiß sie nicht. Bei der Begrüßung sieht sie jedem in die Augen, doch einen Handschlag gibt es erst beim Abschied, wenn sie die Wahrscheinlichkeit einer infektiösen Krankheit als gering einstufen konnte.

Nach einem hastigen Mittagessen beim Asiaten um die Ecke kehrt sie in die Praxis zurück. Siegrun sitzt mit einem Stapel Zeitschriften an ihrem Arbeitsplatz am Empfangstresen. Tupperdosen mit Broten und Gemüsestiften stehen vor ihr. Judith wünscht guten Appetit und verschwindet in Sprechzimmer 1. Sie setzt sich an den Computer und schaut, ob G. H. geschrieben hat.

Nichts.

Noch einmal schaut sie sich sein Profil an.

Unter dem Stichpunkt *Ein positives Merkmal von mir*

schreibt er: *Das mögen andere beurteilen,* und bei *Zwei Sachen, von denen ich mich nie trennen könnte* lautet seine Antwort: *Jedes Ding ist ersetzbar, Menschen sind es nicht.*

Während sie weiter nach unten scrollt, kommt eine Nachricht von Sven.

Keine Nachricht und kein Anruf von dir. Kein Interesse mehr? Eine Absage wäre höflich gewesen. Sven

Sie hatte Sven tatsächlich vergessen. Richter, 52, hatte Arzt, 45, mühelos verdrängt.

Ich wünschte, ich könnte ... nicht nur Recht sprechen, sondern Gerechtigkeit herstellen, liest sie weiter, klickt sich dann zurück zu Sven und schreibt: *Lieber Sven, ich hatte einfach sehr viel Arbeit. Wie wär's mit heute Abend? 20 Uhr im Barcelona?*

G. H. würde gern einmal den Philosophen Robert Spaemann treffen, und als Ort der ersten Begegnung nennt er die große Eiche im Rosental.

Er bietet keine Angriffsfläche, keine Möglichkeit zum Spott. Ohne ihm begegnet zu sein, glaubt Judith, diesen Mann ernst nehmen zu können.

Sven schickt drei lachende Smileys und ein *Ja gern, bis später!*

G. H. schweigt weiterhin.

Die Nachmittagssprechstunde beginnt mit einer typischen Honeymoon-Zystitis. Es folgen ein älterer Mann mit Atembeschwerden, dessen Lungenfunktionstest verheerend ausfällt und den sie direkt zum Pneumologen schickt, eine Studentin mit Reizdarm, eine vierfache Mutter mit einer ausgewachsenen Depression, eine übergewichtige alte Frau mit Entzündungen in den Hautfalten, ein Mann mit zwei eingewachsenen Fußnägeln und eine Sopranistin mit entzündeten Stimmbändern.

Am Ende des Tages noch immer keine Nachricht von G. H.

*

Sven ist schon da, als sie die Bar betritt. Er steht auf und kommt ihr entgegen.

Hey, sagt er, *schön, dich zu sehen.*

Er ist nicht groß, aber sportlich und attraktiv. Sein Gang ist federnd, sein Händedruck fest, aber nicht übertrieben. Er hilft ihr aus dem Mantel und bringt ihn zum Garderobenständer. Dann fragt er sie, ob sie lieber an einem Tisch oder an der Bar sitze, ob sie essen wolle oder nur trinken, ob sie direkt aus der Praxis käme und von der Arbeit nicht zu erschöpft sei. Er habe heute nur bis zum frühen Nachmittag Dienst gehabt, sei schon fünfzehn Kilometer laufen gewesen, habe die Wohnung geputzt, damit sie vorzeigbar wäre – man wisse ja nie, wer noch vorbeikäme, und dabei zwinkerte er –, sei dann etwas eher gekommen, um einen guten Platz zu reservieren, und freue sich nun wirklich sehr, sie zu sehen.

Wie geht es dem Pferd?, fragt Judith in eine Atempause hinein. Und dann blättert sie in der Speisekarte, während Sven von der Arthrose des Wallachs berichtet und davon, was er zufüttert und was er tut, um die Symptome schneller in den Griff zu bekommen: Leinöl, Vitamine, Zink und Selen, und dass er regelmäßig Bodenarbeit mit ihm mache

88

und hoffe, bald wieder ausreiten zu können. Und dann hält er inne und lacht, und sein Lachen ist ihr nicht unsympathisch.

Während Judith sich für Tapas und Rioja entscheidet, erzählt Sven von seinem wöchentlichen Sportprogramm. Er trainiert täglich, nimmt nicht nur am Leipziger Triathlon teil, sondern auch am Hamburger, Berliner und Münchner.

Alkohol trinkt er keinen; dass er nicht raucht, wusste sie schon.

Sie unterhalten sich mühelos und unverkrampft, während sie essen. Judith bestellt einen weiteren Wein, Sven ein weiteres Wasser. Das Gespräch mäandert ziellos, tiefere Themen umschifft er geschickt, und etwas ist an ihm, das Judith irritiert. Die Haut gepflegt, der Körper trainiert, der Geist gesund und positiv. Warum ist er allein? Doch die Frage ergibt auch umgekehrt Sinn.

Seit sie auf den Partnerschaftsplattformen unterwegs ist, bleibt das Misstrauen. Etwas kann nicht stimmen mit Männern, die darauf angewiesen sind, auf diese Weise eine Frau zu finden. So wie mit ihr selbst etwas nicht stimmt.

Sven holt das Handy aus der Tasche, schaut kurz darauf und steckt es wieder weg. Umstandslos fragt er sie, ob sie Lust habe, noch mit zu ihm zu kommen. In der Regel kommt dieses Angebot nicht beim ersten Treffen. Zwei- bis dreimal trifft Judith einen Mann, bevor sie mit ihm schläft. Aber der Wein tut seine Wirkung, und eine angenehme Gelöstheit lässt sie leichthin zustimmen.

Sven ist mit dem Fahrrad gekommen. Er nennt ihr seine Adresse und sagt: *Bis gleich.*

Als sie einparkt, ist er bereits da. Die Hände lässig in den Hosentaschen steht er vor der Haustür. Judith rangiert den Wagen trotz des Alkohols mühelos in eine enge Lücke und folgt ihm in die vierte Etage eines offenbar erst kürzlich sanierten Mietshauses.

Sofort nach Betreten der Wohnung zieht Sven die Schuhe aus und stellt sie parallel zueinander in ein schwarzes Schuhregal. Judith streift ihre Ballerinas ebenfalls ab und geht barfuß über das kalte Laminat ins Wohnzimmer. Ihr Blick erfasst einen riesigen Flachbildschirm, eine Musikanlage mit großen Boxen, Regale mit CDs. Bücher gibt es kaum. Als Sven mit zwei Gläsern und einer Wasserflasche aus der Küche kommt, möchte sie gehen.

Es ist still. So still, dass es ihr wie Lärm erscheint, als sie die Beine übereinanderschlägt und das Gewicht verlagert. Das Sofa ist rot und aus Leder.

Darf ich dir etwas zeigen?, fragt Sven und nimmt eine Fernbedienung zur Hand.

Gleich darauf erscheint ein Bild auf dem Flachbildschirm. Nun weiß Judith, dass sie gehen *muss*.

Die Frau im Film hält eine Peitsche in der rechten Hand. Ihre Stimme ist gleichzeitig sanft und fest.

Ich habe alles da, was wir brauchen, flüstert Sven.

Judith nickt. Sanft streicht sie ihm über den Arm, dann stellt sie ihr Glas ab, steht auf und verlässt die Wohnung.

Bevor sie den Wagen startet, legt sie das *Wohltemperierte Klavier* ein und dreht den Lautstärkeregler hoch. Präludien und Fugen, absolute Harmonie, Kontrapunkt und polyphone Perfektion sollen die Bilder auslöschen.

Sie parkt aus und gibt Gas. Sie ist hellwach. Sie rast durch die Nacht, während das *C-Dur-Präludium* Svens letzten, hündisch unterwürfigen Blick verblassen lässt. Am Ende der *c-Moll-Fuge* hat sie ihre Wohnung erreicht. Am liebsten würde sie weiterfahren, die ganzen vierundzwanzig chromatisch aufsteigenden Satzpaare hören und erst bei h-Moll wieder anhalten.

Sie läuft die Treppen hinauf, schließt erleichtert die Tür hinter sich, schenkt einen Wodka ein und dreht eine Zigarette. Hier in ihrer Wohnung ist sie sicher. Es gibt keinen Flachbildschirm und keine Pornos, kein kaltes Laminat und vor allem keinen anderen Menschen.

Judith loggt sich auf der Plattform ein. Sie sperrt Svens Profil, ignoriert die neuen Partnervorschläge und beschließt, eine Pause einzulegen. Noch vor Mitternacht liegt sie im Bett. Schlafen kann sie nicht.

*

Am Dienstagabend geht sie mit Hans ins Kino, anschließend vögeln sie die halbe Nacht.

Am Mittwochnachmittag trifft sie Paula auf einen Kaffee, dann fährt sie mit Leni zum Pferd.

Am Donnerstagabend telefoniert sie während der Fahrt zum Reiterhof mit ihren Eltern. Sie reitet eine gute Stunde auf dem Platz, dann fährt sie nach Hause, duscht und sitzt später mit dem Manuskript von Brida Lichtblau in ihrer angestammten Bar. Den Barkeeper kennt sie nicht. Sie fragt nach Tom und erfährt, dass er für längere Zeit verreist ist, Asien – Thailand und Myanmar. Brida hat Klebezettel an die betreffenden Seiten geheftet. Die Hauptfigur des Romans ist eine bipolare Notfallmedizinerin, in deren Leben sich Judith nicht wiedererkennt.

Am Freitagnachmittag verlädt sie die Stute in den Pferdeanhänger und fährt in die Dahlener Heide. Drei Stunden reitet sie durch Wälder, über Wiesen und zwischen Feldern hindurch, meistens im Schritt und Trab. Sie begegnet zwei weiteren Reitern, einem Pärchen mit Hund und einem Förster. Schöner wäre es gewesen, wenn niemand ihren Weg gekreuzt hätte.

In der Nacht schläft sie durch.

Am Samstagmorgen frühstückt sie ausgiebig mit Eiern und Obst, nimmt sich viel Zeit im Bad, gönnt sich einen zweiten Kaffee samt Zigarette, dann läuft sie in die Innenstadt.

In einem Café trifft sie Brida. Sie erklärt ihr die Korrekturen im Roman und hört sich ihre Sorgen an. Sie kann das gut – die Liebesbeziehungen anderer Leute sezieren, analysieren und ordnen. Sie weiß stets, was zu tun ist, und Brida hört dankbar zu.

Später kauft sie ein Paar rote Schnürstiefeletten mit hohem Absatz, einen hellgrauen Wollmantel, einen bordeauxroten Schal und einen Schwung Unterwäsche. Schon während die Verkäuferin die Kreditkarte durch das Lesegerät zieht, spürt sie die Leere, und später zu Hause stellt sie die Tüten achtlos an der Garderobe ab.

Dann schaltet sie den Rechner ein, setzt die Kopfhörer auf und schaut nach Post, während die ersten Takte der letzten Klaviersonate von Beethoven erklingen.

Liebe J.,

ich will ehrlich sein: Es gab einen weiteren Kontakt, der mich interessierte und mich davon abhielt, Ihnen zu antworten. Es kam mir plötzlich sehr schäbig vor, parallel mit zwei Frauen zu kommunizieren, ich konnte und wollte Ihnen aber auch keine deutliche Absage schreiben, weil ich an Ihnen ebenfalls ein echtes Interesse habe. Dieser andere Kontakt ist Vergangenheit, und ich schreibe Ihnen nochmals und in der Hoffnung, nicht alles verdorben zu haben.

Sehr gern würde ich Sie treffen, und sofern Sie nicht von dieser schonungslosen Offenheit abgeschreckt und womöglich verletzt sind, melden Sie sich bitte. In der kommenden Woche habe ich Urlaub und könnte mich ganz nach Ihnen richten.

Herzliche Grüße

G. H.

* * *

Judith erwacht.

In der Nacht war ein Herbststurm über die Stadt gefegt. Er hatte Äste gegen ihr Fenster geschleudert und die letzten Blätter von den Bäumen gerissen. Schwerfällig geht sie ins Badezimmer. Auf dem Weg dahin muss sie sich an der Wand abstützen. Ihr Blutdruck ist noch niedriger als sonst. Als der Wasserstrahl beim Duschen ihre Brüste trifft, zuckt sie zusammen, ihre Brustwarzen sind hart und empfindlich.

Etwas Weiches hat sich über ihr Gesicht gelegt. Sie bemerkt es beim Eincremen, es irritiert sie. Mit sanftem Klopfen trägt sie ein Augenfluid auf, doch an diesem Morgen bleibt die Müdigkeit an ihr kleben. Das Licht im Badezimmer kommt ihr grell vor, sie knipst es aus und schaut wieder in den Spiegel, dreht ihr Gesicht hin und her, doch der seltsame Ausdruck verschwindet nicht.

Auf dem Weg zur Arbeit hört sie Schuberts *Klaviertrio Nr. 2*. Das *Andante* treibt ihr Tränen in die Augen. Sie stoppt die CD, öffnet das Fenster und atmet die kühle Morgenluft ein.

Etwas stimmt nicht.

An der nächsten Ampel klappt sie die Sonnenblende herunter und betrachtet sich erneut im Spiegel. Sie geht die Patienten des Vortags durch, ihre Krankheiten und die Möglichkeit einer Ansteckung, doch ihre Symptome sind zu unspezifisch, um sie zuordnen zu können.

Sie parkt das Auto, läuft zügig die letzten Meter Richtung Praxis und wird das eigentümliche Gefühl nicht los, unmittelbarer mit der Welt verbunden zu sein. Sie schließt die Augen und öffnet sie wieder, doch nichts hat sich verändert. Noch immer ist ihre Wahrnehmung anders als sonst. Als wäre die Luft dichter und als würden in dieser Dichte die Informationen aus der Umwelt deutlicher übertragen werden.

Wie stets ist das Wartezimmer bereits voll. Bis zur Mittagspause arbeitet sie siebenundvierzig Fälle ab. Statt wie üblich unduldsam gegenüber Patienten zu sein, die wegen eines Schnupfens nicht zur Arbeit gehen wollen, stellt sie großzügig Krankschreibungen aus. In der Mittagspause lässt sie sich Sushi kommen und arbeitet durch. Sie sieht sich die Ergebnisse einiger Blutuntersuchungen an, sucht sich die Karteikarten jener Patienten zusammen, die sie bitten wird, erneut in der Praxis zu erscheinen. Schlechte Nachrichten überbringt man nicht am Telefon. Sie verfasst zwei kurze Konsiliarberichte für Psychotherapien, jeweils mit der Diagnose F43.2 – Anpassungsstörungen nach Veränderungen oder belastenden Ereignissen mit emotionaler Beeinträchtigung.

Einer gleichaltrigen Frau hat sie eine besorgniserregende Mitteilung zu machen. Die Sonographie war auffällig, die Tumormarker sind hoch, der Krebsverdacht hat sich erhärtet. Nun muss sie die zweifache Mutter zur Endosonographie und Computertomographie weiterschicken. Sollte sich der Verdacht auf ein Pankreaskarzinom bestätigen, wird ihr wenig Zeit bleiben. Vermutlich wird sie vor allem an ihre Kinder denken und nicht an sich selbst. Judith erlebt das oft. Wegen der Kinder wollen sie leben. Wegen der Kinder kämpfen sie. Doch dieser Krebs lässt wenig Hoffnung auf Heilung.

Mit der Hand langt sie nach einem Sushi-Röllchen, tunkt es erst in Wasabi-Paste, dann in Sojasauce und schiebt es sich in den Mund.

Die Hypothese könnte lauten: Bei gleicher Diagnose, gleichem Alter, gleichem Allgemeinzustand leben jene Patienten, die kleine Kinder haben, im Schnitt länger als ihre kinderlosen Mitpatienten.

Was wäre, wenn es sie beträfe? Die Frage pocht in ihrem Kopf. Judith verlässt die Küche, durchquert den Wartebereich und öffnet die Fenster. Doch die Geräusche der Straße übertönen die Gedanken nicht.

Eine Dreiviertelstunde bleibt ihr noch, dann werden die nächsten Patienten kommen. Dann will wieder jeder, dass sie ihr Bestes gibt, nichts übersieht, keine Fehler macht. Und sie macht keine, und darin liegt ein tiefer Sinn. Etwas, für das es sich lohnt zu leben.

Gleich nach Praxisschluss fährt sie zum Pferd.

Eine halbe Stunde putzt sie und pflegt die Hufe, dann sattelt sie die Stute, führt sie auf den Platz und baut zwei halbhohe Hindernisse auf. Zehn Minuten Warmreiten, ein paar Runden Leichttraben, dann sitzt sie den Trab aus, galoppiert an, reitet im kontrollierten Arbeitsgalopp erst linke Hand, dann rechte Hand, dann ein paar Volten und pariert durch zum Schritt. Eine halbe Runde geht die Stute am langen Zügel, dehnt sich, schnaubt, und wieder nimmt Judith die Zügel kürzer, galoppiert an und springt. Pures Glück. Jedes Mal. Total verlässlich.

Später zu Hause kocht sie sich einen Kräutertee, putzt sich die Zähne, zieht sich aus und nimmt die Teekanne mit zum Bett. Sie schreibt Gregor einen Gruß zur Nacht, er antwortet sofort, dann liest sie ein paar Seiten aus einer neuen Bach-Biographie, trinkt den Tee, schlägt das Buch wieder zu, löscht das Licht und schläft innerhalb weniger Minuten ein.

Seit sie mit Gregor zusammen ist, schläft sie besser.

Es war merkwürdig einfach gewesen. Sie hatten sich getroffen, waren vom Bach-Denkmal im Thomas-Kirchhof aus in der Dämmerung spazieren gegangen und anschließend in einem japanischen Restaurant essen gewesen. Gute drei Stunden hatten sie gesprochen. Erst über die Arbeit, dann über Interessen und schließlich über ihre Erwartungen an eine Beziehung. Der Ton war geschäftlich. Als wäre die Liebe ein Vertragsgegenstand, prüften sie die einzelnen Paragraphen auf ihre Tücken hin, handelten aus und einigten sich.

Affären interessierten ihn nicht. Was er suchte, war eine Gefährtin, ein intellektuelles Gegenüber. Er wollte Verlässlichkeit gepaart mit geistiger und körperlicher Nähe, wobei ihm Letzteres leichter verzichtbar erschien als die Verbundenheit im Denken und Fühlen. Gemeinsames Wohnen fand er vorstellbar, jedoch nicht zwingend notwendig und schon gar nicht um jeden Preis. Treue war ihm wichtig, beim Nachlassen seiner sexuellen Potenz aber wäre er bereit, diskretes Fremdgehen zu tolerieren.

Weder bei ihrem ersten noch bei den folgenden Treffen zeigte er das männliche Triebverhalten, das Judith einerseits brauchte, sie andererseits jedoch abstieß. Er warb um sie, ohne zu drängen. Seine ruhige, intelligente Art rief keine übermäßigen Emotionen in ihr wach. Die Krankheitssymptome des Verliebtseins blieben vollständig aus.

Wenn sie sich trafen, küsste er sie auf die Wange und fragte nach ihrem Tag. Seine graugrünen Augen waren dann fest auf sie gerichtet, sein fein geschwungener Mund zeigte manchmal ein ironisches Lächeln, hin und wieder fuhr er sich über die kurzen grauen Haare. Es war die Symmetrie, die Judith mochte. Nichts an Gregors Gesicht war irritierend.

Sie sah ihn gerne an. Sie hörte ihm gerne zu. Auf Einladung hin besuchte sie eine seiner Verhandlungen. Die Kammer, deren Vorsitzender Richter er war, entschied über

Asylgesuche und subsidiären Schutz von Menschen aus den Maghreb-Staaten, Syrien und den Ländern des Balkans. Sie traten als Kläger gegen jene Behörde auf, die ihnen einen abschlägigen Bescheid erteilt hatte.

Ich schwöre, dass ich treu und gewissenhaft übertragen werde. Während der Übersetzer den Eid nachsprach, lächelte Gregor sie noch einmal an. Danach blickte er nur noch in die Gesichter des Klägers, des Übersetzers und des gelangweilt wirkenden Anwalts.

Gregors Wissen über die aktuelle Lage war umfangreich, und Tag für Tag kamen weitere Aktenordner mit Berichten von Sachverständigen hinzu. Er und seine Kollegen waren die erste Instanz. Ihre Entscheidung konnte angefochten werden. Doch selbst wenn sie in allen Instanzen bestätigt worden war, wurden Abschiebungen selten vollstreckt. Akribische, mühevolle Arbeit blieb oft ergebnislos.

Er erzählte Judith davon ebenso unaufgeregt, wie er über sich und seine Vergangenheit sprach. Die zwei Kinder waren erwachsen, die Frau neu liiert, er selbst seit der Scheidung vor drei Jahren allein.

Sie unternahmen ausgedehnte Spaziergänge, besuchten Konzerte und gingen essen. Er bezahlte, er hielt ihr die Tür auf, half ihr aus dem Mantel und wieder hinein. Er fiel auf so selbstverständliche Weise aus der Zeit, dass Judith sich jede Bemerkung dazu verkniff.

Es brauchte einen vollen Monat, bis sie zum ersten Mal miteinander schliefen. Für Gregor fiel die Entscheidung in dieser Nacht. Sein Blick, wenn er sie ansah, war nicht mehr nur von Interesse geprägt, sondern von Gewissheit.

Dabei war der Sex nichts Besonderes gewesen. Zeitweise hatte sie an Hans gedacht und wie seine Hände ihren Körper zum Klingen brachten. Während Gregor sich auf und in ihr bewegte, wollte sie ihn schon bitten, seine Höflichkeit im Bett abzulegen. Doch er holte ein Gummi unter dem Kopfkissen hervor, und als Judith ihm begreiflich machte, was er tun musste, damit auch sie zum Höhepunkt kam, war es bereits vorbei. Später kümmerte er sich auch um ihre Lust, rollte sich hernach neben sie, legte sich auf die Seite, zog sie an sich und küsste zärtlich ihren Nacken.

Judith schlief ein. Und als sie erwachte, lag sie noch immer in seinen Armen. Drei Stunden waren vergangen, drei Stunden, in denen er sie nicht losgelassen hatte.

*

Drei Tage schon hält die Empfindlichkeit an. Selbst der weiche Stoff ihres Nachthemds verursacht ihr Schmerzen, wenn er über ihre Brüste gleitet.

Sie setzt sich auf die Toilette, hält den Zahnputzbecher drunter und pinkelt rein.

Zwei blaue Streifen.

Sie entleert den Zahnputzbecher in die Toilettenschüssel, wirft den Test in den Müll und fährt zur Praxis, wo sie mit knappem Gruß und ohne Blickkontakt das Wartezimmer durchquert und mit Schwung die Tür von Sprechzimmer 1 hinter sich schließt.

Am Ende der Vormittagssprechstunde verliert sie die Geduld. Einer älteren Frau, die weit ausholt, um ihre Krankheit zu beschreiben, fährt sie harsch über den Mund. Dem Hypochonder, der mehrmals im Monat vorstellig wird, empfiehlt sie unumwunden eine Psychotherapie.

Zu Mittag isst sie in einem Asia-Imbiss scharfe Kokossuppe mit Tofu. Im Schaufenster stehen ein Gummibaum mit einer blinkenden Lichterkette und ein Weihnachtsmann aus Plastik. Während sie auf den Aufruf ihres Essens wartet, betrachtet sie die anderen Menschen. Ausnahmslos alle tippen auf ihren Telefonen herum. Auch Judith holt ihr Telefon aus der Tasche. Sie schreibt Gregor eine Nachricht, schickt sie aber nicht ab.

Sie weiß, wann es passiert ist.

An jenem Tag vor etwa dreieinhalb Wochen hatte sich Gregor gegen seine Gewohnheit kein einziges Mal bei ihr gemeldet. Endlos zogen sich die Stunden in der Praxis dahin. Für den Abend waren sie verabredet, doch der Abend war weit. Gegen vierzehn Uhr wünschte sie ihren Mitarbeiterinnen ein schönes Wochenende, zupfte einen Strafzettel unter dem rechten Scheibenwischer ihres Wagens hervor, warf ihn zu den anderen Strafzetteln auf den Beifahrersitz, fuhr nach Hause und zog sich um.

Ihre Laufstrecke von zehn Kilometern bewältigte sie in Rekordzeit und ohne ein einziges Mal aufs Handy zu schauen. Zu Hause sprang sie unter die Dusche und sah nun doch wieder im Minutentakt auf ihr Telefon, dessen Display vom Wasserdampf beschlagen war. Sie wischte mit Toilettenpapier den Spiegel frei, schminkte Wimpern und Lippen und roch ihre eigene Angst.

Sein Schweigen quälte sie. Es fraß sich in die Eingeweide

und ließ die Hände zittern. Ein Mann, der ihr vegetatives Nervensystem aus dem Gleichgewicht brachte, war gefährlich. Umsonst versuchte sie sich einzureden, dass es nichts zu befürchten gab. Der Körper war klüger als der Geist.

Gregor empfing sie mit freundlicher Distanz. Ein flüchtiger Kuss auf die Wange blieb die einzige Berührung. Seine Blicke wichen ihr aus, und etwas in seinem Gesicht war anders. Grauer sah er aus, als hätte der Alterungsprozess einen Sprung gemacht. Sie spürte, wie ihre Hände zu zittern anfingen, wie kalter Schweiß die Handflächen bedeckte.

Judith brachte keinen Bissen herunter, und als Gregor aufstand und anfing, das Geschirr abzuräumen, nahm sie es ihm aus den Händen und stellte es zurück auf den Tisch.

Er setzte sich wieder hin.

Und dann fragte er, ob es ihr wirklich um ihn ginge und nicht nur um das Bekämpfen ihrer Einsamkeit.

Ficken und Kultur, fuhr Gregor fort, sei nicht das, wonach er sich sehne. Und dann wiederholte er die Worte, deren Treffsicherheit ihm erst im Aussprechen aufgefallen zu sein schien.

Ficken und Kultur, Ficken und Kultur.

Er erzählte von seinem Tag.

Am Morgen hatte er sein Auto mit zerstochenen Reifen vorgefunden. Zum ersten Mal kam er zu spät zur Arbeit.

Am Nachmittag entlarvte er die Fluchtgeschichte eines Libyers mittels kluger Fragen als Lüge. Der Mann begriff, dass es vorbei war. Er stand auf, stieß den Arm seines Anwalts, der ihn zu beschwichtigen versuchte, weg und redete los. Statt ihn zur Ordnung zu rufen, wies Gregor den Dolmetscher an, zu übersetzen.

Es war eine Beschimpfung dieses Landes. Die Prophezeiung seines Untergangs.

Und als Gregor zurück in sein Büro gegangen war und die Robe abgelegt hatte, war er sehr müde geworden.

Ich brauche etwas Schönes, sagte er zu Judith, *etwas Heiles.*
In dieser Nacht musste es passiert sein.

Judith löffelt die Suppe und sieht aus dem Fenster des Asia-Imbisses. Schneeregen, Wind, gebeugte Menschen mit vermummten Gesichtern. Kaum Fahrradfahrer, stattdessen Kolonnen von Autos und die Luft zum Schneiden. Die Schärfe der Suppe treibt ihr Tränen in die Augen.

Sie zieht ihren Daunenmantel an, steigt in den Wagen, den sie direkt vor dem Imbiss im Parkverbot abgestellt hat, legt die *Winterreise* ein und fährt zu einem Hausbesuch in den Leipziger Osten.

Frau, 68, alleinlebend.

Judith schaltet den Fernseher ab und leert den vollen Aschenbecher aus. Sie öffnet die Fenster und sieht sich die Beine der Frau an. *Das ist die dritte Venenentzündung in einem halben Jahr,* sagt sie in dem Ton, den manche Patienten brauchen, um den Ernst der Lage zu begreifen, *ich weise Sie jetzt in die Klinik ein, die Gefahr einer Thrombose ist zu hoch.*

Als die kurz darauf eintreffenden Sanitäter die zeternde Frau unterhaken und die Treppe hinabführen, schreibt Ju-

dith eine weitere Nachricht an Gregor. *Ich muss dich sehen.
Ich bin schwanger.* Sie tritt ins Freie, zieht sich den Reißverschluss ihrer Jacke bis ganz nach oben und die Fellkapuze über den Kopf, liest die Nachricht noch einmal und sendet sie an Paula.

*

Paula empfängt sie in Turnschuhen und Laufkleidung und mit roten Wangen. Leni sitzt am Küchentisch vor einem ausgerollten Teig und sticht Plätzchen aus. Seit Paula regelmäßig laufen geht, hat sich ihr Zustand frappierend verbessert.

Wir reden gleich, sagt sie, *ich spring schnell unter die Dusche.*

Judith setzt sich zu Leni. Gemeinsam stechen sie Engel und Weihnachtsbäume, Glocken, Herzen und Sterne aus. Leni fragt nach dem Pferd und wann sie wieder reiten dürfe, und Judith verspricht, sie beim nächsten Mal mitzunehmen.

Als Paula im Bademantel und mit Handtuchturban auf dem Kopf hereinkommt, Leni über den Kopf streicht und ihr einen Kuss auf die Stirn gibt, sieht Judith weg.

Paula schiebt das Blech mit den Plätzchen in den Ofen und stellt die Zeit ein, dann schickt sie Leni in ihr Zimmer.

Sie hätte wissen müssen, dass Paula keine neutrale Beraterin in dieser Angelegenheit ist. Vor Lenis Geburt war der Nestbautrieb bilderbuchmäßig bei ihr ausgebrochen. Nach Lenis Geburt hatte sie sich mit Ludger und dem Baby verpuppt. Monatelang gab es sie nur in symbiotischer Einheit.

Es wird dich verändern, sagt sie, *du wirst Ängste haben, die du vorher nicht kanntest, Schmerz empfinden, der tiefer geht als jeder andere Schmerz.*

Dennoch rät sie Judith, das Kind zu bekommen.

Weiß Gregor Bescheid?, fragt sie.

Judith schüttelt den Kopf.

Du willst es ihm nicht sagen?

Nein, will ich nicht, entgegnet Judith gereizt.

Sie steht auf und sieht aus dem Fenster.

Die Wohnung im Haus gegenüber ist hell erleuchtet. Ein Kind sitzt auf einer Schaukel, die zwischen zwei Zimmern hängt. Es taucht vor dem einen Fenster auf, verschwindet für einen Augenblick und erscheint gleich danach vor dem anderen. Es schaukelt so hoch, dass es aussieht, als würde es jeden Moment gegen die Decke krachen. Im linken Zimmer steht die Mutter, im rechten der Vater. Beide scheinen sich über das wilde Schaukeln zu freuen.

Vergeblich versucht Judith, sich in der Rolle der Mutter zu sehen. Es gibt kein Bild in ihrem Kopf von sich mit einem Kind. Und weil es kein Bild gibt, wird es kein Kind geben.

Holst du mich nach dem Eingriff ab?, fragt sie.

Paula nickt zögerlich, und draußen beginnt es zu schneien.

*

Es ist kurz vor acht Uhr morgens, als Judith mit ihrer Reisetasche in der Tagesklinik erscheint. Seit zwölf Stunden hat sie nichts gegessen. Die Praxis liegt im Erdgeschoss eines Wohnhauses. Sie und eine Gruppe anderer Frauen werden von einer Schwester in den OP-Bereich geführt. Auf drei Zimmer werden sie verteilt. Werden angewiesen, sich auszuziehen und in die Betten zu legen und auf den Anästhesisten zu warten.

Nicht alle Frauen sind aus dem gleichen Grund hier.

Manchen werden Polypen aus dem Gebärmutterhals entfernt, Gewebeproben aus der Schleimhaut des Uterus entnommen, übermäßige Blutungen durch Ausschabung gestoppt. Von den Kranken separiert, liegen Judith und zwei weitere Frauen in einem Durchgangszimmer. Es ist keine Einbildung – während die Schwester im Nachbarzimmer ein freundliches Schwätzchen hält, hatte sie ihnen gegenüber nur knappe, klare Ansagen gemacht: Nichts essen, nichts trinken, Telefon ausschalten, auf den Narkosearzt warten.

Judith sieht sich um. Im Fenster hängt Weihnachtsschmuck, selbstgemachte Origami-Sterne. Die beiden anderen liegen still in ihren Betten. Sie haben sich zur Wand gedreht und ihre Telefone heimlich wieder eingeschaltet. Beide sind sie jung. Die eine übergewichtig, die andere schlank, aber unscheinbar.

Judith weiß, wie es weitergeht. Liegen und warten. Auf Schritte hören, Türen beobachten, das Gedankenkarussell beruhigen.

Es ist nicht ihr erstes Mal.

Hätte sie sich damals mit achtzehn Jahren gegen ihre

Mutter durchgesetzt, hätte sie jetzt ein erwachsenes Kind. Vermutlich wäre es sportlich und gutaussehend, so wie sie und ihr damaliger Sportlehrer es gewesen sind. Aber die Mutter hatte ihr ein so düsteres Bild ihrer beruflichen Zukunft gezeichnet, dass Judith schließlich in die Abtreibung eingewilligt hatte.

Im Nebenzimmer tut sich etwas. Die Unschuldigen kommen zuerst dran. Forsche Schritte durchqueren den Raum, eine männliche Stimme spricht zu der ersten Patientin. Eine letzte Belehrung, ein Witz, der nicht lustig ist.

Sie kennt diese Stimme.

Woher kennt sie diese Stimme?

Inzwischen ist es vierzehn Stunden her, dass sie etwas gegessen hat. Klar zu denken fällt ihr schwer. Es ist ihre dritte Abtreibung, die zweite ist auf einen Mann zurückzuführen, den sie kaum kannte. Vieles spricht dafür, dass sie hier und jetzt die letzte Möglichkeit auf ein Kind vergibt. Bald wird sie zu alt sein; jenseits der vierzig beträgt die spontane Schwangerschaftsrate nur noch zwei Prozent. Von hundert Frauen, die ungeschützt Sex haben, werden zwei schwanger. Eine dieser beiden Frauen zu sein ist unwahrscheinlich.

Sie könnte aufstehen, sich anziehen und gehen.

Sie könnte Paula anrufen und ihr sagen, sie solle sie abholen. Dann würden sie den Tag zusammen verbringen und eine Liste mit Vornamen erstellen.

Aus ihrer Tasche, die neben dem Bett steht, zieht sie das Telefon heraus. Die letzten Anrufer sind Gregor und Paula gewesen. Gregor hatte sich am Vorabend aus Berlin gemeldet, wo er auf einer Fachtagung einen Vortrag halten und einen weiteren Tag bleiben würde, um seine älteste Tochter zu treffen. Bis zu seiner Rückkehr würde es ihr wieder gut genug gehen, um den Eingriff vor ihm geheim zu halten. Der Abbruch selbst dauert nicht länger als eine Viertelstunde; die Maskennarkose erfordert keine künstliche Beatmung. Sie würde aufwachen, sich ein paar Stunden erholen und am Abend in ihrem eigenen Bett einschlafen, als wäre nichts geschehen.

Ein letztes Mal lässt sie den Gedanken daran zu, wie es wäre, das Kind zu behalten. Für das erste Jahr könnte sie eine Vertretung für die Praxis organisieren, und für die Zeit danach würden sie eine Kinderfrau einstellen. Das nötige Geld dafür hätten sie. Wenn sie ihn jetzt anrufen und alles erzählen würde –

Noch hält sie das Telefon in der Hand.

* * *

Seit zehn Tagen ist sie vom Westernreiten in Montana zurück. Niemand hatte sie vom Flughafen abgeholt.

Seit zehn Tagen versucht sie vergeblich, Freude an den gewohnten Dingen zu finden.

Die Nächte sind endlos. Das Einschlafen ist kein Problem, doch nach zwei bis drei Stunden wacht sie auf. Die Begrenzungen ihres Körpers scheinen sich aufzulösen. Hände und Füße fühlen sich weit entfernt an. Proportionen verschieben sich. Es ist, als zögen unsichtbare Wesen an ihren Beinen und Armen und nur ihr Kopf bliebe an seinem Platz auf dem Kissen liegen. Schmerz empfindet sie keinen, nur ein dumpfes Kribbeln.

Je wacher sie wird, umso mehr fügt sich ihr Körper wieder zusammen. Und dann erscheint das Bild. Jede Nacht.

Ein Haufen liegt vor ihr. Er besteht aus allem, was ihr Körper bisher verloren hat: Haare, Hautschuppen, Finger- und Fußnägel, Rotz, Schleim, Blut, Schweiß, Kot und Urin. Es ist ein klebriger, stinkender Berg aus organischem Material, und der furchtbare Gedanke, dass auch die anderen sieben Milliarden Menschen solche Haufen haben, lässt sie nicht los. Sie wälzt sich hin und her, atmet tief durch die Nase ein und tief durch den Mund wieder aus. Greift nach dem Wasserglas, das neben dem Bett steht, trinkt, atmet und wagt nicht, auf die Uhr zu sehen.

Irgendwann in einer frühen Morgenstunde kommt der Schlaf zurück. Die Träume, die er mit sich bringt, sind so dunkel wie die vorangegangenen Gedanken. Erst das Klingeln des Weckers erlöst sie von den Strapazen der Nacht.

Auch heute ist sie müde zur Arbeit gegangen und später dennoch reiten gewesen – ohne Sattel und ohne Trense, nur mit Strick und Knotenhalfter.

Sie macht sich einen Salat, dann loggt sie sich ein und schaut nach den neuesten Partnervorschlägen. Ihren nächsten Geburtstag möchte sie nicht allein verbringen.

Unternehmer, 45, zwei Kinder, keins im eigenen Haushalt, Gelegenheitsraucher und Katzenbesitzer, hat ein Lächeln geschickt. Auf die Frage, wen er gern einmal treffen würde, hat er geantwortet: *Mich selbst in zehn Jahren.*

Sie scrollt weiter nach unten. *Worauf ich allergisch reagiere: Körperbehaarung (außer auf dem Kopf).* Sie klickt ihn weg und schaut weiter.

Architekt, 48, keine Haustiere, keine Kinder, keinen Kinderwunsch. Sein persönliches Zitat stammt nicht von ihm, sondern von Hemingway, aber immerhin erwähnt er Körperbehaarung überhaupt nicht.

Fast zwei Jahre lang hatte sie die Suche eingestellt, hatte auf den Zufall gehofft und sogar das dauerhafte Alleinsein ernsthaft erwogen. Sie hatte ihre Arbeit, ihr Pferd und ihre Freundinnen – Paula und Brida. Es gab keinen Platz für einen Mann. Erst als Paula anrief, um ihr von Wenzel zu erzählen, wurde Judith wieder einmal bewusst, wie schwer das Alleinsein war.

Sie geht in die Küche, schenkt sich Rotwein ein und schaut auf die Uhr. In einer Stunde muss sie in der Buchhandlung sein. Brida liest aus ihrem neuen Buch.

Auch Wenzel wird kommen. Als Paula ihn ihr vorstellte, hatte es Judith beinahe die Sprache verschlagen. Wenzel Goldfuß hatte sich kaum verändert seit jenem Tag vor Jahren, als Judith während eines Bereitschaftsdienstes seine krebskranke Frau Maja behandelt und die schöne Wohnung des Paares mit dem merkwürdigen Gefühl des Neids wieder verlassen hatte. Seine Frau war längst tot, und das Leben war weitergegangen. Es hatte ihn und Paula zusammengeführt und Judith und Gregor auseinandergetrieben.

Brida würde es Schicksal nennen.

Aber Judith glaubt nicht an Schicksal. Das, was die Leute Schicksal nennen, ist nichts anderes als die Summe ihrer Entscheidungen.

Sie sehnt sich nach einer Zigarette, doch das Rauchen hat sie aufgegeben. Noch einmal geht sie zurück zum Computer und öffnet das nächste Profil.

Ingenieur, 45, geschieden, Nichtraucher, 2 Kinder, keins im eigenen Haushalt, mag Rock, Pop und Schlager und sucht eine liebe Frau, die er glücklich machen kann.

Resigniert klappt sie das Gerät zu.

Einem wie Gregor ist sie nicht wieder begegnet. Hin und wieder laufen sie sich zufällig über den Weg. Dann grüßen sie sich höflich und knapp und ohne stehen zu bleiben.

Zweieinhalb Jahre alt wäre das Kind jetzt. Damals, in der Tagesklinik, kurz vor der Abtreibung, hatte es eine winzige Chance auf Leben gehabt. Doch dann war die Tür aufgegangen, der Anästhesist hatte den Raum betreten, und Judith hatte gewusst, woher sie die Stimme kannte.

So sieht man sich wieder, hatte er gemurmelt und gleichzeitig den Blick gesenkt. Und während er den Anästhesiebogen ausfüllte, konnte sie nicht anders, als sich Arzt, 45, mit eigenem Pferd, nackt vorzustellen. Gefesselt, auf allen vieren, mit den Spuren von Peitschenhieben auf dem Rücken.

Sie sahen sich nicht in die Augen. Später, auf dem Weg in den OP, wünschte Sven ihr alles Gute und frohe Weihnachten. Dann verschwammen die grellen Lichter, die Stimmen entfernten sich, und sie schlief ein. Und als sie wieder erwachte, war die Schwangerschaft beendet.

Nach seiner Rückkehr vom Kongress aus Berlin stand Gregor mit einem Strauß weißer Rosen vor ihrer Tür. Wie ein verdorbenes Essen war es aus ihr herausgebrochen. Sie hatte es ihm regelrecht vor die Füße gekotzt.

Gregor wiederholte langsam, was sie gesagt hatte. Dass

sie schwanger von ihm gewesen sei, aber abgetrieben habe und das Problem also damit gelöst sei, und dass sie in Zukunft besser aufpassen müssten.

Wie so oft schienen sich die Dinge in seinem Kopf erst durch das nochmalige Aussprechen zu ordnen und ihre Bedeutung zu entfalten, und während des darauffolgenden Schweigens musste er sich entschieden haben. Judith hatte die Veränderung in seinem Gesicht gesehen. Weihnachten, das wusste sie, noch bevor er es aussprach, würde sie allein verbringen. Es war der Tag vor der Wintersonnenwende. Keine acht Stunden lagen zwischen Aufgang und Untergang der Sonne. Im Dunkeln ging sie aus dem Haus, im Dunkeln kam sie zurück. Als Gregor gegangen war, wusste sie, dass sie ihn sehr vermissen würde.

Die Rosen erinnerten sie täglich an ihn, und als wäre das nicht genug, verblühten sie nicht. Sie hielten über die Weihnachtsfeiertage und standen auch am Silvesterabend noch aufrecht in der Vase. Lediglich die Ränder der Blütenblätter verfärbten sich dunkel.

Am Heiligabend, gleich nach dem Aufstehen, schickte sie eine versöhnliche Nachricht an Gregor, doch eine Antwort erhielt sie nicht. Also fuhr sie zum Pferd, ritt gut zwei Stunden über matschige Waldwege, stellte hernach einen Eimer voll Kraftfutter zusammen und sah zu, wie die Stute den Festtagsschmaus gierig vertilgte. Nach dem Mittag öffnete sie eine Flasche Wein und startete einen Serienmarathon, und als es am frühen Abend klingelte, konnte sie nicht anders, als zu hoffen.

Langsam ging sie zur Tür, nahm den Hörer der Gegensprechanlage ab, flüsterte ein zaghaftes *Hallo* in die Muschel und wartete. Doch statt Gregors ruhigem Bass erklang eine helle Kinderstimme und wünschte *Frohe Weihnachten.* Die Enttäuschung lähmte sie für einige Sekunden. Sie zwang sich, tief und ruhig zu atmen, dann ging sie zum Fenster, lehnte sich hinaus und sah die Nachbarn aus den Häusern strömen. Wie jedes Jahr stand eine kleine Gesandtschaft des Thomanerchors auf der Straße. Etwa zehn Knaben waren es, deren Stimmen nun in vollkommener Klarheit *Stille Nacht, heilige Nacht* zu singen begannen.

Judith rauchte. Kalte Luft strömte in das ungeschmückte Zimmer. Mehrstimmig intonierten die Jungen das nächste Lied *Es ist ein Ros' entsprungen.*

Sie schloss das Fenster leise und ließ die Serie weiterlaufen.

Seither ist so wenig geschehen, dass ihr die letzten Jahre wie Tage erscheinen. Lediglich die Reiterreisen unterbrachen den immer gleichen Rhythmus aus Arbeit und Sport und dehnten die Zeit auf ein Maß, das der tatsächlich vergangenen zwar nicht entsprach, aber Erinnerung überhaupt ermöglichte.

Sie schminkt sich sorgfältig, packt Bridas neues Buch ein, läuft eine Viertelstunde durch dichtes Schneetreiben und wünscht sich, die Buchhandlung nicht unbegleitet betreten zu müssen.

Sie hätte Hans fragen können, doch zwischen Hans und ihr ist es schwierig geworden, weil die kleine, dünne Frau zu Hause etwas herausgefunden hat. Seither macht Hans sich rar.

Sie muss sich beeilen, um nicht zu spät zu kommen. Schnee-flocken bleiben an ihren Wimpern hängen, und Judith denkt beim Gehen an die Kindheitswinter im Erzgebirge. Krat-zende Strumpfhosen, selbstgestrickte Schals und Mützen. Die Mutter im Stechschritt vorneweg, Judith und der Vater hinterher, durch tiefverschneite Wälder aufwärts und auf-wärts, bis die Bäume kleiner wurden und spärlicher wuch-sen und vom Wind in eine Richtung gedrückt wurden. Wie schiefe Skulpturen standen sie dort, von Eis und Schnee umschlossen. Dann das Picknick an einer windgeschützten Stelle – Stullen, Tee, Schokolade und Nüsse und manchmal ein Lob der Mutter. Denn Judith klagte nicht. Weder über die Kälte noch über durchweichte Stiefel und halberfrorene Gliedmaßen. Nicht über den langen Weg oder das unausge-setzt hohe Tempo, das niemals dem eines Kindes entsprach.

Und so wie damals läuft sie auch jetzt zügig vorwärts. Sie erreicht die Buchhandlung rechtzeitig, streift Mantel und Schal ab, tupft sich mit einem Taschentuch den tauenden Schnee von den Wimpern und blickt sich um. Die meisten Plätze sind besetzt.

Paula und Wenzel winken ihr aus der ersten Reihe zu, und weiter hinten dreht sich jemand zu ihr um.

Der Platz neben Gregor ist frei. Sie setzt sich, begrüßt ihn, dann gehen die Lichter aus, und Brida beginnt zu lesen. Aus den Augenwinkeln kann Judith sehen, wie sich sein Kopf in ihre Richtung dreht.

Brida

Ein Hirsch tritt aus dem Wald. Er schreitet vorwärts, schaut sich um und beginnt zu grasen. Arglos frisst er. Hin und wieder hebt er den Kopf, wirft einen Blick ringsum und setzt das Grasen fort.

Zwischen dem Hochstand und dem Hirsch liegen etwa hundertfünfzig Meter. Dazwischen erstreckt sich eine Brachlandschaft – eine hochgewachsene wilde Wiese, aus der sich hin und wieder Vögel erheben.

Brida lässt das Fernglas sinken und legt ein imaginäres Gewehr an. Sie zielt, schießt, trifft. Dann beugt sie sich vornüber und stützt sich auf die rissige Brüstung. In dem alten Holz knistert es. Insekten haben sich hineingefressen. In den Winkeln des Hochstandes spannen sich große Spinnennetze mit reichlich Beute darin.

Ihre Beine zittern, als rauhe Hände an den Innenseiten ihrer Schenkel entlangfahren. Götz schiebt ihren Rock hoch. Noch einmal hebt sie den Kopf und blickt über die Wiese in die untergehende Sonne hinein. Der Hirsch dreht sich um und verschwindet im Wald.

Sie schließt die Augen.

Sie gehen den Schlangenweg durch die Hügel zurück zu den Ferienhäusern.

Grillen zirpen, zweimal kreuzen Blindschleichen ihren Weg. Götz hält ihre Hand und gibt das Tempo vor. Als sie das Ortseingangsschild von Hollershagen erreichen, lässt er ihre Hand los. Er zeigt gen Himmel. Eine Gruppe Kraniche fliegt über sie hinweg. Aus der rechten Tasche seiner Windjacke ragt ein Zipfel ihres Slips heraus. Einen Augenblick lang hält Brida es für eine phantastische Idee, ihn dort zu lassen. Svenja würde ihn entdecken und dann –

Und dann?

Der Gedanke an die Kinder veranlasst sie dazu, den Zipfel des Slips zu greifen und ihn herauszuziehen.

Die Mädchen kommen ihnen entgegengerannt. Vier Jahre lang hatten Götz und sie die Kinder gemeinsam aufgezogen, dann trennte sich Brida von ihm.

Ein neuer Versuch schenkte ihnen ein weiteres Jahr Familienleben. Nun sind Hermine und Undine elf und neun Jahre alt und Götz und Svenja seit über zwei Jahren ein Paar.

*

Bevor Svenja auftauchte, hatte Brida die Trennung lediglich als eine Zustandsänderung ihrer Beziehung empfunden. Zwar lebten Götz und sie nicht mehr zusammen und teilten keinen Alltag mehr, aber sie schliefen noch miteinander, und immer hatte sie das Gefühl gehabt, ein einziges deutliches Zeichen genügte für einen Neuanfang.

Sie hatten sich auf das Nestmodell geeinigt – die Kinder blieben in der Wohnung, und die Eltern wechselten sich ab. Lebte Brida bei den Mädchen, schlief Götz in der Werkstatt, für ihre eigene kinderfreie Zeit hatte Brida ein Zimmer in einer Wohngemeinschaft.

Regelmäßig besprachen sie äußerst vernünftig die Belange der Kinder. Sie feierten Weihnachten und Ostern zusammen und fuhren gemeinsam in den Urlaub.

Der Wunsch nach einem sauberen Schnitt war nicht von ihr gekommen.

Als wieder einmal Götz die Wohnung bezog und Brida ihre Sachen packte, bat er sie, noch zu bleiben. Sie aßen gemeinsam zu Abend. Noch heute erinnert sie sich an das Essen – Feldsalat mit Tomaten und gerösteten Pinienkernen, Spaghetti mit veganer Carbonara-Sauce und zum Nachtisch eine selbstgemachte Mousse au chocolat. Die ganze Zeit über wich er ihren Blicken aus, und als die Kinder aufsprangen und in ihre Zimmer rannten, stand er ebenfalls auf und folgte ihnen.

Erst später, als sie schliefen, kam er zum Punkt. *Es ist langsam an der Zeit, sich scheiden zu lassen,* sagte er und fügte leise hinzu: *Es muss ja nicht sofort sein.*

*

Kurz darauf sah sie die beiden in der Stadt.

Sie standen vor einem Café – Svenja in Minirock und mit hohen Stiefeln, Götz in Jeans und einem Pullover, den Brida nicht kannte. Svenja sah zu ihm auf. Sie war klein und zierlich und reichte ihm trotz der hohen Absätze gerade bis zu den Schultern. Ihren Kopf hatte sie in den Nacken gelegt, so dass die Spitze ihres Pferdeschwanzes ihren Rücken berührte. Sie lächelte und fuhr mit ihrem rechten Zeigefinger über seine Brust.

Brida konnte keinen Schritt mehr tun. Der Schmerz traf sie kalt und unerwartet. Sie hielt sich am Lenker ihres Fahrrads fest und sah zu ihnen hinüber.

Bisher hatten sie ihre Affären offen gelebt, sich sogar gegenseitig davon erzählt und Vergleiche angestellt. Doch keine andere Frau und kein anderer Mann hatten je eine reelle Chance gehabt. Und darum gingen die neuen Liebespartner so, wie sie gekommen waren – unauffällig und letztendlich bedeutungslos. Diesmal jedoch hatte sie nichts gewusst.

Selbst als er den Kopf der anderen Frau zwischen seine Hände nahm, sich zu ihr hinunterbeugte und sie lange küsste, konnte Brida nicht wegsehen. Und auch als er lächelnd ihre Hand nahm und mit ihr das Café betrat, starrte Brida ihnen hinterher. Dann verschwanden sie im Dunkel des Lokals.

Als ihre Beine ihr wieder gehorchten, schob sie das Rad um die nächste Straßenecke und rief Judith an.

In der Praxis Dr. Gabriel nahm niemand ab. Es war ein Mittwochnachmittag. Auch Judiths Mobiltelefon war ausgeschaltet. Vermutlich war sie bei ihrem Pferd.

Brida holte die Kinder ab. Sie schleppte sich die Treppen zur Wohnung hinauf, schaffte es bis ins Wohnzimmer und ließ sich aufs Sofa fallen. Ihre Angst war berechtigt. Sie wusste es. Und als Judith endlich zurückrief, sagte sie umstandslos: *Er hat eine andere, und diesmal ist es ernst.*

Sollte sie noch einmal nach Hollershagen fahren, dann ohne Svenja.

Götz verschwindet mit den Mädchen im Haus Nummer 7. Brida schließt die Tür zu Haus Nummer 8 auf. Wand an Wand verbringt sie die Ferien mit seiner Neuen, und Judiths Worte von damals hallen in ihrem Kopf nach.

Du willst ihn nur zurück, weil er jetzt nicht mehr zu haben ist.

Wenn er die andere fallenlässt, wirst du ihn nicht mehr wollen.

Du brauchst ihn nicht.

Du kommst allein zurecht.

Auf der Rückseite, nach Westen ausgerichtet, liegen die Terrassen der Ferienhäuser. Schulterhohe Hecken trennen sie voneinander, jedes nicht geflüsterte Wort dringt unweigerlich zum Nachbarn hinüber.

Brida steht dort und raucht. Der Wind bläst den Rauch nach nebenan, wo Svenja und Götz ebenfalls draußen sitzen. Sie sprechen über den kommenden Tag, vergleichen die Preise der Bootsverleiher und planen die Route, die sie zusammen mit den Kindern paddeln wollen.

In ihrer linken Hand steckt ein Splitter vom Holz des Jägerstandes. Sie holt eine Pinzette aus dem Bad, zieht ihn raus und schnipst ihn über die Hecke.

*

Beim Abendessen beobachtet sie Svenja. Nicht der Hauch eines Zweifels steht in ihrem Gesicht. Halb abgestoßen, halb fasziniert betrachtet Brida die Siegerin. Mit ihrem jungen Körper, der keine Kinder ausgetragen, keine schweren Krankheiten ausgehalten, keine Krisen gehabt hat, der nur Sport und gesunde Ernährung kennt, hat sie ihn bekommen. Und mit ihrem frischen Geist, der nicht zu tief und nicht zu flach ist. So sicher ist sie sich seiner, dass sie eingewilligt hatte, als sich die Kinder Urlaub mit beiden Eltern gewünscht hatten.

Sie kann Svenja nicht länger ansehen und richtet ihre Aufmerksamkeit auf Götz. Sein rechter Fuß wippt auf und nieder, er vermeidet den Blickkontakt.

Als Svenja mit den Mädchen zum Buffet geht, um sich nachzuholen, sagt er leise:

Das hier ist ein Fehler.

Was genau ist der Fehler?, fragt sie.

Das weißt du, flüstert er.

Später spielt er mit Svenja, den Mädchen und ein paar anderen Feriengästen Volleyball. Svenja gleicht ihre mangelnde Größe mit Ausdauer und Risikobereitschaft aus. Sie wirft sich in den Sand, schnellt wieder hoch, springt und rennt und schmettert ihre Aufschläge mit Kraft übers Netz. Hermine eifert ihr nach, Undine steht im Weg rum.

Auch Brida kann keine Ballspiele. Schon als Kind duckte sie sich weg, wenn der Ball auf sie zukam. Ständig verletzte sie sich, und keiner wollte sie in der Mannschaft haben. Sie läuft zum Haus zurück, holt den Mädchen Wasserflaschen und Mückenspray, geht dann weiter zum Badesteg und schaut eine Weile über den See.

Von einer nah gelegenen Weide hört sie Kühe brüllen. Schon seit Tagen brüllen sie.

Sie möchte zu Götz gehen, es ihm erzählen, ihn bitten, mit ihr zu dem Bauern zu fahren. Aber sie gibt dem Impuls nicht nach. Er ist nicht mehr die Person, auf die sie sich bezieht. Er ist nicht mehr ihr Mann. Sie muss es sich sagen. Immer wieder:

Er ist nicht mehr mein Mann.

* * *

Dass Götz ihr Mann werden würde, wusste Brida sofort.

Sie lebte bereits eine Weile in Leipzig, die Wohnung jedoch war noch nicht fertig eingerichtet. Als sie den Verkaufsraum seines Ladens betrat, bimmelte eine Glocke. Eine Weile war sie allein mit den alten restaurierten Möbeln. Die Preise waren per Hand auf kleine Papierstücke geschrieben und dezent platziert. Am besten gefiel ihr ein Kinderbett. Kopf- und Fußteil waren mit Blumen bemalt, die Farben nur stellenweise aufgefrischt. Es waren Bergblumen – Enzian und Edelweiß. Vorsichtig setzte sie sich auf den Bettrand, und obwohl sie nicht unbedingt ein Kind wollte, dachte sie daran, das Bett zu kaufen.

Sie hörte Schritte im Rücken. Und dann stand er vor ihr.

Er trocknete seine Hände an der schmutzigen Hose und begrüßte sie mit den Worten *Das Bett ist leider unverkäuflich.*

In diesem Moment wurde es dunkel. Ein Wolkenbruch ging nieder, und Hagelkörner schlugen gegen die Schaufensterscheiben. Sie erhob sich.

Sehen Sie, das passiert, wenn ich verärgert bin, sagte Brida ohne auch nur die Spur Ironie in der Stimme.

Er schaute nach draußen in das Unwetter und zurück zu ihr. Es war, als glaubte er an ihre Macht. Doch dann, kaum merklich, begann er zu lächeln. Zuerst mit den Augen, die sich leicht verengten, und schließlich erreichte es seinen Mund.

Brida fühlte es im ganzen Körper. Etwas fasste sie an. Der Rhythmus ihres Herzens geriet außer Kontrolle. Sie stand ganz still. Ihre Hände waren schweißnass. Hagel krachte gegen die Fenster, die Tür sprang auf, und die Glocke bimmelte wild.

Zwei weitere Kunden betraten den Laden.

Der magische Moment war vorüber.

Während er dem durchnässten Pärchen Kaffee anbot und zwei Thonet-Caféhausstühle verkaufte, stöberte sie herum. Später folgte sie ihm in die Werkstatt.

Dort stand auf einem großen Stück Pappe ein Schrank. Er war naturweiß lasiert, mit zwei Glastüren und vier Einlegeböden und war exakt das, was sie gesucht hatte. Götz erzählte die Herkunft des Schranks wie die Biographie eines Menschen – dass der Schrank im Chemiezimmer einer sächsischen Dorfschule in den zwanziger Jahren aufgestellt worden war und fortan, für die nächsten knapp neunzig Jahre, stummer Zeuge der wechselhaften Geschichte des Gebäudes wurde. Aus der Schule wurde nach Kriegsende ein Flüchtlingsheim, wurde wieder eine Schule, dann eine Lehrerfortbildungsstätte und schließlich eine Jugendherberge.

Die meisten der alten Möbel waren nicht zu retten gewesen, waren faul oder vom Holzwurm zerfressen. Nur dieser Schrank stand allein in einem kleinen, warmen Südzimmer, abgedeckt und konserviert. Eine Sammlung Reagenzgläser und Glaskolben befand sich darin, als Götz ihn fand.

Er fuhr mit seinen Händen über das Holz und nannte einen keineswegs bescheidenen Preis. Brida sagte ohne zu zögern *Ja.*

Als sie zurück in den Verkaufsraum gegangen waren, um am Kassentresen den Transport zu besprechen, hörte der Regen ebenso plötzlich auf, wie er begonnen hatte. Die Sonne schien grell, der Raum erstrahlte. Als Götz nach Namen und Adresse fragte und Bridas Antwort hörte, schüttelte er lachend den Kopf. Und Brida wiederholte, was sie gesagt hatte.

Brida Lichtblau?, fragte er und sah demonstrativ in das frische Blau des Himmels hinaus.

Ja, sagte sie, *Lichtblau, wie das Licht und das Blau.*

Und er schrieb ihren Namen auf ein Blatt und setzte ein Ausrufezeichen dahinter.

*

Götz brachte den Schrank persönlich vorbei.

Er trug ihn in Einzelteilen in die dritte Etage. Auf jedem Teil war mit Bleistift die Position vermerkt. Rückwand und Seitenwände wurden ineinandergesteckt, das ganze Möbelstück kam ohne Nägel und Schrauben aus. Nach einer halben Stunde stand der Schrank.

Während sich Götz im Bad die Hände wusch, kochte Brida Kaffee.

Es war Sommer, sie setzten sich auf den Balkon, schauten auf den grünen Innenhof, hörten die Stimmen spielender

Kinder. Er wollte wissen, was sie machte, und sie sagte: *Ich werde Schriftstellerin.*

Aus der kleinen Brusttasche seines Hemdes zog er eine Zigarette und aus der Hosentasche ein Feuerzeug. *Kann man das werden?*, fragte er.

Die Frage verwirrte sie.

Entschuldigung, fügte er hinzu, *ich wollte nicht unhöflich sein.*

Unter seinen Achseln hatten sich Schweißflecken gebildet. Er sah sie unverwandt an. Brida kam es vor, als ginge dieser Blick in ihren Kopf hinein, in jede Windung ihres Gehirns, bis in das Zentrum ihres Ichs.

Statt seine Frage zu beantworten, erzählte sie von ihrer Kindheit in Mecklenburg, der Ausbildung zur Jägerin, den vier Semestern Forstwissenschaften in einer Kleinstadt bei Dresden und der unerwarteten Zusage des Deutschen Literaturinstituts. Sie hatte das Studium hingeschmissen, das Zimmer in der WG gekündigt und war nach Leipzig gezogen.

Die Erzählung, mit der sie sich beworben hatte, war einfach aus ihr herausgeflossen. Eines Morgens hatte sie sich hingesetzt und angefangen. Ein Strom nahm sie auf, führte sie mit, trieb sie vorwärts, und irgendwann, Tage später, spülte er sie zurück an Land und mit ihr die fertige Geschichte.

Das meine ich, sagte Götz, *genau das meine ich.*

Als er aufstand, um zu gehen, begleitete sie ihn bis ins Treppenhaus.

Beim Abschied schauten sie sich in die Augen. Sein Händedruck war warm und fest, und dann schob er sie über die Schwelle in die Wohnung zurück, schloss die Tür und küsste sie.

* * *

Unversehrt hatte Brida mit neunzehn Jahren das Elternhaus verlassen. Nun, fast zwanzig Jahre später, kommt es ihr vor, als wären ihr alle Knochen einmal gebrochen, die Haut vom Leib gezogen, die Haare ausgerissen, die Zuversicht gestohlen und die Träume zerschmettert worden. Mit dem Menschen, der sie gewesen ist, hat sie nichts mehr zu tun.

Das lange Stillen hat ihre Brüste zu leeren Hüllen gemacht, die durchwachten Nächte Schatten in ihr Gesicht gezeichnet, und die Tränen haben es ausgehöhlt.

Sie weiß mehr als damals, doch was nützt es ihr?

Damals hätte sie wissen müssen. Damals, als sie Götz traf. Als sie jung war und schreiben konnte. Die Weisheit der Alten erscheint ihr wertlos. Die Jüngeren interessieren sich nicht dafür, und die Alten sind zu alt, um noch etwas daraus machen zu können.

Sie sitzt im Speisesaal des Gutshauses und schaut auf die fremden Familien, die plärrenden Kleinkinder, die mürrischen Teenager. Ihre eigenen Kinder schlafen noch, von Götz und Svenja keine Spur. Sie kann nichts essen. Nur den Kaffee bringt sie runter.

Seit Monaten hat sie nicht mehr geschrieben. Der letzte Versuch brachte Sätze ohne Spannung, ohne Klang, ohne Zauber hervor.

Auch ihr Körper hat die Spannung verloren. Es ist, als habe er seine Möglichkeiten vergessen. Mit der Scheidung hatte Götz Bridas Lust ausgelöscht. Bei jedem Treffen facht er sie wieder an, bei jedem Abschied löscht er sie erneut. Sie liebt und hasst ihn dafür.

Und dann sieht sie ihn am Kaffeeautomaten stehen. Allein. Er dreht sich zu ihr um und lächelt.

*

Gegen Mittag steigen sie ins Auto, um Pizza zu holen. Die Kinder liegen am See und lesen. Svenja besucht einen Yoga-Kurs. Kurz hinter der Ferienanlage biegt Götz in einen Waldweg ein. Er parkt den Transporter gut versteckt zwischen Bäumen und breitet eine Decke im Laderaum aus.

Brida weint.

Wir müssen auch nicht, sagt er leise.

Aber Brida muss.

Später fragt sie ihn, was ihn bei Svenja hält.

Sie ist ungefährlich, sagt er, *sie hat Talent zum Glücklichsein. Sie ist einfach in der Welt, weißt du, was ich meine?* Er atmet hörbar ein und aus. *Ich bin erschöpft, ich brauche Leichtigkeit, Brida. Ich brauche ein Lachen am Abend.*

Was noch?, will sie wissen.

Er zögert. *Hältst du die Antworten auf deine Fragen aus?* Sie nickt.

Und dann schweigt er eine Weile. Brida weiß, dass er ihr die Antwort nicht verweigern will. Mit Worten ist er sparsam und genau.

Svenja, setzt er schließlich an, *nimmt sich nicht wichtig. Sie unterstützt mich und stellt die eigenen Bedürfnisse auch mal zurück.*

Und ich habe das nicht getan?

Doch, natürlich, aber dir fiel es schwer. Du hast darunter gelitten. Und weil du gelitten hast, waren auch die Kinder und ich nicht glücklich.

Sie will jetzt nicht weinen. Sie veratmet den Schmerz und die Tränen und auch die Gegenworte, die doch nur eine Lüge wären. Alles, was Götz sagt, stimmt. Und weil es stimmt, verliert die Hoffnung ihren Sinn. Denn Brida ist immer noch Brida, und Götz ist immer noch Götz. Seine Arme sind fest um sie geschlungen, als er wie beiläufig erwähnt, dass Svenja ein Kind will. Brida windet sich aus seinem Griff und setzt sich auf.

Tu das nicht, sagt sie.

Vielleicht ist das gut so, Brida, antwortet er, *wir müssen doch weiterleben. Ohne einander.*

Willst du das?, fragt sie.

Nein, sagt er, *mit Wollen hat das nichts zu tun.*

Er greift nach ihrer Hand, legt sie sich an die Wange.

Liebst du sie?

Ich mag sie sehr. Wenn ich sie lieben würde, gäbe es keine Leichtigkeit. Dann wäre es wie bei uns.

Brida holt Luft. Jede Frage ist gefährlich. Jede Antwort kann eine zu viel sein.

Wie ist es bei uns?, fragt sie.

Er sieht auf die Uhr. *Wir wollten Pizza holen,* murmelt er, *sie werden warten.*

Götz, wie ist es bei uns?

Er wischt sich übers Gesicht, bevor er spricht.

Weißt du noch, wie du den Mädchen gesagt hast, du wüsstest nicht, was dich getrieben hat, als du dich für Kinder und damit gegen das Schreiben entschieden hast? Kannst du dich an ihre Gesichter erinnern?

Ja, sie erinnert sich. Hermine hatte ihre kleine Schwester bei der Hand genommen und sie mit sich gezogen bis in ihr Zimmer. Drinnen bauten sie eine Barrikade. Durch die Tür hindurch bat Brida um Entschuldigung, schwor ihnen, sie habe es nicht so gemeint, sie habe sich immer Kinder gewünscht und sei glücklich über jeden einzelnen Tag mit ihnen.

Und sie meinte, was sie sagte, obwohl sie ihren Text zerstört hatten. Monatelange Arbeit war gelöscht, vernichtet, für immer. Sie weinte und fluchte und sagte Dinge, die besser nie gesagt worden wären.

Sie erinnert sich auch an den Rest des Tages. An die aggressive Vater-Töchter-Symbiose. An die Front, die vor ihr stand. Sie hatte nichts mehr zu sagen gewusst. Später war sie still an der geöffneten Kinderzimmertür vorübergegangen und hatte seine Vorlesestimme gehört. *Bullerbü*-Worte aus einer heilen Kinderwelt.

Den Wein in der Küche hatte sie zu schnell getrunken und die Zigarette gegen die Abmachung drinnen am Küchentisch geraucht.

Die Kinder trifft keine Schuld! Du musst Sicherheitskopien machen, Brida!

Er war an ihr vorbeigegangen, hatte das Fenster aufgerissen und ihr die Sätze an den Kopf geschleudert.

Und du musst die Kinder erziehen! An meinem Rechner

haben sie nichts zu suchen!, hatte sie gebrüllt und weitergetrunken.

Natürlich erinnert sie sich.

Er soll sich jedoch an anderes erinnern.

Sie legt ihm ihre Hand auf die Brust, fährt abwärts über seinen Bauchnabel, greift nach seinem Schwanz und umschließt ihn. Dann lässt sie sich an ihm heruntergleiten und legt ihr Gesicht auf seinen warmen Bauch.

Als Brida und Götz die Pizzakartons vom Auto zur Unterkunft tragen, kommt ihnen Svenja entgegen. *Das hat ja gedauert*, sagt sie, *wir warten schon ewig auf euch.*

Brida sieht Svenja fest in die Augen und lächelt.

* * *

Zu Beginn ihrer Beziehung gab es Malika, von der Götz damals sagte, sie sei die Frau, um eine Familie zu gründen. Ihr Körper sei der Körper einer Mutter – weich und warm und wie ein schützender Wintermantel. *Und wie bin ich?*, hatte sie ihn gefragt, und Götz hatte geantwortet: *Wild und rauh wie eine Katzenzunge*, und sie hatte gelacht und ihn geküsst und ihm von Johann erzählt, dem Lyriker, ihrem Freund.

Der Gedanke an Johann und Malika löste keine Schuldgefühle in ihr aus.

Die Liebe, das glaubte Brida fest, kommt, wie sie kommen muss – grundlos, schuldlos und zwingend. Sie ist nicht steuerbar und nicht aufzuhalten. Jede Auflehnung gegen sie ist sinnlose Kraftverschwendung.

Johann nahm die Trennung schweigend hin, sprach jedoch von diesem Tag an kein einziges Wort mehr mit ihr. Malika dagegen blieb.

*

Anfangs trafen Götz und sie sich meistens bei ihr zu Hause und hin und wieder in einem Nebenraum der Werkstatt. So oft wie möglich begleitete sie ihn auf seinen Fahrten nach Osten. Die Suche nach alten Möbeln führte ihn vor allem nach Polen und Tschechien. Nur auf diesen Reisen konnte Brida ihn berühren, wann und wo es ihr gefiel. Während Malika zu Hause Geigenunterricht gab, hatte Brida ihn ganz für sich.

Auf einsamen Landstraßen erzählten sie sich ihre sexuellen Phantasien. Dann bogen sie in Waldwege ein, hielten an gut versteckten Orten, und im Laderaum des Transporters geschahen die Dinge, die fortan den Maßstab bildeten.

Nach jenen Reisen entstanden ihre ersten längeren Texte. Die Orte inspirierten sie.

Ein verfallenes Gut in der polnischen Provinz wurde zum Schauplatz eines Dramas um zwei Kinder, ein tschechischer Bauernhof zum Ausgangspunkt einer Novelle.

Götz bestieg etliche Dachböden und bahnte sich Wege durch vollgestellte Scheunen. Wie ein Jäger wartete er ruhig und geduldig auf den richtigen Moment. Er nahm sich Zeit, um mit den Leuten in Kontakt zu kommen, und wenn es wegen der unterschiedlichen Sprachen keine verbale Verständigung gab, behalf er sich mit schlichten Gesten. Oft ging er schweigend umher, berührte die Dinge, die er sah, blieb stehen und schaute.

Die Menschen vertrauten ihm. Sie ließen ihn ein in ihre Kammern, Dachböden, Scheunen, Garagen und Wohnungen, und so wie der Bildhauer bereits im Stein die Skulptur erkennt, sah Götz oft in unscheinbaren Möbeln das künftige Schmuckstück. Und immer darauf bedacht, die Menschen nicht zu betrügen, zahlte er lieber zu viel als zu wenig.

Auch Brida fühlte sich in seiner Gegenwart vollkommen sicher. Doch sobald die Rückreise begann und je näher sie der Heimat kamen, umso weiter entfernte sich Götz von ihr. Zu Hause setzte er sie vor ihrer Wohnung ab und fuhr in die Werkstatt weiter, die die Schleuse bildete zwischen Malika und ihr.

Dann kam es vor, dass sie tagelang nichts von ihm hörte.

Im Institut separierte sie sich.

Nicht, dass sie sich vor der Zeit mit Götz besondere Mühe gegeben hätte, Freundschaften aufzubauen, aber teilgenommen hatte sie am Studentenleben durchaus. Auf Partys ist sie gewesen, und mit Alma und Xandrine, die ebenfalls Prosa schrieben, ging sie regelmäßig ins Kino. In der Regel jedoch zog sie die Lektüre eines guten Buchs vor. Großveranstaltungen wie Silvesterfeiern, Rockkonzerte, Stadtteilfeste besuchte Brida grundsätzlich nicht. Es hatte ihr schon immer eine eigentümliche Freude bereitet, dann, wenn alle zusammenkamen, nicht dabei zu sein.

Das Alleinsein war stets ihr natürlicher Zustand gewesen. Als einzelnes Kind in einem einzelnen Haus am Rand eines Waldes hatte sie keine andere Wahl gehabt, als ihre Zeit selbst zu gestalten. Die Mutter ging früh aus dem Haus und kam spät wieder. Zwei Stunden mit Fahrrad, Bahn und zu Fuß legte sie täglich zurück, um in der Sparkasse der nächstgelegenen Stadt ihre Arbeit tun zu können. Der Vater war meistens im Wald. Sein Revier war groß. Manchmal hatte Brida ihn begleitet, oft jedoch blieb sie allein in dem Haus mit dem großen Garten und dem hohen Zaun rundherum.

Nur selten kam ein Kind aus dem Dorf bis zum Haus des Försters. Der Weg war weit, und Brida galt als wunderlich. Janko, ein Jagdhundrüde, begleitete sie auf Schritt und Tritt. Zwar sehnte sie sich hin und wieder nach Spielgefährten und bettelte bei der Mutter um ein Geschwisterchen, aber lange hielt sie die Gesellschaft eines anderen Kindes doch nicht aus. Nach spätestens ein, zwei Stunden hatte sie genug. Dann sprach sie entweder gar nicht mehr oder wurde gemein. Eine unerträgliche innere Anspannung zwang sie dazu.

Einmal war sie einfach gegangen. Hatte Janko mit einem Pfiff gerufen, war mit ihm im Wald verschwunden und hatte das Besucherkind allein im Garten zurückgelassen.

Die später unter dem Druck ihrer Eltern erfolgte Entschuldigung hatte sie so halbherzig vorgebracht, dass es weder eine echte Aussöhnung noch weitere Besuche gegeben hatte.

Es hatte ihr nichts ausgemacht. Sie hatte genug mit sich selbst anfangen können. Alles, was sie dafür brauchte, war ihr Kopf. Ein beliebiger Gedanke genügte, um einen Strom von Bildern und Gefühlen hervorzurufen. Und als sie in das Alter kam, in dem aus Ideen keine Spiele mehr wurden, begann sie, die Figuren und Orte ihrer inneren Welt aufzuschreiben. Mehr denn je hatte sie nun das Alleinsein gebraucht. Hatte es gepflegt und vor Einbrüchen einer Wirklichkeit geschützt, die niemals so intensiv sein konnte wie der Kosmos ihrer Phantasie.

Ihr Leben bestand nun aus Götz und dem Schreiben, und endlich hatte sie wirklich etwas zu erzählen.

Wie vielen ihrer Kommilitonen fehlte es auch Bridas Texten an Erfahrungen. Die Großzahl der Studenten war jung und schöpfte die ersten literarischen Versuche aus behüteter Kindheit und banaler Verliebtheit. Der Mangel an Menschenkenntnis und Lebensklugheit ließ überkonstruierte, unglaubwürdige Figuren und Handlungen entstehen. Die auf Stil getrimmten Texte interessierten außerhalb des Instituts keinen Menschen.

Götz' Geliebte zu sein war ein Geschenk.

So tief wie möglich ließ Brida sich fallen in die Kränkung, die Sehnsucht und die Angst. Dutzende Seiten Text entstanden in durchwachten Nächten, in denen sie vergeblich auf ein Zeichen von ihm wartete. Seine Anwesenheit war die Nahrung, von der sie während der nächsten Trennung zehrte.

Doch die Zeit mit ihm war jedes Mal zu kurz, und die Abstände zwischen ihren Begegnungen waren zu groß.

Ein knappes Jahr sendete ihr Körper seine warnenden Signale in immer schnellerem Takt. Eine Krankheit löste die andere ab, und als nach dem Ausschluss aller möglichen Gründe nur noch Malika übrigblieb, bat sie ihn um die Trennung.

Seine Antwort war *Nein*. Er trenne sich nur von Malika, wenn die Entscheidung aus seinem Herzen käme. Täte er es, um Bridas Wunsch zu erfüllen, hätte sie keinen Wert.

Auf die Frage, ob er sie liebe, antwortete er ohne zu zögern mit *Ja*.

Auf die Frage, ob er Malika liebe, gab er die gleiche Antwort.

Dann flossen die Wochen und Monate ununterscheidbar ineinander. Der Schmerz verfärbte ihr Schreiben. Er sorgte für zu viel Pathos, schuf zu viele Metaphern und baute zu viele Adjektive in die Sätze ihrer Prosa.

Die Kommilitonen zerpflückten Bridas Texte in den Seminaren, und ihre Lehrer machten kaum einen Hehl daraus, dass sie ihr Studium am Literaturinstitut für einen Irrtum hielten. Niemand, nicht einmal ihre Eltern, hatte die Idee, Schriftstellerin zu werden, je wirklich ernst genommen. Götz war der Einzige, der an sie glaubte.

Wieder vergingen Monate.

Um ihren Mund herum entstand ein schuppiger Ausschlag, ihr Haar wurde stumpf, und jedes Lächeln war mit einem unangemessenen Kraftaufwand verbunden. Das Sommersemester war fast zu Ende, die Mauersegler jagten abends durch die Straßen, die Linden verströmten ihren süßen Blütenduft.

Eines Abends saß Götz fertig angezogen auf der Bettkante und sah aus dem Fenster. Malika erwartete ihn. Schon mehrmals hatte sein Telefon vibriert. Jedes Mal hatten seine Finger gezuckt. Brida hatte beklommen geschwiegen.

Ich sollte Malika einweihen, sagte er schließlich und senkte den Kopf.

Brida begriff nicht sofort. Nackt und still lag sie vor ihm. *Vielleicht versteht sie es,* fügte er leise hinzu.

Und ich? Abrupt setzte sie sich auf.

Ich weiß es nicht, sagte er, steckte das Telefon in die Tasche und ging.

Am darauffolgenden Tag begrenzte sich jede Wahrnehmung auf den innersten Schmerz, alles von außen Kommende prallte ab.

Das Lyrikseminar am Vormittag erreichte sie nur akustisch. Die Dozentin stand vor der Gruppe, öffnete und schloss den Mund. Laute strömten aus den Mündern der Kommilitonen. Nichts ergab Sinn.

In Ästhetik, Kultur- und Sprachtheorie verschwammen die Begriffe, schwollen an und ergossen sich bedeutungslos in den Raum.

Die Romanwerkstatt am Nachmittag schaffte sie nicht. Mittendrin stand sie auf, ging hinaus, ohne die Tür zu schließen, rannte die Treppen hinunter und stieg auf ihr Fahrrad.

Götz saß mit einem Bier in der Hand vor der Werkstatt. Die Bürgersteige füllten sich, die nahe gelegene Karl-Heine-Straße erwachte. Jemand spielte Gitarre und sang dazu, junge Menschen auf alten Fahrrädern fuhren vorüber. Hin und wieder hob Götz die Hand zum Gruß.

Brida wehrte sich nicht, als er sie nach drinnen zog und den Laden abschloss. Sie wehrte sich auch nicht gegen sein

Drängen, gegen das wortlose Ausziehen. Alles musste so sein.

Ich bin keine Zweitfrau, sagte sie, während sie sich wieder anzog, *ich kann nur Erste sein.*

Dann nahm sie ihre Tasche und verließ die Werkstatt, stieg auf ihr Fahrrad und fuhr davon, ohne sich noch einmal umzusehen.

*

Auf der Zugfahrt nach Norden löschte sie seine Telefonnummer, um nicht in Versuchung zu geraten. In Neustrelitz holten die Eltern sie vom Bahnhof ab. Dann fuhren sie mit dem Jeep die vertrauten Straßen entlang, über Platten- und Sandwege bis zu dem einzeln stehenden Haus am Wald. Aus dem Fenster ihres alten Zimmers blickte sie oft durch die Bäume auf den See. Mal schimmerte er golden im Abendlicht, mal lag er morgens dunkel und still, dann wieder trieb der Wind Wellen über das Wasser.

Die Mutter hatte Zeit und Geduld. Suppen wurden vor Bridas Bett abgestellt, Tassen mit Tee gebracht und wieder abgeholt, Süßigkeiten auf kleinen Porzellantellern serviert, so lange, bis Brida bereit war zu erzählen.

Die Semesterferien vergingen, und Brida verbrachte sie in einem Zustand der geistigen Lähmung. Weder arbeitete sie an ihren Texten, noch traf sie irgendwen. Mit dem Hund streifte sie halbe Tage durch die Umgebung. Sie schob ihr Fahrrad über sandige Wege, schwamm in den Seen, lag auf den Wiesen und sah zu, wie die Tage wieder kürzer wurden.

Als sich eines späten Nachmittags draußen auf einem

freien Feld die Kraniche versammelten und ihre Trompeten-rufe wie jedes Jahr das Ende des Sommers bedeuteten, ging sie mit dem Vater auf die Jagd.

Am ersten September hatte die Jagdsaison für Rehe, Dam- und Rotwild begonnen. Während der Autofahrt schwiegen sie. Brida kannte die Wege auswendig. Als Kind hatte sie nicht glauben wollen, je von hier fortzugehen. Heute wusste sie, sie würde nie mehr ganz zurückkehren.

Der Vater parkte das Auto, holte die Gewehre und die Ferngläser aus dem Kofferraum und stapfte los.

Brida kannte das Jagen und Schlachten von Kindesbeinen an. Ihr Vater war der Oberförster des Bezirks. Zu Hause in der Wildkammer hingen die erlegten Tiere drei bis vier Tage ab, bevor sie zerwirkt wurden und in die Tiefkühltruhe kamen. Bei einem sauberen Schuss und perfekter Reinigung entschied sich der Vater manchmal für ein längeres Abhängen, um das Fleisch so zart wie möglich werden zu lassen. Der Geruch des Wilds war für viele unerträglich. Brida dagegen empfand ihn immer schon als Duft.

Schweigend saßen sie zusammen auf dem Hochstand, schauten durch ihre Ferngläser über die umliegenden Felder und erblickten zeitgleich den Hirsch. Ihr Vater berührte sie am Arm, zeigte in die Richtung des Tiers und nickte.

Nun, da sie den äsenden Hirsch durch das Zielfernrohr des Jagdgewehrs sah, sein schönes Geweih, sein argloses Vorwärtsschreiten weiter heraus aus dem Schutz des Waldes, da dachte Brida an Götz. Gleich würde sie dieses friedliche Leben beenden. Der Hirsch stand still, sie atmete ruhig und schoss.

Er fiel sofort.

Kurz darauf knieten sie neben dem Tier. Es hatte nicht gelitten. Der Schuss war perfekt gewesen.

*

Im Oktober, zu Beginn des neuen Semesters, kehrte sie nach Leipzig zurück. Im Gepäck eine Kühltasche mit gefrorenem Fleisch. Vom Bahnhof fuhr sie direkt zu Götz. Der Laden war offen, die Tür zur Werkstatt ebenfalls. Die Glocke klingelte, als Brida eintrat, um das Fleisch auf den Tresen zu legen. Ein Zettel klebte auf dem Paket: *Erlegt und zerwirkt von Brida Lichtblau. Sofortiger Verzehr empfohlen.* Die Glocke bimmelte ein zweites Mal, als sie den Laden wieder verließ, in das Taxi stieg, das draußen wartete, und davonfuhr.

Seinen Anruf wenige Minuten später ignorierte sie. Und auch die anderen Anrufe an diesem und an den nächsten Tagen nahm sie nicht an.

*

Kurz vor Weihnachten lud einer ihrer Lehrer, Friedhelm Kröner, selbst ein erfolgreicher Schriftsteller, die Studenten des Instituts zu sich nach Hause ein. In der Eingangshalle spielte ein Jazztrio. Die Räume waren sparsam, aber geschmackvoll eingerichtet – eine Biedermeier-Vitrine, ein Bauerntisch mit einer farbigen Schublade und weitere, auffallend schöne Einzelstücke.

An den Tisch erinnerte sie sich gut. Sie war dabei gewesen, als Götz ihn irgendwo auf dem tschechischen Land zwischen Prag und Brünn in einer Scheune entdeckt hatte. Sie hatte hinter ihm gestanden, als er seine Hände daraufgelegt und *Der hier!* gesagt hatte. Immer war es so gewesen – wenn sich die Gegenstände unter seinen Händen richtig anfühlten, wenn sie etwas von ihrer Geschichte preisgaben, dann wollte er sie haben.

Auf dem Tisch standen Gläser, Wein und Bier.

Alle waren entspannt. Verlagsleute hielten Ausschau nach jungen Talenten, und Kröner sorgte dafür, dass seine Lieblinge nicht leer ausgingen. Während er seine aktuelle Favoritin bei einer Lektorin eines namhaften belletristischen Verlags anpries, spürte Brida einen Blick im Rücken. Dann sah sie, wie sich der Gastgeber in Bewegung setzte, mit offenen Armen an ihr vorbeiging und *Götz, mein Lieber!* rief und *Schau her: Dein Tisch ist der Mittelpunkt meines kleinen Universums.*

Kurz darauf stand Götz neben ihr, nahm sich ein Bier und sagte: *In meiner Werkstatt steht ein Schreibtisch. Er wäre perfekt für dich.*

Brida nahm einen Schluck von ihrem Rotwein.

Wie geht es Malika?, fragte sie.

Wir haben uns vor drei Monaten getrennt.

Er zog die Zigaretten aus der Tasche. Bei Kröner durfte geraucht werden. Der Gastgeber näherte sich von hinten und legte die Arme um sie beide. *Trinkt und raucht und amüsiert euch!*, sagte er, und sie folgten dem Befehl und tranken und rauchten und taten so, als amüsierten sie sich.

Keiner hielt sie auf, als sie die Party zusammen verließen.

Durch das Fenster schien ein voller Mond.

Götz lag auf ihr und hielt sie fest – mit dem Gewicht seines Körpers, mit seinen Beinen um ihre Beine geschlungen, seinen Armen auf ihre Arme und seinen Händen um ihre Handgelenke gepresst. Jeder Versuch, sich von ihm zu befreien, endete damit, dass er fester zupackte und sein Körper sie noch ein wenig mehr niederdrückte. Sie drehte den Kopf zur Seite, um atmen zu können, und wartete. Viel mehr geschah nicht in dieser Nacht, und am nächsten Morgen begann der erste Tag eines neuen Lebens.

* * *

Svenja springt kopfüber vom Steg in den See. Sie trägt einen sportlichen schwarzen Badeanzug und eine pinkfarbene Badekappe. Sie taucht wieder auf, dreht sich um, winkt, dann krault sie mit ruhigen, korrekten Bewegungen davon.

Die Kinder versuchen, nebeneinander auf ihrer Luftmatratze aufzustehen und ebenfalls zu springen. Sie schreien und lachen, lassen sich rücklings ins Wasser fallen, klettern wieder zurück auf die schaukelnde Insel und rufen: *Guck mal Mama!,* bevor sie erneut in den See plumpsen. Hermine will, dass Götz zu ihnen kommt. Mit jedem Lebensjahr hängt sie mehr an ihm. Schon immer war ihr Verhältnis zu ihrem Vater inniger gewesen als zu Brida. Hermine war gerade zwei Jahre alt geworden, als Undine geboren wurde und ihre Schwester entthronte. Von da an war es Götz gewesen, der sie nachts beruhigte, morgens zur Tagesmutter brachte und nach dem Abendessen mit ihr zum Spielplatz ging, wo sie rutschte und schaukelte, bis sie müde wurde und Götz sie auf dem Arm nach Hause trug.

Götz lässt sich nicht lange bitten. Er rennt ins Wasser und ist mit wenigen Schwimmzügen bei den Mädchen. Sie quieken und spielen, dass er ein Hai ist. Brida schaut ihnen zu und wünscht sich, dass die kraulende Frau nicht zurückkehrt.

Wie die drei im Wasser toben, wie sie lachen und ganz im Augenblick sind, hat nichts mehr mit ihr zu tun. Sie ist kein Teil mehr davon. Die Mädchen und Götz sind eine Familie, sie und die Mädchen sind eine andere.

Wenn Hermine und Undine erwachsen sind, werden sie vermutlich vergessen haben, dass Götz sie mit lautem Gebrüll an den dünnen Beinen von der Luftmatratze gezogen hat, dass er mit ihnen geschwommen und getaucht ist, während Brida am Rand des Stegs stand, gegen die aufsteigenden Tränen kämpfte und winkte. Vielleicht werden sie in ihrer Erinnerung Svenja dort stehen sehen. Vielleicht wird aus jener Zeit, in der sie *eine* Familie waren, nicht ein einziges Bild bleiben.

Der Boden unter ihr schwankt. Kinder kommen über den Steg gerannt und versetzen ihn in Schwingungen, bevor sie ebenfalls springen und Brida vor dem spritzenden Wasser zurückweicht. Weit draußen auf dem See taucht alle paar Sekunden die pinkfarbene Badekappe von Svenja auf. Sie hat die Richtung gewechselt. Geschmeidig und schnell nähert sie sich wieder dem Ufer. Wenn sie Götz und die Mädchen sieht, wird sie mit ihnen herumtollen, wird den Kindern Kunststücke zeigen und Bewunderung ernten. Und bald wird sie ein Kind von Götz austragen.

Brida steht schon zu lang in der prallen Sonne. Ihre Schultern brennen.

Sie will mit Götz und den Mädchen zum Gutshaus laufen, von der Terrasse aus über den See blicken und ein Eis essen. Wie alle anderen Familien möchte sie mit ihren Kindern und ihrem Mann unter einem Sonnenschirm sitzen, träge und hitzeschwer und voller Gewissheit darüber, wo sie hingehört.

Und gegen Abend, wenn die Mädchen auf die einzige größere Erhebung in der Umgebung laufen, wie sie es fast jeden Abend tun, um den Sonnenuntergang zu fotografieren und sich wieder und wieder den Wiesenhang hinabrollen zu lassen, wird sie mit Götz den Schlangenweg durch die Brachlandschaft entlanglaufen bis zu dem Hochsitz. Und die tiefstehende Sonne wird den Schatten des Jägerstandes lang über die Wiese werfen. Vögel werden aufsteigen, um die im letzten Licht tanzenden Insekten zu fangen, und Götz wird sich von hinten an sie drücken. *Sag mir, was du willst!*, wird sie flüstern, und er wird es so deutlich sagen, wie er es immer tut.

Nichts ist unerotischer als ein Mann, der keine Forderungen stellt.

Und das, was er will, wird sie ihm geben, nicht nur, weil er es verlangt, sondern weil es ihr selbst Lust bereitet. Und auf dem Rückweg wird er ihre Hand halten und sie erst loslassen, wenn sie vor ihrem Ferienhaus stehen und Brida den Schlüssel aus ihrer Tasche zieht und aufschließt. Gemeinsam werden sie hineingehen, den Wein aus dem Kühlschrank nehmen, auf die Terrasse hinaustreten und auf die Kinder warten.

Mama! Guck mal, was ich kann!

Undine steht auf Götz' Schultern und springt nach vorne ab. Dann schwimmt sie ein paar Züge, erklimmt die Stufen der Leiter, die zum Steg hochführt, und steht tropfnass vor ihr. *Svenja kann einen Salto!*, ruft sie begeistert, *wusstest du das?*

Svenjas pink bedeckter Kopf taucht ebenfalls am Steg auf. Sie klettert rasch die Leiter empor, Götz folgt ihr. *Wenn es dir recht ist,* sagt er, *machen Svenja und ich noch einen Ausflug mit den Kindern. Dann kannst du bis zum Abend in Ruhe schreiben.*

In Ruhe schreiben.

Jahrelang hat sie sich nichts anderes gewünscht.

Jetzt, wo sie die Kinder nur noch zur Hälfte hat, nur noch die Hälfte ihrer Kinderlebenszeit mitbekommt, die Hälfte ihrer Freuden, die Hälfte ihrer Sorgen, da kommen keine Worte mehr. Jetzt, wo das Wechselmodell, das gerechteste Kinderaufteilungsmodell, das Juristen sich erdacht haben, ihr die Freiheit verschafft, ungestört zu arbeiten, da versiegt die Quelle.

Wie sie es hasst, dieses Modell, das den Kindern ihre Verankerung nimmt, das sie von einer Vaterwoche in die Mutterwoche, von einer Vaterwohnung in die Mutterwohnung treibt, damit alles gerecht zugeht. Aber auch Brida wollte nicht verzichten.

Und selbst jetzt, im Urlaub, geht es gerecht zu. Die eine Hälfte des Tages verbringt Götz mit Svenja und den Kindern, die andere Hälfte übernimmt Brida. Und wenn sie sich zufällig alle entschieden haben, den Tag am See zu verbringen, dann sehen sie aus wie eine große, glückliche Familie.

Noch immer liegt der Steg in der prallen Sonne. Obwohl es keine reale Gefahr gibt, fühlt sie sich der Welt schutzlos ausgeliefert. Im Ernstfall ist sie allein. Ihr Gesicht brennt, in ihrem Kopf jagt ein Gedanke den nächsten.

Liebe ist kein Gefühl.

Liebe ist keine Romantik.

Liebe ist eine Tat.

Man muss die Liebe vom Ernstfall aus betrachten.

Alles, was sie früher über die Liebe geschrieben hat, ist Unsinn.

Zwischen uns ändert sich nichts, hatte Götz nach der Scheidung gesagt, *wir bleiben verbunden.*

Aber alles hatte sich verändert. Es gab kein *Wir* mehr.

Früher hatten seine Berührung und der Geruch seiner Haut ihre Zweifel zerstreut. Seine bloße physische Präsenz hatte ihre Ängste klein gehalten. Und sie hatte darüber gelächelt und spöttische Bemerkungen gemacht.

Ich brauche dich nicht – wie oft hatte Brida ihm diesen Satz hingeworfen. Sie, die Worte höher schätzte als er, hatte leichtfertig Gebrauch von ihnen gemacht, hatte ihre Macht unterschätzt.

Svenja ist klüger. Ihre Instinkte funktionieren. Ihre Weibchenweiblichkeit ist simpel, fast vulgär. Sie himmelt Götz an, bewundert ihn ohne ironische Brechung. Sie ordnet sich unter, gibt ihre Schwächen unumwunden zu, nutzt sie sogar, um ihn aufzuwerten, indem sie sagt: *Das kannst du besser als ich,* und überlässt ihm die klassischen Männerdomänen mit größter Selbstverständlichkeit.

Entweder ist sie vollkommen durchtrieben oder authentisch naiv. Brida vermutet Letzteres.

Das bittere Fazit ist, dass das Glück vor der Erkenntnis liegt.

* * *

Als sie sich wiedergefunden hatten, begann ihre beste Zeit.

Brida, die damit angefangen hatte, jedem Jahr einen eigenen Namen zu geben, nannte es: *Das Jahr Götz.*

Nun waren die Reisen in den Osten keine Fluchten mehr. Sooft es ging, begleitete Brida ihn, ganz offiziell, als die Frau an seiner Seite.

Je tiefer sie gen Osten vordrangen, umso weniger glatt war die Welt, die sie umgab, umso mehr ähnelte sie den Bildern ihrer Kindheit auf dem norddeutschen Land. Die Fassaden der Häuser waren matt und schmutzig, die Straßen löchrig, die Randmarkierungen verwaschen, die Bäume alt. Die Physiognomie der Menschen, die ihren Weg kreuzten, prägten sich ihr ein. Der Westen wusch den Gesichtern die Spuren aus, der Osten malte sie hinein.

Bei geöffneten Fenstern, den Wind im Haar, die Zigarette in der Hand und mit lauter Musik dazu fuhren sie durch die Zeit. Es war phantastisch. Sie stritten nicht und langweilten sich nie miteinander, und wenn seine Hände nachts nach ihr griffen, hoffte Brida, er würde die Vorsicht vergessen und ihr ein Kind machen.

Die große Wohnung in Gohlis war ein Glücksfall gewesen. Die Familie, die dort gelebt hatte, gehörte zu Götz' Stammkundschaft, und zufällig war er der Erste gewesen, der von ihrem bevorstehenden Auszug erfuhr.

Obwohl mitten in der Stadt gelegen, wirkte die Straße dörflich. Wegen des Kopfsteinpflasters fuhren nur wenige Autos hindurch, zwischen den Häusern gab es Gärten und Brachen, und die Wohnung befand sich in einem von hohen, alten Bäumen umgebenen Haus mit breiten, überdachten Holzbalkonen.

Als sie an einem warmen Maitag einzogen, kamen auch die Mauersegler zurück in die Stadt, und es stellte sich heraus, dass Bridas und Götz' neues Heim auch die Sommerbehausung für einige der weitgereisten Vögel war.

Wochenlang verließ Brida die Wohnung nur, wenn es unvermeidlich war. Der Weg zum Literaturinstitut war nun länger, jedoch schöner als zuvor. Er führte sie durch ein kleines Stück Wald, an der großen Wiese des Rosentals entlang, über wenige Straßen und durch den blühenden Johanna-Park.

Es war leicht, mit ihm zu leben.

Er war zufrieden, wenn sie sich zu ihm legte.

Er war zufrieden, wenn sie gemeinsam schwiegen.

Er war zufrieden, wenn sie arbeiteten und aßen und schliefen und sich über Dinge unterhielten, die sie während ihrer Zeit ohne einander erlebt hatten.

Zuweilen wünschte sie sich, er würde mit ihr philosophieren, psychologisieren und sich in höhere Sphären schwingen, bis die Luft dünner wurde und alles Erdgebundene zurückblieb. Doch wenn ein Gespräch diese Wendung nahm, lächelte Götz und sagte ihr, sie solle nicht glauben, alles bei ihm zu finden. Es gebe andere, die dafür besser taugten.

Mit einundzwanzig Jahren war er als Tischlergeselle auf Wanderschaft gegangen, viele seiner Ansichten stammten aus jener Zeit. Nur ein Notizbuch und ein Stift steckten in seinem Bündel, als ihn ein Altmeister damals von zu Hause abgeholt und bis zum Ortsausgangsschild von Stuttgart begleitet hatte. Der Bannkreis betrug sechzig Kilometer. Seine Kluft war im Sommer zu warm und im Winter zu kalt gewesen, morgens hatte er oft nicht gewusst, wo er am Abend schlafen und was er essen würde. Manchmal übernachtete er im Freien. Er war in Österreich und der Schweiz, in Frankreich und Portugal und schließlich in Island gewesen. Drei Jahre lang hatte er ohne Telefon und Computer verbracht, war tausende Kilometer gelaufen, hatte hunderte Menschen kennengelernt und in ebenso vielen unterschiedlichen Betten geschlafen.

Die zehn Jahre Altersunterschied trennten Brida und Götz weniger als diese Erfahrung der Wanderjahre. Götz war früh gereift. Kaum etwas brachte ihn aus seiner Mitte. Kluge Worte allein beeindruckten ihn nicht. Er bemaß die Menschen nach Taten und Werken. Als sie ihn fragte, was er am meisten an ihr liebte, nannte er drei Dinge:

Ihr neugierig-kluges Wesen, ihre Fähigkeit zur Hingabe und ihr Talent, aus dem Nichts eine Geschichte zu erschaffen. Für diese Antwort liebte sie ihn.

Die Rhythmen ihrer Leben klangen selten gleich.

Götz mochte die frühen Morgenstunden, Brida schrieb bis in die Nacht hinein. Oft, wenn seine innere Uhr ihn gegen sechs Uhr weckte, zog er sie an sich und schob ihr Nachthemd hoch. Schlaftrunken nahm sie ihn dann in sich auf, meist träge auf dem Bauch liegend.

Der anschließende Schlaf war schwer und traumreich. Während Götz in der Werkstatt mit der Arbeit begann, reiste Brida durch surreale Landschaften, jagte Tiere, die es nicht geben konnte, stürzte von Felsen, ohne je aufzuschlagen, schlief mit Männern, die sie nicht kannte, und griff neben sich ins Leere.

Sie frühstückte stets allein.

Am Abend holte sie ihn oft von der Werkstatt ab. Dann gingen sie aus.

In den Kneipen sahen die Frauen ihn an, was ihm nicht aufzufallen schien, denn er erwiderte die Blicke nicht. Brida schwankte zwischen Stolz und Angst. Er war ein schöner Mann, einer, der mit sich im Reinen war, der seinem inneren moralischen Kompass folgte, der Sicherheit ausstrahlte und Überlegenheit.

Wenn sie zu Hause blieben, sahen sie Filme, lasen oder liebten sich. Nachdem Götz gegen elf ins Bett gegangen war, setzte sich Brida an den Schreibtisch. Dort, mit einem Glas Wein und in der ruhigen Gewissheit, dass Götz nebenan schlief, war sie am glücklichsten.

Dann erwachten die Figuren. Einmal aufgestanden, bewegten sie sich, sprachen und handelten, und Brida musste nichts anderes tun, als den bewegten Bildern in ihrem Kopf hinterherzuschreiben. Wenn die Idee zu ihr kam, dann gab es nichts Wichtigeres, als ihr zu folgen.

Gegen zwei Uhr, spätestens halb drei fielen ihr die Augen zu, und in der Hoffnung, die Protagonisten ihrer Geschichten würden auch am nächsten Abend wiederkehren, schlief sie neben Götz ein. Immer berührten sie sich an irgendeiner Stelle ihres Körpers – ihr Fuß an seinem Bein, ihre Hand auf seinem Rücken, seine Fingerspitzen an ihrer Hüfte.

In keinem Jahr vorher oder nachher war sie so produktiv gewesen wie in jenen ersten zwölf Monaten des Zusammenlebens mit ihm. Drei lange Erzählungen, ein Schwung Kurzgeschichten und die Hälfte ihres ersten Romans entstanden in dieser Zeit.

* * *

Über dem See in Hollershagen ziehen schwarze Wolken auf. Ein Windstoß fährt unter die Enden der Badetücher, auf denen Svenja und Götz liegen. Götz steht mit einer kraftvollen Bewegung auf und ruft nach den Kindern. Ein erster Blitz ist am Horizont zu sehen, kurz darauf folgt der Donner, es wird schlagartig dunkel, und alle wirbeln durcheinander. Die Kinder raffen ihre Sachen selbst zusammen, Götz packt den Rest, vorher aber legt er Svenja das Badetuch über die Schultern.

Fürsorge – das ist der Unterschied.

Und Verteidigung.

Verteidigen wird er nur eine. Er kann mit beiden schlafen, aber nicht für beide sorgen.

Brida geht barfuß und mit verbrannten Schultern zum Ferienhaus zurück. Noch zweihundert Meter, noch hundertfünfzig, sie kann die Häuser zwischen den Bäumen schon sehen. Der Wind wird zum Sturm, und alle Kraft ist aus ihr gewichen. Fichtennadeln stechen in ihre Fußsohlen, und als eine Gruppe Kinder an ihr vorbeirennt und eines der Kinder sie anrempelt, schwankt sie so stark, dass sie sich setzen muss.

Um sie herum tobt es. Äste werden durch die Luft gewirbelt. Sie schleppt sich die letzten Meter bis zum Haus, zieht drinnen die Vorhänge zu und legt sich ins Bett.

Das, was sie jetzt denkt, will sie nicht vergessen. Später, mit mehr Kraft, wird sie es aufschreiben.

Die Liebe ist nicht das Miteinander zweier unabhängiger Individuen, die sich jederzeit wieder auf die eigene Selbständigkeit zurückziehen können. Der geschützte Raum einer friedlichen Welt, in der Mann und Frau tagtäglich entscheiden, was es heißt, ein Mann oder eine Frau zu sein, hat sie vergessen lassen, dass es darunter etwas anderes gibt. Eine alte Ordnung, deren Notwendigkeit nur vorübergehend außer Kraft gesetzt ist. Sobald Gefahr heraufzöge, würde sie sich ganz von selbst wiedereinstellen.

Sie liegt Wand an Wand mit Götz und Svenja, deren Gekicher sie nun hören kann.

Dann springt die Tür auf, und die Kinder stehen vor ihr. *Wir wollen bei dir sein,* rufen sie, *Papa und Svenja haben sich eingesperrt, sie machen S-E-X.* Sie sprechen die Buchstaben einzeln aus und krümmen sich vor Lachen. Und auch Brida krümmt sich.

Undine krabbelt zu ihr ins Bett und fängt an, sie zu kitzeln. Lachen und Weinen gehen ineinander über. Sie kann es nicht mehr kontrollieren. Alles bricht aus ihr heraus.

Mama!, sagt Hermine erschrocken.

Und dann schlingt das Kind seine Arme um sie.

* * *

Etwa zwölf Jahre vorher, an einem kalten Dezembertag, war sie mit dem Fahrrad durch die Stadt gerast.

Noch nie hatte sie die Strecke zwischen Wohnung und Werkstatt in so kurzer Zeit zurückgelegt. Ihre Ohren und Hände schmerzten vor Kälte, weil sie in der Aufregung Mütze und Handschuhe vergessen hatte.

Götz stand mit Kunden im Laden. Seinen fragenden Blick ignorierte sie. Brida ging in die Werkstatt durch, holte den Sekt aus der Tasche, öffnete ihn und nahm zwei Gläser aus dem kleinen Geschirrschrank neben dem Waschbecken. Sie säuberte den Tisch und platzierte den Test mit den zwei blauen Streifen zwischen den gefüllten Gläsern. Dann wartete sie.

Götz kam näher, er blieb stehen, schaute auf den Tisch, auf den Test, auf die Streifen. Sie konnte in seinem Gesicht das Begreifen sehen. Wie die Neugier wich und ein ernstes Staunen seine Züge formte.

Hermine, sagte er, *wenn es ein Mädchen wird, soll es Hermine heißen.*

Die standesamtliche Hochzeit fand im Juni statt. Götz' Eltern verbargen ihre Enttäuschung schlecht. Eine Ehe, die nicht vor Gott geschlossen wurde, hatte für sie keine Bedeutung. Bridas Eltern war es egal. Die Spannungen zwischen den Großelternpaaren störten das bescheidene, in engstem Kreise stattfindende Fest erheblich, aber Brida war sich sicher, dass die unterschiedliche Denk- und Lebensweise zwischen Götz und ihr keine Rolle spielte.

*

Die Geburt war eine Zumutung gewesen. Ein anderes Wort fiel Brida nicht dazu ein. Die Wellen von Schmerz, die ihren Körper durchfuhren, entzogen sich jeglicher Kontrolle. Gewalten wirkten in ihr. Es gab keinen Ausweg, nur diese urtümliche Kraft, die ihren Unterleib beinahe zerriss.

Und dann das Kind.

Und wieder Wellen. Doch diesmal aus Liebe, warm und weich. Und mit ihnen die Ahnung einer anderen Art von Schmerz.

Götz war neben ihr eingeschlafen. Das Baby lag in einem Bett aus Plexiglas, um den linken Arm hatte man ihm ein rosa Plastikbändchen mit seinem Namen darauf gebunden. Es schlief und machte leise Geräusche. Brida setzte sich mühsam auf und hob das kleine Bündel aus seinem fahrbaren Bettchen. Sie legte es zwischen sich und Götz und betrachtete es. *Hermine,* sagte sie leise und berührte dabei die Innenflächen der kleinen Hände. Und die Finger des Babys schlossen sich um Bridas Finger und hielten sie fest.

Das Kind war jetzt da. Es war gekommen, um zu bleiben. Es würde sie brauchen. Jeden Tag, jede Stunde.

Das Jahr Hermine begann.

Hermine weinte.

Sie weinte vor dem Stillen und nach dem Stillen, sie weinte beim Spazierengehen und nachts.

Ihr Schreien zerriss Brida jeden Gedanken. Wenn sie Hermine mühsam zum Schlafen gebracht hatte und leise zum Schreibtisch schlich, konnte sie sicher sein, dass kurz darauf das schrille Stimmchen gellend durch die Wohnung schallte und sie zwang, die gerade begonnene Arbeit abzubrechen.

Zunächst gelangen ihr noch kürzere Passagen, doch schon bald schwiegen die Figuren und standen still.

Das Kind forderte sie ganz. Alle Ressourcen gehörten ihm. Wenn seine Bedürfnisse für kurze Zeit gestillt waren, fühlte sich Brida so leer, dass sie nichts wollte außer Ruhe und Schlaf. Mit jedem Tag wurde ihr klarer, wie sehr sich ihr Leben verändert hatte.

Die Freiheit war immer nur eine scheinbare gewesen, zeitlich begrenzt. Wie eine Süßigkeit, von der sie hatte kosten dürfen, bevor sie ihr endgültig genommen wurde. Für Generationen von Frauen vor ihr waren die Wege vorgezeichneter und enger gewesen. Sie kamen ihr plötzlich glücklicher vor. Niemals hatten sie in der Illusion gelebt, ihr Leben gestalten zu können, nie die Enttäuschung gespürt, wenn sich offene Türen alle auf einmal schlossen. Keine der Einschränkungen hatte in ihrer eigenen Verantwortung gelegen. Es waren die Umstände, die nichts anderes zuließen.

Brida dagegen hatte selbst gewählt. Sie hatte den Mann gewollt und das Kind, und statt zufrieden zu sein, wollte sie schreiben. Mehr als jemals zuvor wollte sie schreiben.

Götz fuhr wieder allein in den Osten. Zwar blieb er nie länger als zwei bis drei Tage weg und versuchte nun häufig, bei Haushaltsauflösungen in der näheren Umgebung geeignete Möbelstücke zu finden, doch selbst wenn er das Lager voll hatte und in der Werkstatt arbeitete, war er bis zum frühen Abend außer Haus. Kam er dann, schlief Hermine bereits, und oft lag Brida neben dem Kind und war ebenfalls eingeschlafen. Der Rhythmus ihrer Leben klang selten gleich.

Etwa drei Monate nach der Geburt liebten sie sich zum ersten Mal wieder. Es war gut, nichts hatte sich verändert. Spätabends, wenn Hermine schlief, war Götz' Verlangen am größten. Aber Brida wollte ihn morgens, während der einzigen Stunden des Tages, in denen ihre Lust nicht schon von der Erschöpfung besiegt worden war.

Hermines ständiges Weinen ließ mit der Zeit nach, und nach etwa einem halben Jahr begann Brida, ihren Bewegungsradius wieder zu erweitern. Ein paarmal versuchten sie und Götz, gemeinsam mit dem Kind in ein Café zu gehen. Doch Hermine brüllte los, sobald ihr Wagen stand. Götz' Versuche, durch Schuckeln Bewegung vorzutäuschen, brachten nichts. Die Pfiffigkeit seiner Tochter amüsierte ihn. Er hatte nicht das geringste Problem damit, den Ausflug abzubrechen und mit dem Kind auf dem Arm zurück nach Hause zu laufen. Brida hingegen war jedes Mal enttäuscht.

Ihr Studium nahm sie wieder auf, als Hermine ein Dreivierteljahr alt war und fortan die Vormittage bei einer Tagesmutter verbrachte.

Götz war dagegen gewesen. Nie zuvor hatten sie sich derart gestritten.

Er selbst hatte keinen Kindergarten besucht. Seine Mutter war mit ihm und seinen Geschwistern bis zum Schuleintritt zu Hause gewesen. Nach Götz' Auffassung bildeten diese behüteten Kindheitsjahre die Basis für sein ganzes späteres Sein. Er ging so weit zu behaupten, dass es an Brida liege, ob Hermine ein glücklicher oder ein unglücklicher Mensch werden würde.

West und Ost waren plötzlich mehr als Ortsbezeichnungen.

West und Ost waren Zeichen einer richtigen und einer falschen Lebensweise geworden.

In der ersten Eingewöhnungswoche bei der Tagesmutter blieb Brida dabei, doch schon in der zweiten zog sie Hermine lediglich an der Garderobe aus und überließ sie dann der Fürsorge von Miriam – einer großen, fülligen Pfarrersfrau. Jeden Morgen, wenn sie Hermine abgab, sagte sie sich, dass sie das Richtige tue. Und jeden Morgen beim Verlassen der Wohnung sprach ihr Körper dagegen. Hermine krabbelte hinter ihr her; sie setzte sich hin und streckte ihre Ärmchen nach ihr aus. Sie weinte und schrie.

Manchmal stand Brida noch ein Weilchen vor der Wohnungstür und lauschte. So lange, bis sie ihr Kind nicht mehr hörte.

In ihrer teuer erkauften Zeit erlaubte sie sich keine Pausen. Wie festgenagelt saß sie am Schreibtisch, lernte für die Abschlussprüfungen und schrieb an ihrem Diplomroman. An manchen Tagen gelang es ihr gut, an anderen verbrachte sie Stunden damit, sich die Beinhaare mit einer Pinzette einzeln auszureißen.

Nach solchen Entgleisungen hatte sie mehr denn je das Gefühl, eine schlechte Mutter zu sein. Um ihr Gewissen zu besänftigen, holte sie Hermine schon nach dem Mittagessen ab, alberte mit ihr herum, blieb während des Mittagsschlafs neben ihr liegen und fuhr später mit ihr zu Götz in die Werkstatt, um ihm sooft wie möglich den Beweis dafür zu liefern, dass mit dem Kind alles in Ordnung sei.

Er hatte sich mit ihrer Entscheidung abgefunden, ließ aber keinen Zweifel daran aufkommen, was er davon hielt.

Jede Verstimmung des Kindes, jeder Anflug von Krankheit, jede schlechte Nacht führte er auf den Umstand zurück, dass Brida Hermine nicht ausschließlich selbst betreute. Selbst wenn tagelang alles bestens lief, stand der Vorwurf unausgesprochen im Raum.

Seine Missbilligung wirkte zersetzend. Je mehr Brida versuchte, alles richtig zu machen, umso häufiger passierten Missgeschicke, die Götz recht zu geben schienen. Sie vergaß Termine, ließ Geschirr zu Boden fallen und wusch die Wäsche zu heiß, doch erst ein Fahrradunfall mit Hermine im Kindersitz führte zu dem längst überfälligen Gespräch.

An diesem Abend brachte Götz das Kind ins Bett. Hermine hatte Glück gehabt – bis auf ein paar kleine Schürfwunden war sie unverletzt geblieben. Kräftig nuckelte sie an ihrem Schnuller, und erst als die schmatzenden Geräusche verstummten, ging Götz hinaus und schloss leise die Tür.

Brida wartete in der Küche auf ihn. Die ernsten Gespräche wurden stets am Küchentisch geführt. Außer einer Prellung am Oberschenkel und zwei kleinen Schürfwunden an Ellbogen und Schulter war auch ihr nichts passiert. Der Rotwein stillte den leichten Schmerz und schenkte Zuversicht. Mit Ehrlichkeit und Geduld hatten Götz und sie schließlich immer eine Lösung gefunden. Sie waren gut darin, Konflikte zu lösen. Am Ende dieses Abends jedoch saßen sie sich ratlos gegenüber.

Später standen sie in stummer Umarmung vor dem Bett ihrer Tochter. Hermine atmete ruhig und gleichmäßig, und dieser friedliche Anblick wirkte in sie hinein. Ihre Herzen öffneten sich. Ihre Körper verlangten nacheinander.

*

In den kommenden Wochen beendete Brida ihren Roman. Er war der letzte noch fehlende Baustein zum Abschluss ihres Studiums. Sie ließ das Manuskript von ihrer Hausärztin Frau Dr. Gabriel korrigieren, da die Handlung zu einem erheblichen Teil in der Notaufnahme einer Klinik spielte. Zweimal trafen sie sich im Café, und schon beim ersten Mal bot ihr die Ärztin das Du an. *Ich bin Judith,* sagte sie schlicht und lächelte ihr perfektes Lächeln. Und dann erklärte sie in atemberaubender Geschwindigkeit ihre Anmerkungen, die sie bereits sorgfältig in den Text notiert hatte, und das Tempo ihres Sprechens ließ die Schnelligkeit ihres Denkens nur erahnen. Brida war fasziniert von Judith. Zum ersten Mal im Leben spürte sie den Wunsch, eine tiefere Freundschaft zu schließen.

Zeitgleich arbeitete sie an den Änderungsvorschlägen ihrer Lektorin, denn wider Erwarten hatte sie mühelos einen Verlag gefunden. Es war keiner der kleinen, feinen Literaturverlage, bei denen ihre Kommilitonen veröffentlichten, auch keiner der großen mit den guten Namen. Es war ein Verlag, über den ihre Lehrer die Nase rümpften, weil er massentaugliche Ware auf den hart umkämpften Markt spülte.

Nie zuvor hatte sie ihre Tage so effektiv genutzt. Obwohl sie kaum schlief, fühlte sie sich phantastisch. Götz hatte sich nach langem Hin und Her bereit erklärt, vorübergehend nur vormittags in der Werkstatt zu arbeiten. Die Nachmittage verbrachte er mit Hermine, kümmerte sich um den Haushalt, erledigte die Einkäufe.

Wie Rädchen eines Getriebes griffen sie ineinander, alles war mit Sinn erfüllt, und eines Vormittags brachte der Postbote ein schweres Paket mit frisch gedruckten Büchern.

Brida öffnete es, nahm eines heraus und hielt es lange in den Händen, bevor sie es aufschlug. Sie hatte keine Bestnote auf ihr Abschlusswerk erhalten. Der Roman, so hatten ihre Lehrer befunden, sei handwerklich solide erzählt, jedoch zu konventionell aufgebaut. Es fehle der klar erkennbare eigene Stil, der Zeichen eines hohen künstlerischen Anspruchs sei. Inhaltlich wiederum weise der Text eine profunde Kenntnis psychologischer Prozesse auf. Stellenweise wirke er wie von jemandem geschrieben, der nicht am Anfang, sondern am Ende seines Lebens stehe. Doch welche Rolle spielte das? Sie hielt ihr Buch in den Händen, ihr fertiges Buch. Nur die Geburt von Hermine hatte ein ähnliches Gefühl in ihr ausgelöst – eine tiefe Befriedigung verbunden mit einer großen Angst.

Bei der Gestaltung des Umschlags hatte sie mitentscheiden dürfen. Vor weißem Hintergrund standen Playmobil-Figuren. Die Art ihrer Aufstellung spiegelte das Verhältnis der handelnden Personen wider. *Lebensmuster* stand in schlichten schwarzen Buchstaben auf dem Umschlag und darüber ihr Name:

Brida Lichtblau.

＊

Am Tag der Buchvorstellung war Hermine krank geworden.

Sie fieberte hoch, und Götz sagte der Babysitterin für den Abend ab. Er wollte bei seinem Kind bleiben.

Er hatte die neue Situation sofort akzeptiert. Wie üblich war kein Wort des Bedauerns von ihm gekommen. Normalerweise bewunderte Brida ihn dafür. Dinge änderten sich, doch statt darüber zu klagen, stellte er sich darauf ein. Es schien keinen Widerstand in ihm zu geben.

Dieser Abend jedoch war nicht irgendein Abend. Fremde Menschen würden kommen, um Brida lesen zu hören. Es war die Geburt einer öffentlichen Person, schutzlos würde sie sich exponieren und präsentieren müssen.

Sie hätte Götz gebraucht an jenem Abend.

Aber alles lief auch ohne ihn großartig. Die Stuhlreihen in der Buchhandlung waren voll besetzt, und als Brida zu lesen begann und das Flüstern und Murmeln im Publikum aufgehört hatte, war sie ganz bei sich. Das Mikrophon verstärkte die Vorzüge ihrer dunklen, etwas kratzigen Stimme, und sie stolperte kein einziges Mal. Später signierte sie Bücher, beantwortete Fragen und stellte erstaunt fest, dass ihr die Aufmerksamkeit gefiel.

Ihre Enttäuschung darüber, dass Götz nicht bei ihr war, hatte sich längst in Erleichterung verwandelt. Seine stille, überlegene Art hatte sie oft genug daran gehindert, aus sich herauszugehen.

Später liefen sie durch die abendliche Stadt: die Buchhändlerin Paula Krohn, die Lektorin vom Verlag, der Verlagsvertreter für Mitteldeutschland, Judith und die ehemaligen Kommilitoninnen Alma und Xandrine. Sie aßen in einem hervorragenden Restaurant, und bei der allgemeinen Verabschiedung war es Judith, die vorschlug, den Abend noch nicht zu beenden.

Zu zweit zogen sie durch die Bars. Sie flirteten, ließen sich Drinks spendieren, und als Judith einen Mann erwählte, den sie mitzunehmen beabsichtigte, sehnte Brida sich nach Götz.

Den Tag darauf verbrachte sie in einem Nebel aus Übelkeit und Müdigkeit, und einen weiteren Tag später stellte sie fest, wieder schwanger zu sein.

* * *

Das Gewitter in Hollershagen ist vorüber. Die Kinder sind wieder nach draußen gerannt, die Sonne erwärmt die nassen Wiesen, und in dem überall aufsteigenden Dampf tummeln sich Myriaden von Insekten.

Etwas muss geschehen. Noch acht Tage Urlaub liegen vor Brida. Acht lange Tage, an denen sie Svenja hören, sehen und riechen muss. An denen sie ertragen muss, wie Svenjas kleine, kräftige Physiotherapeutinnenhände Götz' Körper berühren.

Sie tritt auf die Terrasse hinaus und lauscht. Obwohl es erst früher Nachmittag ist, trinkt sie Wein und raucht. Sie meint zu spüren, wie die Gifte ihren Körper durchdringen, wie die Lunge versucht, den Teer abzubauen, wie die Leber mit dem Alkohol kämpft, wie die Haut welkt und die Haare ergrauen. Eine seltsame Lust packt sie. Eine Lust an Verfall und Zerstörung.

Nebenan geht die Tür auf. Svenja tritt auf die Terrasse. Ihre Haare sind nass, ein fruchtiger Duft weht zu Brida herüber. Sie streckt sich, dehnt sich. Der zufriedene Ausdruck in ihrem Gesicht zeugt von einem guten Fick.

Brida schämt sich nicht für den vulgären Gedanken.

Die Zeit der Scham ist vorüber. Die Zeit der Lügen ebenfalls.

Etwas muss geschehen.

* * *

An *Das Jahr Undine* hat sie kaum Erinnerungen.

Geschrieben hat sie nichts.

Aber viel gestillt und gekocht und gegessen.

Und gestillt und gekocht und gegessen.

Und auf Spielplätzen gesessen und Hermine auf Wippen gehoben und auf Rutschen geholfen und Undine dabei auf dem Rücken getragen.

Gelesen hat sie nichts.

Aber viel geschlafen, nur immer zu kurz.

Und viel gestritten, weil Götz gelassen war, und sie war es nicht. Weil er geduldig war, und sie war es nicht.

Undine war zum falschen Zeitpunkt gekommen. Wie eine große, schwere Pranke hatte ihre Ankunft Bridas Kopf nach kurzem Luftholen erneut unter die Oberfläche eines dunklen Gewässers gedrückt.

*

Und dann kam *Das Jahr Judith*.

Ihre Freundschaft glich einer zarten Liebe.

Vor ihren Verabredungen machte Brida sich schön, so wie sie es anfangs bei Götz getan hatte, und die Aufregung kurz vor dem Wiedersehen ähnelte der Erregtheit, die sie zu Beginn bei ihm empfunden hatte.

Sagte Judith ein Treffen ab, war Brida tief enttäuscht.

Die Energie, die von Judith ausging, übertrug sich unmittelbar. Nach einer Begegnung mit ihr konnte Brida trotz der Kinder schreiben. Sie widerstand den üblichen Ablenkungen, war fokussierter und effektiver, und es war dieser positive Einfluss, der Brida immer öfter zu ihrer Freundin trieb.

Judiths Fähigkeit, eine Lage sekundenschnell zu erfassen, zu analysieren und eine Lösung aufzuzeigen, verführte Brida dazu, sich in den Zuständen totaler Erschöpfung ganz ihrem Urteil zu überlassen.

Aus Judiths Sicht war Götz das Problem. Er schränke Brida ein, beschneide ihre Individualität und würdige ihr künstlerisches Schaffen nicht ausreichend. Er wolle sie zur Hausfrau degradieren und stelle die eigenen Interessen über die seiner Frau. Und obwohl sie gefühlt hatte, dass es so nicht stimmte, dass die Wahrheit woanders lag, hatte sie nicht widersprochen, hatte Götz sogar als eifersüchtig, besitzergreifend und kleingeistig beschrieben. Und auch als Judiths Augen groß geworden waren und der Ausdruck ihres Gesichts eisig, hatte sie ihn nicht verteidigt, und als Judith sagte: *Verlass diesen Mann. Er ist nicht gut für dich,* hatte sie geschwiegen.

Götz roch die Gefahr. Obwohl er Judith nur wenige Male begegnet war und sich sonst jeder Wertung enthielt, gebrauchte er klare Worte. Sie sei ein liebesunfähiges Ich-Geschöpf, zerstörerisch und kalt. Doch seine Härte trieb Brida nur noch mehr zu Judith hin. Und als er Brida bat, sich nicht so häufig mit ihr zu treffen, weil sie nach diesen Treffen stets verändert zurückkäme, da schienen sich die Zweifel, die Judith nährte, zu bestätigen.

Hermine war vier Jahre alt, Undine gerade zwei geworden, als Brida Götz eines Abends mit den Worten empfing, dass sie die Enge dieses Lebens nicht mehr ertrage.

Fast drei Tage lang hatten sie sich nicht gesehen. Von einem Freund aus den Jahren der Wanderschaft hatte Götz von der Auflösung eines großen Antikhandels erfahren, nicht weit seiner Heimat Stuttgart. Zusammen mit seinem neuen Mitarbeiter, den er erst kürzlich angestellt hatte, waren sie nach Süddeutschland gefahren, hatten den Transporter vollgepackt und im Anschluss Götz' Eltern besucht.

Brida hatte sich in die Notwendigkeit gefügt, obwohl der Zeitpunkt ungünstig war. Eine Geschichte für eine Anthologie musste beendet werden, Hermine litt unter einer eitrigen Bindehautentzündung, und Undine sagte zu allem: *Nein!* Am Abend vor seiner Rückkehr war Judith bei ihr gewesen, und das Ergebnis dieses vom Alkohol getragenen Gesprächs erfuhr Götz, noch bevor er seine Schuhe ausgezogen und seine Jacke an den Garderobenständer gehängt hatte.

Götz hörte zu, ohne sie zu unterbrechen. Er folgte ihr in die Küche, setzte sich an den Tisch und ließ sie reden, und je mehr sie sagte, umso mehr war es ihr, als mischten sich Judiths Worte unter ihre eigenen, und als sie dazu ansetzte, manches zurückzunehmen und die Vorwürfe zu entschärfen, hob er abwehrend die Hände.

Ob sie jemals daran gedacht habe, zu viel zu wollen, fragte er dann, und seine Stimme zitterte. Ob sie geglaubt habe, man könne alles haben, ohne Verzicht, ohne Beschränkung? Ob sie ernsthaft gedacht habe, sich Kinder und Kunst und Kultur und Freunde und Mann und Sex und Zeit zum Lesen und Zeit zum Nichtstun und spontane Fluchten und wer weiß was noch alles nehmen zu können, ohne einen Preis zu bezahlen?

Ich nehme ständig Rücksicht!, hatte sie gebrüllt.

Alles hat seine Zeit, Brida, sagte er.

Danach sprach er tagelang nicht mehr.

*

Vorerst kam sie bei Judith unter.

Sie sah die Kinder am Nachmittag, ging mit ihnen zum Spielplatz oder ins Schwimmbad, in die Eisdiele oder ins

Kino, brachte sie zum Abendessen nach Hause und kehrte zum Schlafen zurück in die Wohnung der Freundin.

Die Leere und Kühle der fremden Räume wirkten heilend. Sie schlief gut. Nichts drängte sich auf, nichts engte ein. Kein Schmutz musste beseitigt, keine Wäsche erledigt werden. Niemand verlangte etwas von ihr.

Die Abende verbrachte sie neben Judith auf dem Sofa. Sie tranken Wein, aßen Oliven, Käse und Cracker und schauten, was es auf den von Judith häufig besuchten Onlineportalen Neues gab. Auf den Websites der Pferdemärkte interessierte sich Judith für Stockmaß, Rasse, Alter und Rittigkeit der Tiere, auf der Partnerschaftsbörse schaute sie nach Größe, Alter, Beruf und Hobbys der Männer.

Brida fand den Unterschied marginal.

Manchmal vergaß sie die Kinder für kurze Zeit.

Dann schlenderte sie durch die Stadt, schrieb in irgendeinem Café ein paar Worte nieder, ging spazieren, sah sich Ausstellungen an, durchstöberte die Antiquariate, ging mitten am Tag ins Kino und besichtigte Wohnungen. Doch die Termine mit den Maklern beendeten die Leichtigkeit. Fragen nach Einkommen und Anzahl der Kinder zwangen sie, den Tatsachen in die Augen zu sehen. Das Stipendium, das sie für ein halbes Jahr von der Sorge um Geld befreite, endete bald. Ein neues war nicht in Sicht. Das aktuelle Buchprojekt befand sich in einem Stadium, das nicht der Erwähnung wert war.

Aber Götz würde sie nicht hängenlassen. Wenn sie hin und wieder für die Zeitung schriebe, rasch das Buch beendete, einen guten Vorschuss aushandelte, wären ein bis zwei weitere Jahre geklärt.

Um das Nötigste mit Götz zu besprechen, fuhr sie zu ihm in die Werkstatt. Er hatte dunkle Schatten unter den Augen und gab sich keinerlei Mühe, freundlich zu sein. Ihre wortreichen Erklärungen hörte er sich schweigend an. Er erwiderte nichts, fragte nichts, wartete, bis sie fertig war, nickte und begleitete sie bis zur Tür.

Die Kinder selbst fragten täglich, wann sie wiederkäme. Niemals ging es um das *Ob,* immer nur um das *Wann,* und Brida wich aus und sprach von einem neuen Platz zum Wohnen und einem Abenteuer und einem ganz anderen Leben. Hermine sagte sofort und sehr entschlossen: *Nein!*

Etwas Neues wolle sie nicht. Und dann wiederholte sie ihre übliche Frage: *Wann kommst du zurück?*

Mehr als einmal dachte Brida die Möglichkeit durch, die Kinder zurückzulassen, zu verschwinden und gänzlich neu zu beginnen. Mit einem anderen Mann, in einer anderen Stadt, als Schriftstellerin, nicht als schreibende Mutter.

Doch die Vorstellung blieb fahl. Sie verlor ihren Reiz, sobald die Mädchen ihr im Kindergarten entgegengerannt kamen.

Wenn Judith nicht arbeitete, war sie beim Pferd oder trieb Sport.

Der Einblick in Judiths Alltag ernüchterte Brida. Deren Freiheit erschien ihr plötzlich sinnlos. Nichts in ihrer Wohnung verlangte Anwesenheit – keine Pflanze, kein Tier, kein anderer Mensch; sie war lediglich eine Basis, ein Start- und Landeplatz, ein Lagerraum. Hier wurden keine Feste gefeiert, hier spielten keine Kinder.

Der schwarze Bechstein-Flügel stand zugeklappt im Wohnzimmer. Nicht ein einziges Mal hatte sie Judith darauf spielen hören. Ein fliederfarbenes Sofa beherrschte den Rest des ansonsten beinahe leeren Raums. Das Sofa war Sitz-, Ess- und Arbeitsplatz in einem. Oft jedoch hockte Judith im Schneidersitz auf dem blanken Parkett.

Auf ihr Aussehen verwendete sie viel Zeit. Die Kosmetik im Bad war teuer, und das Ergebnis sprach für sich. Die reine, glatte Haut und das glänzende Haar ließen Judith immer frisch aussehen. Obwohl sie jünger war, fühlte sich Brida dagegen verlebt und ausgelaugt. Die Ringe unter ihren Augen verschwanden nie.

Ein paarmal nahm sie Judiths schwarzen Audi. Mit über zweihundert Kilometern pro Stunde raste sie über die Autobahn und hörte sich quer durch die Sammlung klassischer Musik. Der Weg war das Ziel. Manchmal fuhr sie irgendwo ab, lief ein Stück an einem Fluss entlang, durch ein Dorf, einen Wald. Und die quälende Frage, ob sie alles umsonst hingeworfen, ob sie lediglich eine Pause gebraucht hatte, hämmerte bei jedem Schritt in ihrem Kopf.

Nach etwa drei Wochen war die Stimmung zwischen ihnen angespannt. Jeden Tag kam Judith später nach Hause und manchmal gar nicht. Es war Zeit zu gehen.

Zu Beginn der fünften Woche kehrte Brida nach Hause zurück.

Die Kinder hatte sie schon mittags abgeholt.

Zusammen waren sie über den Wochenmarkt geschlendert, hatten Wassermelone, Erdbeeren und frisches Brot gekauft, geräucherten Saibling, handgemachte Butter und junge Kartoffeln. Auf dem Heimweg sangen sie Lieder, und die Mädchen ließen sie keine Sekunde los.

Götz kommentierte ihre Anwesenheit zunächst gar nicht. Er aß den Rhabarberkuchen, den sie für ihn gebacken hatte, alberte mit den Kindern herum und hörte sich später, als Hermine und Undine im Garten spielten, Bridas Erklärungen und Entschuldigungen an. Als sie versprach, die Familie nie wieder zu verlassen, schüttelte er den Kopf und sagte: *Lass das!*

In den Tagen darauf brach sie immer wieder in Tränen aus. Wenn sie alle zusammen am Esstisch saßen, wenn die Kinder zufrieden waren und Götz sie beiläufig berührte, dann begriff sie, was sie preisgegeben hatte. Jetzt, im Nachhinein, kam die Angst.

Sie schliefen jeden Tag miteinander, und Brida bekam nicht genug von seinen Berührungen. Sie brachte ihm zur Mittagszeit ein selbstgekochtes Essen in der Werkstatt vorbei, hielt die Wohnung sauber, pflegte den Garten, spielte und bastelte mit den Kindern, obwohl es sie entsetzlich langweilte.

Er wollte es nicht hören, doch sie beteuerte ihm wieder und wieder, wie leid es ihr tue und wie sehr sie ihn liebe.

Und es stimmte. Sie liebte ihn.

Die Wochen der Trennung erschienen ihr wie ein böser Traum, und das vor ihnen liegende Jahr benannte sie nach ihm.

Eine höllische Nacht liegt hinter ihr. Mit Ferien hat das hier nichts zu tun.

Wie sie der Angst und der Verzweiflung Herr werden soll, hat sie noch immer nicht gelernt. Tagsüber erweist sich der Gedanke an den Tod als hilfreich, doch in der Nacht führen die Todesgedanken nur zu dem Wunsch, er möge sie holen kommen.

Hermine und Undine schlafen fest und ahnungslos. Weil sie sich über die Aufteilung des Doppelstockbettes nicht einigen konnten, liegen sie beide im oberen Bett. Dort wo der Kopf der einen ist, liegen die Füße der anderen. Gleichzeitig atmen sie ein und aus, ein und aus.

Brida verlässt das Zimmer auf Zehenspitzen und legt sich noch einmal hin. Sie friert, und ihr Herz schlägt wild.

Wie lange kann es so schlagen? Wie lange hält es diesen Takt aus? Dieses Herz wird sie töten. Es wird stehenbleiben. Einfach so. In einem Augenblick vermeintlicher Sicherheit.

Es ist kein gutes Herz. Es ist ein verdorbenes und dummes Herz. Es war den falschen Fährten gefolgt und hatte sich von falschen Stimmen locken lassen. Es wird stehenbleiben, weil es verdient hat, stehenzubleiben.

Und die Kinder schlafen und ahnen nichts.

Und Götz schläft und ahnt nichts.

Und niemand kommt und nimmt die Angst von ihr.

Es dämmert. Vom Wald her bellt ein Hund, und die letzten Fledermäuse kehren von ihrem Nachtflug in ihr dunkles Quartier hinter der Holzverkleidung des Ferienhauses zurück. Ihr lautloses Schattendasein erscheint ihr angenehmer als das glückfordernde Singen der Vögel.

Sie muss mit Götz sprechen. Einen letzten Versuch unternehmen.

Sie hat mehr in die Waagschale zu werfen als Svenja. Zwei gemeinsame Kinder und den besten Sex seines Lebens. Hat er ihr nicht gesagt, dass es mit keiner anderen wieder so werden kann wie mit ihr? Dass er nur mit ihr die Grenzen überschreiten kann? Sie wird ihn daran erinnern.

Sie wird ihn erinnern an das Opfer zu Beginn ihrer Beziehung und an ihr Opfer heute. Die Zweite, die von ihm Verschwiegene zu sein, hat sie seinetwegen ertragen und erträgt es erneut. Doch ihr rechtmäßiger Platz ist an seiner Seite.

Sie wird ihn erinnern an die guten Zeiten und sich entschuldigen für die schlechten.

Versprechen wird sie nichts. Zu oft schon hat sie Versprechen gebrochen. Doch das Nichtversprechen wird ihm zeigen, wie ernst es ihr ist. Das Nichtgesagte wird alles sagen. Er ist aufmerksam. Er wird es begreifen.

Und ihr Herz beruhigt sich. Der Vogelgesang klingt nicht mehr wie ein Hohnlied auf ihr Leid.

Im feuchten Gras der Wiese hinterm Haus sind unzählige Kröten unterwegs. Sie stellt sich mit nackten Füßen mitten hinein in die Wanderung der kalten, braunen Tiere. Sie bückt sich, hebt eine auf und schließt ihre Hände darum. Das Tierchen sondert eine Flüssigkeit ab. Die Beinchen wollen springen, doch die Krötenhöhle ist zu klein. Brida schließt ihre Hände noch enger um das verängstigte Wesen.

Jemand soll kommen und auch sie umschließen.

Sie dreht sich um und sieht zu den Fenstern des benachbarten Ferienhauses. Die Rollos sind heruntergelassen, die Tür verschlossen.

Schlafen sie? Oder machen sie das Kind, von dem er sprach? Ergießt er sich gerade in diesem Augenblick in ihren geöffneten Schoß? Ist dieser Augenblick jener, in dem sich das Schicksal wendet? Oder ist sie diejenige, die es abwenden kann? Sie muss nur klingeln, muss den Liebesakt stören, muss unterbrechen, was lebenslang binden würde.

Sie möchte dem Tierchen jetzt seine Beinchen ausreißen. Sie möchte es so sehr, dass sie die Kröte einfach fallen lässt und ins Haus zurückrennt.

Ohne ihn leben will sie nicht.

Sie hat das Alleinsein verlernt.

Mit zitternden Händen füllt sie Wasser in den Wasserkocher und schüttet Kaffeepulver in eine Tasse. Doch dann geht sie, ohne den Kaffee aufgegossen zu haben, nur mit einem Nachthemd bekleidet hinaus. Geht die paar Schritte hinüber und legt den Finger auf die Klingel.

* * *

Brida war sich sicher gewesen, ihren Fehler nicht zu wiederholen.

Ein reichliches Jahr war es her, dass Götz und sie sich erneut gefunden hatten.

Judith traf sie nur noch selten. Einmal waren sie gemeinsam im Gewandhaus gewesen, ein paarmal in einer Bar, doch das seltsame Gefühl, sich ihr gegenüber rechtfertigen zu müssen, sich wie ein Feigling vorzukommen, ließ Brida Abstand halten.

Während die Mädchen im Kindergarten waren, arbeitete sie, doch immer, wenn die Figuren lebendig zu werden begannen, wenn sie ihnen hätte folgen können, nahte die Abholzeit.

Wie die meisten jungen Familien waren auch Götz und sie auf sich allein gestellt. Etwa fünf Stunden Autofahrt trennten sie von Götz' Eltern, beinahe vier Stunden waren es bis zu ihrem eigenen Elternhaus. Einmal jährlich Winterurlaub in Süddeutschland, einmal Sommerurlaub in Mecklenburg und jeweils zwei Gegenbesuche in Leipzig waren die einzigen Zeiten, die Hermine und Undine mit ihren Großeltern verbrachten.

Die Tage vor der endgültigen Trennung verbrachte Brida wie im Nebel.

Zwei Anläufe, sich für einige Tage zum Schreiben zurückzuziehen, waren gescheitert. Zweimal hatte Götz ihr diese Auszeiten zugesichert. Beide Male waren Aufträge in die Quere gekommen, Aufträge, die Götz nicht ablehnen konnte, weil sie die Einkünfte brauchten und er die langjährigen Kunden nicht verlieren wollte.

Das Geld verdiente er. Seit dem Vorschuss für ihren ersten Roman und den Einnahmen aus den Lesungen hatte Brida nichts Nennenswertes zum Familieneinkommen beigetragen. Der Zuschuss von ihren Eltern, den sie jeweils zur Geburt ihrer beiden Töchter erhalten hatte, war längst verbraucht. Götz trug die Last allein. Er beschwerte sich nicht darüber.

Dass er so leicht zufriedenzustellen war, machte Brida wütend. Seine Gelassenheit rief ihren Zorn hervor. Seine Bedürfnislosigkeit ließ sie mehr wollen.

*

In einer Bar hatte Brida den ersten Mann kennengelernt, der gerade jene ihrer Eigenschaften als Vorzüge pries, die Götz kritisierte. Judith hatte den Kontakt hergestellt. Sie konnte das mühelos – ein Lächeln, ein Kopf-Schräglegen, ein Haare-Zurückwerfen und mit den hochhackig beschuhten Füßen wippen. Nur Brida sah die Verachtung in ihren Augen, weil es wieder einmal zu einfach gewesen war. Judith hatte sich dann seinem Begleiter gewidmet und ihn Brida überlassen.

Dieser Mann, an dessen Namen sie sich nicht mehr erinnert, war beeindruckt gewesen. Kinder und Mann und Schreiben, wie das ginge. Er schreibe selber, könne sich jedoch nicht vorstellen, irgendetwas darüber hinaus zu schaffen. Er hatte nicht nur Verständnis geäußert für die Ungeduld und die Wut, die manchmal in ihr hochkochten, sondern es als Zeichen einer vitalen Künstlerpersönlichkeit definiert. Sie hatte ihn nicht wiedergesehen, später jedoch oft an das Gespräch denken müssen.

Der zweite Mann war M.

Am Tag des Kindergarten-Sommerfestes wäre sie eigentlich gar nicht da gewesen. Sie hatte schreiben wollen, an einem Ort weit weg von Götz und den Kindern, doch wieder einmal war etwas dazwischengekommen.

M. war ihr schon öfter über den Weg gelaufen, meistens am Nachmittag zur Abholzeit. Und nun saß er neben ihr auf dem Rand des Sandkastens und tippte auf seinem Handy herum.

Sein Sohn stand breitbeinig und unschlüssig vor der Burg, die Undine gebaut hatte. Er kaute auf seiner Unterlippe, hielt eine Schippe in der Hand und schien ernste Gedanken zu wälzen. Und dann, ganz plötzlich, setzte er zum Sprung an und landete mitten in der Burg.

Statt wütend zu werden, schaute Undine ihn fragend an. Sie seufzte, verließ den Sandkasten und setzte sich auf eine Schaukel. Von dort aus beobachtete sie, was als Nächstes geschah.

In diesem Augenblick ähnelte sie Götz so stark, dass Brida nicht den Blick von ihr wenden konnte. Ihre Überlegenheit zeigte sich vor allem im Ausdruck ihres Gesichts. Die Lust des Jungen an der Zerstörung ihres Werks lösten bei ihr allenfalls Neugier und Mitleid aus. Sie hatte es nicht nötig zurückzuschlagen. Ihre Stärke lag im sofortigen Annehmen der Gegebenheit und dem Umschwenken auf ein anderes Spiel. Brida fühlte die aufsteigende Wut. Doch nicht der Junge machte sie wütend, sondern ihr eigenes Kind.

M. entschuldigte sich. *Was ist denn in dich gefahren, Linus?*, fuhr er seinen Sohn an, und dabei hielt er ihn an beiden Armen fest.

Ich weiß nicht, warum er das gemacht hat, sagte er, als Linus sich aus dem Griff gewunden hatte und weggerannt war.

Fast berührten sich ihre nackten Füße im Sandkasten. Er trug eine blaue Leinenhose und ein luftiges weißes Hemd. Die Flip-Flops aus feinem Leder hatte er ausgezogen.

Es war einer jener Sommertage, die Brida am meisten liebte – windstill und so heiß, dass das Tragen von Kleidung lediglich anständig, doch keineswegs notwendig war.

Seine Blicke waren direkt, ohne anzüglich zu wirken.

Ich weiß, wie ich es wiedergutmachen kann, sagte er, holte eine Karte aus seinem Portemonnaie und gab sie ihr. *Nächste Woche eröffnen wir eine neue Ausstellung. Kommen Sie doch. Dann trinken wir ein Glas Wein zusammen.*

Mal sehen, sagte sie, und er lächelte und nickte.

Die auffallend unscheinbare Frau, die sich nun neben ihn in den Sandkasten setzte, trug den gleichen Ehering wie er – schlicht, aus mattem Weißgold. *Wie schön, Sie kennenzulernen,* sagte sie zu Brida, *ich habe Ihren Roman gelesen. Er gefällt mir ausgesprochen gut.*

Nicht die Spur Verlegenheit war in seinen Augen zu sehen, kein Zurückweichen. Sie verstand, was seine Blicke sagten.

In den darauffolgenden Tagen stellten sich Zweifel ein. War M. nur freundlich gewesen? Lächelte er alle Menschen auf diese Weise an?

Am Abend der Vernissage kam sie mühelos von zu Hause weg. Götz war froh, Zeit mit den Kindern verbringen und früh ins Bett gehen zu können. Er war erschöpft von den Zwölf-Stunden-Arbeitstagen, die hinter ihm lagen.

Als Brida die Galerie betrat, war sie sich sicher, dass es

sich bei der Kindergartenszene um ein Missverständnis gehandelt hatte. M. stand umringt von Menschen. Er sah phantastisch aus und hatte einen Arm um eine junge Frau gelegt, von der sich später herausstellte, dass sie die Künstlerin war, deren Bilder an den Wänden hingen. Während Brida die großformatigen Fotografien betrachtete, kam sie sich dumm vor. Weder begriff sie die Botschaft der Bilder, die allesamt denselben Tisch zum Gegenstand hatten, noch verstand sie, was sie hierhergetrieben hatte.

Langsam und möglichst unauffällig bewegte sie sich Richtung Ausgang, drängelte sich an den Hereinströmenden vorbei, zündete sich draußen eine Zigarette an und lehnte sich müde gegen die Mauer des alten Fabrikgebäudes. Für einen Augenblick schloss sie die Augen. Als sie sie wieder öffnete, stand M. vor ihr. Sehr dicht, die Hände in den Hosentaschen, sichtlich erfreut.

Der erste Sex in einem Hotelzimmer war heftig gewesen. Es war ein Montag, M. hatte frei, die Galerie war geschlossen.

Wortlos waren sie mit dem Fahrstuhl nach oben gefahren und in das Zimmer gegangen, hatten sich ausgezogen und waren übereinander hergefallen.

Ansehen konnte sie ihn nicht; es war zu intim. Er drehte ihren Kopf fast gewaltsam zu sich hin. Und sie weinte und wand sich aus seinem Griff.

Bereust du es?, fragte er. Sie antwortete: *Nein, das ist es nicht,* und dabei drückte sie sich mit dem Rücken an seinen Bauch, nahm seinen Arm und legte ihn um sich.

Auch ihm erzählte sie, wie sehr das Leben mit den Kindern sie am Schreiben hindere und dass das Aufziehen der

Kleinen nicht genug für sie sei, dass ihr Lebenszweck doch ein anderer sei. Er lachte bitter. Er wünsche sich, sagte er, seine eigene Frau würde nur die Spur dieses Wunsches in sich tragen. Seit der Sohn auf der Welt war, gäbe es für sie nichts anderes mehr als das Kind.

Und Brida presste sich enger an ihn heran, und was er gesagt hatte, klang wie die Einladung in ein besseres Leben.

Sie war fruchtbarer Boden für seine Worte an diesem ersten gemeinsamen Nachmittag und auch an allen kommenden. Ihr Gewissen blieb merkwürdig rein.

Du und ich, sagte M., *wir sind freie Menschen. Wir bleiben, wenn man uns loslässt, wir gehen, wenn man uns besitzen will.*

Er verglich sie mit Pflanzen in trockener Erde und mit Tieren hinter Gittern. Dabei hielt er ihre Hand und betrachtete den Ring an ihrem Finger. *Die Kunst und die bürgerliche Ehe funktionieren schlecht miteinander,* sagte er. Brida solle leben und erleben. Was sie nicht sehe und nicht fühle, könne sie auch nicht lebendig beschreiben.

Und dann stellten sie fest, wie wunderbar sie einander verstanden und wie gut sie sich taten. Und mit jedem Mal verlor sich die Fremdheit ein bisschen mehr, und die Abschiede fielen schwerer.

Die Treffen mit M. fanden ausschließlich tagsüber statt, wenn die Kinder im Kindergarten waren und Götz in der Werkstatt arbeitete. Kam er abends nach Hause, hatte Brida alle Spuren beseitigt. Dann lag das geflochtene Haar wieder als Kranz um den Kopf gewunden, dann waren die Hände mit dem Schneiden von Gemüse und die Gedanken scheinbar mit den Kindern beschäftigt.

Götz bemerkte nichts. Er war freundlich und zugewandt, und eben dieses tadellose Verhalten war ihr unerträglich. Und als er ihr an einem schwülen Sommerabend einen Strauß Wiesenblumen vom Jahrtausendfeld mitbrachte, fühlte sie einen Druck in der Brust, der sie beinahe zerriss. Es war, als hänge er die Messlatte höher und höher. Und sie selbst sinke tiefer und tiefer.

Sie stellte die Blumen in die Vase, trat auf den Balkon hinaus und weinte lautlos. Unten spielten die Kinder auf dem kleinen Rasenstück zwischen den Rosensträuchern, die Brida in ihrem ersten Sommer hier gepflanzt hatte. Hermine rollte den Gartenschlauch aus und spritzte Undine nass, die bis dahin nackt im Gras gesessen und Gänseblümchen gepflückt hatte. Beide quietschten vor Vergnügen.

Noch bevor sie zu ihr hinaufsahen, war Brida in die Küche zurückgetreten. Alle Türen und Fenster der Wohnung standen offen; Götz hatte Durchzug schaffen wollen, doch die Luft bewegte sich nicht. Um die aufgeschnittene Wassermelone auf dem Tisch kreisten Fruchtfliegen, gleich mehrere Junikäfer hatten sich verirrt und flogen brummend und ungeschickt gegen Schränke und Fensterscheiben. Sie hörte Götz im Badezimmer duschen und begriff, dass das Glück sich genau in diesem Augenblick in vollem Umfang an sie verschenkte.

Am nächsten Morgen brachte Götz die Kinder morgens in den Kindergarten. Brida ließ das Geschirr auf dem Küchentisch stehen, ignorierte den Wäscheberg im Badezimmer und setzte sich mit Laptop und einer Kanne Kaffee auf den Balkon. Dort rauchte sie eine Zigarette, fasste den Vorsatz, M. nicht wiederzusehen, und öffnete ein neues Dokument.

Sie wählte den Arbeitstitel *Jäger und Gejagte* und begann zu schreiben.

Aus dem ersten Satz ergab sich ein zweiter, und so ging es flüssig weiter, bis das Telefon klingelte. Undine habe sich übergeben, Hermine sei blass und klage ebenfalls über Schmerzen im Bauch, sagte die Leiterin der Kindertagesstätte. Die Kinder müssten sofort abgeholt werden und dürften die Einrichtung erst wieder besuchen, wenn ein ärztliches Attest über ihre Gesundheit vorliege. Es handele sich vermutlich um Rotaviren.

Es war kurz nach zehn Uhr morgens. Auch Götz' Nummer war in der Kita hinterlegt. Wäre alles gutgegangen, hätte Brida noch viereinhalb Stunden arbeiten können. An diesem und auch an den nächsten beiden Tagen nahm sie kaum wahr, was um sie herum passierte. Schlafwandlerisch pflegte sie die Kinder, wusch ihre Betten und Nachthemden nach jedem Brechdurchfall, bei dem sie es nicht bis zur Toilette geschafft hatten. Das Personal des soeben entstehenden Romans begleitete sie, und die Kinder waren zu krank und zu schwach, um sich darüber zu wundern, dass ihre Mutter mit unsichtbaren Menschen sprach.

Am vierten Tag, als Hermine und Undine sich wieder gut fühlten, begann das Wochenende, und das Virus brach auch bei ihr aus. Zwei Tage lang erbrach sie sich, hatte Durchfall und Fieber und schleppte sich vom Schlafzimmer ins Bad und zurück. Götz brachte Tee und desinfizierte alle Gegenstände, die Brida berührt hatte. Tatsächlich blieb er verschont.

Den Montag verbrachte sie noch im Bett, und am Dienstag, als sie ihren Stuhl nah an den Schreibtisch gerückt, den Laptop aufgeklappt und wie stets einen Blick auf das eingerahmte Porträt von Carson McCullers geworfen hatte, legte sie die Finger auf die Tastatur und wartete.

Nichts geschah.

Sie starrte auf den Bildschirm und las die bereits geschriebenen Seiten.

Nichts.

Sie schwitzte und zitterte und hatte das plötzliche und unheimliche Gefühl, nicht mehr sie selbst zu sein. Die vertraute Umgebung ihres Balkons, der Wohnung und des Gartens kam ihr fremd vor, und in diese veränderte Wahrnehmung hinein schickte M. ihr eine obszöne Nachricht auf das Handy.

Sie lachte, dann weinte sie, dann wurden die Gedanken unübersichtlich und schließlich wirr. Der Schädel schien ihr zu platzen. Sie wollte schreien, aber heraus kam nur ein Klagelaut, der mit ihrer Stimme nichts zu tun hatte. Sie zitterte nun so sehr, dass sie sich mit beiden Händen an der Tischkante festhielt und dachte: Das ist ein Nervenzusammenbruch.

Wie lange das Weinen und Zittern dauerte, wusste sie danach nicht zu sagen, weil ihr auch das Gefühl für die Zeit abhandengekommen war. Bis zum Nachmittag lag sie im Bett, die Vorhänge hatte sie zugezogen, und als die Abholzeit nahte, rief sie Götz an und sagte ihm, dass er die Kinder holen müsse.

Erst zur Abendbrotzeit stand sie wieder auf. Sie saß mit Götz und den Kindern am Tisch, bekam aber keinen Bissen herunter.

Gleich nach dem Essen brachte Götz die Kinder ins Bett, ließ für sie ein Hörbuch laufen und kam zurück in die Küche, wo Brida noch immer auf ihrem Stuhl saß. Götz füllte zwei Gläser mit Weißwein, tat in jedes ein paar Eiswürfel, rückte die Stühle auf dem Balkon zurecht und stellte einen Aschenbecher für Brida hin.

Dann hörte er zu, nickte hin und wieder, murmelte mehrmals: *Das verstehe ich,* ließ es aber sein, nachdem Brida *Verdammt noch mal, das kannst du gar nicht verstehen!* gebrüllt hatte.

Es hätte ihr klar sein müssen, dass es nur zwei mögliche Auswege aus diesem Gespräch gab: Die Konsequenz aus dem einen bedeutete das Ende, und das würde Götz – da war sie sich sicher gewesen – nicht geschehen lassen.

Götz sprach in der gewohnt unaufgeregten Weise zu ihr. Seine Überlegenheit war keine intellektuelle, auf diesem Gebiet schlug sie ihn mühelos. Sie gründete sich vielmehr auf eine stabile, emotionale Basis. Es fiel ihm nicht schwer, so zu handeln, wie es gut für ihn war. Er kannte seine Grenzen und übertrat sie nicht.

Natürlich wolle er nicht ihr Unglück und sei sich durchaus bewusst, dass für Brida die Kinder nicht die einzige Aufgabe im Leben sein könnten. So eine Frau sei sie eben nicht. Und sie hörte die Enttäuschung in jedem einzelnen Wort.

Aber?, fragte sie.

Er faltete die Hände und legte sie auf den Tisch, der zwischen ihnen stand. Sein Blick wich ihr aus, doch seine Stimme war fest. *Wie stellst du dir das vor? Ich kann mich nicht die Hälfte der Zeit um die Kinder kümmern. Das ist unmöglich.*

Sein Unterkiefer wurde kantig, und die Muskeln zuckten.

Die Werkstatt und der Laden sind unsere Lebensgrundlage. Du musst dich damit abfinden, für eine gewisse Zeit das Schreiben aufzugeben, und wenn du das nicht akzeptieren kannst, dann müssen wir uns trennen.

*

Hätte es einen anderen Weg gegeben?

Diese Frage stellte sie sich später oft.

In einigen weiteren fruchtlosen Gesprächen wiederholten sie das Thema, und eine neue Seite an Götz trat hervor. Mit Bitterkeit sprach er davon, sich damals ihretwegen von Malika getrennt zu haben. Weil er nur an sie habe denken können. Weil sie dieses verdammte Fleisch geschickt hatte. Weil sie zu einem Zeitpunkt, als er gerade begonnen hatte, sie zu vergessen, mit diesem verdammten Fleisch zurück in sein Leben gekracht war. Dabei sei Malika genau die Frau gewesen, die sich all das, was Brida ablehnte, gewünscht hatte.

*

Die Lösung, auf die sie sich einigten, hieß Nestmodell.

Sie trennten sich, die Kinder aber blieben in der Wohnung, und nur die Eltern wechselten sich ab. Lebte Brida mit den Kindern, schlief Götz in der Werkstatt, für ihre eigene kinderfreie Zeit hatte Brida ein Zimmer in einer Wohngemeinschaft.

Im Moment des Übereinkommens geschah etwas Seltsames. Der Stolz darauf, erwachsen und vernünftig verhandelt und schließlich einen Kompromiss wie diesen geschlossen zu haben, verführte sie dazu, eine Flasche Champagner zu öffnen und miteinander zu schlafen.

Der Sex war intensiver als je zuvor. Er hob sie auf eine neue Ebene.

Alles schien wieder möglich zu sein.

Nur ein einziges Mal noch traf sie M. Sie brauchte ihn nicht mehr.

Für dieses Jahr war es leicht, einen Namen zu finden. Sie nannte es nach sich selbst.

* * *

Ihr Finger liegt auf dem Klingelknopf. Ihr Spiegelbild blickt ihr aus der verglasten Tür entgegen. Eine Irre im Nachthemd. Ganz egal, was sie in diesem Aufzug sagen würde, Götz würde es nicht ernst nehmen können.

Sie dreht sich um und geht zurück.

Die Kinder sind aufgewacht. Aus ihrem Zimmer tönt ein Rihanna-Song. *Like diamonds in the sky,* singt Hermine theatralisch mit, doch als Undine einstimmt, fährt Hermine sie harsch an, und augenblicklich verstummt die piepsige Stimme. Brida öffnet die Tür. *Guten Morgen, meine Süßen,* sagt sie und, an Undine gewandt: *Du darfst natürlich auch singen.*

Ihre Zweitgeborene verhält sich, als versuche sie, ihr ungeplantes Dasein durch Anspruchslosigkeit wiedergutzumachen, während das Wunschkind Hermine seine Forderungen an das Leben durchsetzt. Bei Hermine fällt Brida das Muttersein leichter. Sie macht ihr kein schlechtes Gewissen, weil sie ebenso sprunghaft und zornig sein kann wie Brida selbst. *Wollt ihr Frühstück?,* ruft sie ihnen zu. *Später,* ruft Hermine zurück.

Sie nimmt sich ein frisches Handtuch aus dem Schrank, bindet die Haare zu einem Knoten, zieht den Badeanzug an und streift sich ein Kleid über.

Bin in zwanzig Minuten wieder da, sagt sie laut.

Den Weg zum See geht sie barfuß über die kühle, taubedeckte Wiese, und sie hofft, an diesem Morgen die Einzige zu sein, die schwimmen geht.

Die Blätter der Teichrosen liegen wie kleine, grüne Inseln auf der Wasseroberfläche. Dunkel schweigt der See.

Sie läuft bis zum Ende des Stegs, legt ihre Sachen auf der hölzernen Bank ab und steigt langsam das Treppchen hinunter. Mit jedem Zentimeter, den sie tiefer in das kalte Wasser eintaucht, fühlt sie sich lebendiger, und als sie sich schließlich ganz hineingleiten lässt und die ersten Schwimmzüge macht, spürt sie sich so stark und gut wie lange nicht mehr. Jedes Auftauchen ist wie Hoffnung schöpfen, jedes

Luftholen wie reines Leben atmen. Sie hatte ganz vergessen, wie das war.

Bis zur Hälfte des Sees schwimmt sie zügig und ohne sich umzusehen. Dann dreht sie sich auf den Rücken und schaut in den Himmel. Noch hat die Sonne die Wipfel der Bäume nicht überschritten. Zwei Schwäne ziehen über sie hinweg, Brida fröstelt.

Mit kräftigen Zügen schwimmt sie zurück.

Als sie die Leiter zum Steg hinaufsteigt, zittert sie so stark, dass ihre Zähne aufeinanderschlagen. Sie schält sich aus dem Badeanzug und trocknet sich mit schnellen, kräftigen Bewegungen so lange ab, bis die Haut rot und warm ist. Dann schwankt der Steg von fremden Schritten. Ganz still steht sie. Das Handtuch hat sie sich fest um den Körper gewickelt.

Seine Arme legen sich um sie, seine Hände greifen nach dem Handtuch und ziehen es weg. *Wir müssen damit aufhören,* sagt Götz, *aber ich weiß nicht, wie.*

Götz springt kopfüber in den See und schwimmt zur anderen Seite hinüber. Brida sieht ihm von der Bank aus zu. Sie will nichts von ihm abwaschen. Sie steht auf, nimmt ihre Sachen und läuft zum Haus zurück. Nun freut sie sich auf das Frühstück. Götz, sie und die Kinder werden ohne Svenja am Tisch sitzen. Sie werden eine Familie sein.

In der Nacht hat Svenja eine Blasenentzündung bekommen. Bis zum Morgen saß sie mit Fieber und Schmerzen auf der Toilette. Nun wartet sie bei einem Arzt in der nächstgelegenen Kleinstadt auf die Behandlung.

Brida ist sich sicher, dass Svenja die Krankheit ihr zu verdanken hat. Damals, als Götz noch mit Malika zusammen war und an einem Tag mit ihr und am nächsten mit Brida schlief, war es Brida nicht anders ergangen.

Mit einem dampfenden Kaffee setzt sich Götz zu ihr an den Tisch. Als sein schuldbewusster Blick sie trifft, weiß Brida, dass die Stunden ohne Svenja nur die Illusion einer Möglichkeit sind.

Einst glaubte sie, ihr Dasein bestünde aus Möglichkeiten. Sie müsste lediglich wählen. Doch als die Kinder dazugekommen waren, kristallisierten sich Muster heraus. Regeln forderten Einhaltung. Kein Richter bestrafte die Zuwiderhandlung. Das Leben selbst erledigte dies.

Sie schaut auf die Kinder, dann auf Götz. Er hat sich entschieden – sie kann es sehen.

Hermine plappert munter von dem Fotokurs, an dem sie teilnehmen möchte, und der Fledermauswanderung am Abend. Undine kaut bedächtig ihr Marmeladenbrötchen.

Götz scheint nicht hungrig zu sein. Ab und zu wirft er einen Blick auf sein Handy.

Durch die großen Fenster sieht Brida in den glänzend blauen Himmel hinauf.

Ein idealer Tag beginnt.

*

Noch vor Mittag hat sie ihre Sachen im Auto verstaut und die Schlüssel an der Rezeption abgegeben. Ein letztes Mal geht sie mit den Kindern zum See. Undine nimmt ihre Hand und hält sie sehr fest. Hermine läuft voraus. Sie hatte den Kindern die Wahl gelassen, und beide wollten sie bleiben.

Noch einmal schwimmt sie mit ihnen hinaus, staunt über Hermines Tauchkünste und lobt Undines vorsichtige Sprünge vom Steg.

Den Abschied hält sie kurz. Sie küsst und umarmt die Kinder, dreht sich zu Götz und Svenja um, hebt lächelnd die Hand, steigt ein und fährt davon.

Im Rückspiegel kann sie sie sehen. Wie eine Familie stehen sie am Tor der Ferienanlage und winken wild. Brida hupt, gibt Gas und kann die Straße durch den Schleier der Tränen kaum erkennen. Wie durch dichten Nebel fährt sie in diesen Sommertag.

*

Am frühen Abend parkt sie das Auto vor dem Haus, lässt die schweren Taschen im Kofferraum liegen, leert den überquellenden Briefkasten und steigt die Treppen zur Wohnung hinauf.

Stille und der Geruch von warmer, abgestandener Luft empfangen sie. Sie öffnet die Tür zum Balkon, tritt hinaus, wirft einen Blick auf die verdorrten Blumen in den Holzkästen, dann sucht sie den Himmel nach den Mauerseglern ab. Es ist Anfang August. Sie ist zu spät gekommen – sie sind schon weggezogen.

Sie kocht Kaffee, holt die haltbare Milch aus der Vorratskammer und sammelt die vollen Mottenfallen ein. *Tierfriedhöfe* sagt Hermine dazu. Ihr fällt ein, dass sie den Jahren keine Namen mehr gegeben hatte. *Das Jahr Brida* war das letzte gewesen, und viel Zeit war seither vergangen.

Sie schließt die Türen der Kinderzimmer, um die Unordnung nicht sehen zu müssen, geht zum Schreibtisch, klappt den Rechner auf und öffnet ein neues Dokument.

Die Geschichte, die sie erzählen wird, hat einen glücklichen Anfang und ein glückliches Ende.

Ein Sommer, schreibt sie und fügt in der Zeile darunter *von Brida Lichtblau* hinzu.

Malika

Malika spannt den Bogen.

Sie zieht das Bogenhaar über das Kolophonium, setzt die Geige an und spielt sich mit ein paar Tonleitern warm. Ihre Füße sind nackt und stehen hüftbreit auseinander. Der lange, bunt geblümte Rock schwingt im Takt ihrer Bewegungen.

Seit Tagen schon geistert der Vorschlag ihrer Schwester in ihrem Kopf herum. Ein Vorschlag, wie nur Jorinde ihn machen konnte. Als wäre alles möglich. Als gäbe es keine Grenzen. Als wäre der Mensch ein weißes Blatt Papier, das beliebig beschrieben werden könnte.

Sie hatte abgelehnt. Natürlich. Und doch lässt die Idee sie nicht los.

Die Wolkenfront ist vorübergezogen, und Sonnenlicht fällt auf das tränenförmige Glaskristall vor dem Fenster. Felicitas liegt zwischen zwei Blumentöpfen. Sie räkelt und streckt sich und schlägt dann mit der Pfote nach dem Kristall. Auf dem Bücherregal gegenüber beginnen regenbogenfarbene Punkte zu tanzen.

Malika legt die Geige zur Seite, lockert die Bogenschraube und packt das Instrument in den Kasten zurück. Heute hat das Üben keinen Sinn.

Sie fährt mit dem Finger über die Bücherrücken. Die Spektralfarben auf ihrer Hand zittern im Takt des schwankenden Kristalls. Bei einem schmalen Band hält sie inne. Sie zieht das Buch heraus und schlägt es auf. Gelbe Merkzettel kleben auf zahlreichen Seiten. Malika kennt ganze Passagen auswendig.

Als sie kürzlich vom Erscheinen der Novelle gehört hatte, war sie noch am selben Tag in die Innenstadt zur Buchhandlung geradelt. Sie fuhr die Rolltreppe bis in die erste Etage hinauf und sah die roten Locken der Buchhändlerin hinter einem Büchertisch auftauchen. Ihre Schwangerschaft war nicht zu verbergen und versetzte Malika einen Stich.

Sobald sie Malika erblickte, hob sie die Hand zum Gruß und sagte umstandslos: *Das trifft sich gut! Es gibt was Neues von Ihrer Lieblingsautorin.* Mit ihrem dicken Bauch watschelte sie zu dem Tisch mit den Neuerscheinungen, griff nach einem Buch mit einem dunkelblauen Umschlag und hielt es Malika mit der Bemerkung *Eine große Liebesgeschichte* entgegen.

Kurz darauf verließ Malika den Laden mit einem handsignierten Exemplar von *Ein Sommer.* Bevor sie aufs Rad stieg, fuhr sie mit dem Zeigefinger über den mit blauer Tinte geschriebenen Namen.

Brida Lichtblau.

Sie weiß nicht, wie oft sie *Ein Sommer* nun schon gelesen hat.

In den ersten drei Büchern von Brida Lichtblau trugen die Männerfiguren manchmal Züge von Götz, doch unterschieden sie sich noch zu sehr von jenem Mann, den Malika in jeder Zeile suchte. Erst dieses Buch traf ihn genau.

Sie schlägt *Ein Sommer* an einer beliebigen Stelle auf.

Wieder einmal weinte Oda sich in den Schlaf. Sie unterdrückte ihr Schluchzen, so gut es ging, um durch die dünne Wand, die sie von Hans und Lydia trennte, nicht gehört zu werden.

Malika lächelt. Sie hofft, dass die Fiktion sich mit der Wirklichkeit deckt, dass Brida Oda ist und dass sie so gelitten hat wie Malika.

Selbst nach den vielen Jahren tut es noch weh.

Felicitas spürt alles. Sie springt vom Fensterbrett, kommt angelaufen und drückt sich fest gegen Malikas Beine. Ihr Schwanz steht steil in die Höhe, und ihr Schnurren fordert zum Streicheln auf.

Malika hockt sich hin und krault der Katze das Fell.

Eine gute Stunde bleibt ihr, bis sie in der Musikschule stehen und einer liebenswerten, aber unbegabten Neunjährigen mit ehrgeizigen Eltern dabei zuhören wird, wie sie weit entfernt von einem sauberen Bogenstrich leere Saiten spielt. Manchmal weint das Mädchen. Dann holt Malika eine Tüte mit Kaubonbons heraus und spielt ihr etwas vor.

Danach folgt ein talentierter Siebenjähriger, dessen Aufmerksamkeitsspanne jedoch höchstens fünf Minuten beträgt und den sie mit immer neuen Tricks und Spielen in die Arbeit am Instrument zurückholen muss.

Der Lohn für ihre Geduld heißt Lola – ihre Schülerin mit dem größten Potential. Zwölf Jahre alt, klein und ungewöhnlich fleißig. Ihr meist verbissen zusammengekniffener

Mund lächelt selten, doch wenn sie spielt, entspannt sich ihr Gesicht.

Am Abend dann die Feier bei den Eltern. Seit sie denken kann, wird zum Geburtstag der Mutter Hausmusik gemacht. Der Vater holt die Kollegen ran, und ein Streichquartett ist rasch zusammengestellt. Heute werden sie ein Brahms-Klavierquintett zum Besten geben.

Ihre Schwester und sie bekommen ebenfalls ihren Auftritt. Jorinde singt ein vertontes Gedicht von Else-Lasker Schüler, Malika begleitet mit der Geige, den Klavierpart übernimmt der Vater selbst.

*

Bis zur Wiedervereinigung war die Wohnung ihrer Eltern ein Begegnungsort gewesen, ein Ort der Kultur, in dessen Zentrum Helmut und Viktoria standen. *Die Schöne und das Biest* nannten die Freunde das Paar, und es hatte Zeiten in Malikas Leben gegeben, in denen sie sich vollkommen sicher gewesen ist, kein Kind dieser schillernden Eltern zu sein.

Die zierliche Gestalt ihrer Mutter stand in starkem Kontrast zum Vater – ein schnaufendes Walross mit ansteckendem Lachen. Im Orchester spielte er Cello, aber auch sein Klavierspiel reichte über den Durchschnitt hinaus. Auch Viktoria hatte davon geträumt, Musikerin zu werden. Doch zur klassischen Sängerin hatte die Stimme nicht gereicht, und ihre winzigen Hände konnten kaum eine Oktave greifen, so dass das Klavierstudium ebenso wenig in Frage kam.

Sie war Musikwissenschaftlerin geworden, rezensierte für einen Radiosender die Neuerscheinungen klassischer Musik und lehrte an der Universität.

Ständig gingen Leute bei ihnen ein und aus – Musiker, Maler, Dichter, Radio- und Fernsehmenschen, Ärzte und Universitätsprofessoren. Malika und Jorinde waren dabei, ohne dass sich tatsächlich jemand um sie kümmerte. Jorinde bewegte sich ungezwungen zwischen den vielen Erwachsenen. Sie tanzte und sang und nippte an Gläsern, die herumstanden. Jeder mochte sie, jeder lachte über ihre Faxen. Sie mimte die Eigenarten der Gäste treffend, und keiner hatte einen Zweifel daran, dass die Bühne einmal ihr Zuhause werden würde.

Malika dagegen suchte die stillen Ecken und blätterte ungestört in den großen Bildbänden, die aus Angst vor kindlichen Fettfingern sonst nur unter Aufsicht der Mutter hervorgeholt wurden. Am liebsten hatte sie die Maler der Renaissance und des Barock.

An manchem dieser Abende vergaßen die Eltern, die Mädchen ins Bett zu bringen. Dann schliefen sie dort ein, wo sie gerade saßen, und wachten am nächsten Tag noch vollständig bekleidet in einem verrauchten Zimmer wieder auf. Niemand hatte die Kinder je gefragt, was sie davon hielten.

Nach dem Fall der Mauer wurden die geselligen Zusammenkünfte seltener. Nach der Währungsunion fanden sie für eine Weile gar nicht mehr statt.

Die Neuordnung aller Leben beanspruchte Zeit, die Prioritäten verschoben sich.

Helmut schien den Bedeutungsverlust der Familie Noth gleichmütig hinzunehmen, Viktoria dagegen litt sichtbar.

Auch Jorinde vermisste das laute Leben, die Aufmerksamkeit und Bewunderung der elterlichen Freunde. Die Einzige, die die ungewohnte Ruhe genoss, war Malika.

*

Die Sonne strahlt nun ungehindert.

Malika lässt die Rollos an allen Südfenstern herunter. Der Sommer ist nur für schlanke Menschen ein Genuss.

Im Badezimmer stellt sie die Dusche kalt und braust sich ab. Sie läuft nackt durch die Wohnung und öffnet im Schlafzimmer die Tür ihres Kleiderschranks. Die meisten Kleider sind lang und weit, und die wenigen Hosen haben einen dehnbaren Bund. Sie entscheidet sich für ein schwarzes Seidenkleid mit großen Rosenblüten, nimmt frische Unterwäsche aus einer Schublade und eine lange Perlenkette aus ihrem Schmucketui.

Was sie am Sommer mag, sind die fliehenden Menschen. Die Straßen, Geschäfte und Museen sind angenehm leer. Es kommt vor, dass auf einer sonst stark befahrenen Straße kein einziges Auto zu sehen ist. Manchmal bleibt Malika dann still stehen.

Morgen, das weiß sie schon jetzt, wird sie krank sein. Der Abend wird ihre Kraft verbrauchen. Ihr Körper wird in gewohnter Weise einen Migräneanfall mit Flimmerskotomen und Erbrechen produzieren.

Wenn Jorinde nicht käme, würde sie der Psychosomatik

vielleicht entgehen. Doch ihre Schwester wird kommen. Sie wird ihre Kinder mitbringen und über den Vorschlag reden wollen. Und Ada und Jonne werden wie Versprechen vor Malika stehen.

Sie sucht die Noten für die Schüler zusammen, packt eine Flasche Wasser und einen Deo-Roller ein und holt die Geige. Als sie die Treppen hinuntersteigt, klingelt das Telefon in der Wohnung. Einen Augenblick lang hält sie inne, dann schüttelt sie den Kopf und geht weiter. Auf dem Absatz der ersten Etage klingelt ihr Mobiltelefon. Ohne hinzusehen, tastet sie in ihrer Tasche nach dem Gerät. Es ist Viktoria. Sie solle eher kommen und bei den Canapés helfen.

*

Als die Eltern beschlossen hatten, auch für die Kinder Helmut und Viktoria sein zu wollen, war Malika sechzehn gewesen und Jorinde vierzehn. Wie erwartet hatte Jorinde kein Problem damit gehabt, nicht mehr Mama und Papa zu sagen; Malika dagegen akzeptierte die quasi-freundschaftliche Ebene nur widerwillig.

Die Verkürzung von Viktoria auf Vicky macht sie bis heute nicht mit.

Ihr graut vor dem Moment am Abend, wenn Jorinde und Torben mit den Kindern hereinschneien und mit ausgebreiteten Armen *Vicky* rufen werden. Manchmal, allein in ihrer Wohnung, verballhornt sie Vicky zu Ficki, und dann spricht sie es laut aus, immer wieder.

Irgendwann im Teenageralter begriff Malika plötzlich, warum Viktoria fast jeden Abend unterwegs war, wenn Helmut mit dem Orchester reiste. Oft kam sie erst spät in der Nacht zurück und manchmal erst am nächsten Morgen. Die Vorstellung, dass ihre Mutter sexuelle Bedürfnisse hatte, ekelte sie an. Noch schlimmer fand sie, dass es nicht nur ihr Vater war, der diese Bedürfnisse befriedigen sollte.

Den Höhepunkt bildete ein Ereignis an einem kalten Novemberabend nach der Öffnung der Grenze.

Die Eltern feierten. *Freudbetonte, kollektivbildende Maßnahme* hatte Helmut auf ein Stoffbanner gepinselt, das über der großen Flügeltür zum Wohnzimmer hing.

Die Stimmung war überdreht. Viktoria hatte schon morgens zu trinken begonnen, und noch vor dem Abendessen gab es keinen Gast mehr, der nüchtern war.

Als einer der Letzten tauchte Rüdiger auf. Sie nannten ihn Dachpappen-Rudi, weil er während der DDR-Zeit und trotz Mangelwirtschaft einigen Freunden Dachpappe für ihre Einfamilienhäuser organisiert hatte. Malika mochte ihn. Es schmeichelte ihr, dass sich ein Philosoph und Lyriker mit ihr unterhielt. Er behandelte sie wie eine Erwachsene, obwohl sie gerade erst sechzehn geworden war.

Als er kam, waren alle in der Küche versammelt, insgesamt vielleicht zwanzig Leute. Er stieg gleich ins Gespräch ein, das sich in jenem Augenblick um die einstigen Befürworter des Mauerbaus drehte. Sofort nannte er den Dramatiker Peter Hacks und suchte fieberhaft nach einem bestimmten Zitat.

Helmut, wo steht der Hacks?, rief er, und Malikas Vater antwortete: *Im Hacksalon!*

Der Hacks im Hacks-Salon! Rudi lachte wie ein Verrückter. Und Viktoria lachte mit und schmiss ihren Kopf an seinen Arm, so, als würde sie umfallen, wenn sie ihn nicht als Stütze gebrauchen würde. Und Rudi holte den Hacks aus jenem Raum der Wohnung, in dem der Hackklotz stand und Feuerholzstapel und Bücher alle Wände bedeckten.

Dann diskutierten sie über das, was kommen würde.

Über das Ende der DDR. Über das Ende einer großen Idee. Über das Ende im Allgemeinen und über den Anfang und die Freiheit.

Malika beobachtete ihren Vater, der mehrfach ansetzte, etwas zu sagen, aber nicht zu Wort kam. Wellen von Mitleid rissen sie mit. Er war nicht so euphorisch wie die anderen und nur halb so besoffen. Viktorias beste Freundin Ruth unterbrach ihn ständig. Sie verdrehte die Augen, äffte ihn nach und lachte ihn aus. Die Stimmung wurde immer gereizter. Einige stimmten ihrem Vater zu, der stoisch wiederholte, dass das Land einen eigenen, einen dritten Weg gehen müsse, um nicht gefressen zu werden. Die kleine Gruppe separierte sich und wechselte ins Musikzimmer hinüber. Malika schloss sich an.

Als sie zurückkamen, waren Rüdiger und Viktoria verschwunden. Helmut schaute sich um. Er ging aus der Küche in den Flur und blieb dort eine Weile stehen. Plötzlich setzte er sich ruckartig in Bewegung. Malika folgte ihm unbemerkt.

Er öffnete die Tür zum Hacksalon und sah hinein.

Rüdiger stand mit heruntergelassenen Hosen hinter Viktoria. Ihr Rock lag über ihrem Rücken, sie selbst beugte sich mit gespreizten Beinen über den Hackklotz und keuchte. Ihr Höschen lag auf dem zerkratzten Parkett, gleich neben der Axt.

Helmut schloss leise die Tür, drehte sich um und erschrak, denn da stand Malika. Und sie hatte gesehen, was er gesehen hatte.

In den darauffolgenden Tagen wartete sie vergeblich auf eine Erklärung. Vor jeder Begegnung mit dem Vater schwankte sie zwischen Angst und Erwartung. Sie suchte seinen Blick, doch er wich aus, war mürrisch und schweigsam und wenig zu Hause.

Viktoria schien keinen Zusammenhang zwischen Helmuts schlechter Laune und jener Sache im Hacksalon herzustellen. Sie nannte ihn *Griesgram* und *Brummbär* und lachte dabei.

Zum ersten und einzigen Mal zog Malika Jorinde ins Vertrauen. In umständlichen Worten erzählte sie der Schwester von der verstörenden Beobachtung, doch als Jorinde endlich begriff, verzog sie lediglich das Gesicht und sagte: *Du bist ja pervers. So was würde Vicky nie tun.*

Malika beschloss, alles anders zu machen, als ihre Eltern es getan hatten. Abends im Bett stellte sie sich ihre künftige Familie vor. Sie wäre nicht so besonders, dafür liebevoll und intakt. Jedes Kind würde gleich geliebt werden, keines bevorzugt, keines belächelt.

Zigfach malte sie sich aus, ihr eigenes Baby im Arm zu halten und zu stillen, und je weiter sie in die Zukunft imaginierte, von umso mehr Kindern war sie umgeben. An der

Stelle, wo der dazugehörige Mann auftauchte, schlief Malika in der Regel ein.

∗

Sie schließt die Tür ihres Unterrichtsraums und verstaut den schweren Schlüsselbund in ihrer Tasche. Lola ist wie immer eine Freude gewesen. Sie beklagt sich selbst dann nicht, wenn die Hausaufgaben aus öden Etüden bestehen. Um zwanzig Minuten hat Malika die heutige Stunde verlängert, weil ihr das Mädchen eine eigene Komposition zeigen wollte. Jetzt eilt Malika zum Ausgang und schlägt den Weg zu den Eltern ein.

Auf dem Stadtplan betrachtet, spielt sich der Großteil ihres Lebens in einem spitzwinkligen Dreieck ab. Die größte Entfernung ist die zwischen Elternhaus und Musikschule, die kleinste jene zwischen ihrer Wohnung und der ihrer Eltern.

Es hatte eine Zeit gegeben, in der ein gesünderer Abstand zwischen Malika und den Eltern gelegen hatte, als auch sie zu einem Mann gehörte und die Gründung einer eigenen Familie kurz bevorzustehen schien. Doch seit kein Liebender mehr einen Anspruch auf sie erhebt, tun es Helmut und Viktoria, sooft es ihnen gefällt.

∗

Jorinde war eines Tages wie erwartet fortgezogen.

Statt Berlin hätte es ebenso gut New York sein können – der Unterschied wäre nur gedanklich gewesen.

Als der Brustkrebs bei der Mutter ausgebrochen war, hielt sich Jorinde für Dreharbeiten in Frankreich auf. Malika begleitete all die schweren Wege. Als dem Vater die defekte Aortenklappe entfernt und eine neue, aus Tiergewebe bestehende eingesetzt worden war, wurde Jorindes Sohn Jonne geboren. Es war Malika gewesen, die den Vater täglich besuchte und die Ängste der Mutter beruhigte. Als in die Wohnung der Eltern eingebrochen worden war, blieb Jorinde wegen der Internationalen Filmfestspiele in Berlin, und Helmut und Viktoria hatten größtes Verständnis dafür.

Nichts hatte sich geändert.

Der Liebling, der Stolz und die Freude war stets Jorinde gewesen.

Schon früher, wenn sie gemeinsam aus der Schule kamen, war es Jorinde, die gleich im Korridor rücksichtslos losplapperte. Meistens ging es darum, dass sie etwas unbedingt haben musste. *Das habe ich mir schon immer gewünscht,* sagte sie dann, hängte sich mit beiden Armen an den Hals der Mutter – singend, plaudernd und augenklimpernd –, und obwohl bisher niemand etwas von diesem Wunsch gehört hatte, wurde er mit der Begründung, sie habe es sich ja schon *so lange* gewünscht, erfüllt.

Malika kam erst zu Wort, wenn die Aufmerksamkeit der Mutter längst verbraucht war.

Auch später als Teenager, während jener entsetzlichen Zeit der körperlichen und seelischen Umstülpung, hatte vor allem Jorinde die Eltern auf Trab gehalten. Vereinbarungen interessierten sie nicht, genauso wenig wie Verbote. Sie rauchte, trank und ließ sich heimlich tätowieren. Mit ihren linksradikalen Freunden schmierte und sprühte sie die gängigen Parolen auf sanierte Hausfassaden. Für manches *Bullen klatschen* oder *Deutschland verrecke* war Jorinde verantwortlich.

Doch das Ereignis, das in der Erinnerung der Eltern besonders negativ heraussticht, geht auf Malika zurück.

Am Morgen des Landeswettbewerbs »Jugend musiziert« hatte Malika ihren Geigenbogen zertrümmert. Sie war siebzehn Jahre alt gewesen. Die Solowertungen »Streichinstrumente«, die an der Musikschule Johann Sebastian Bach stattfanden, begannen um zehn Uhr morgens. Ein erster Platz hätte die Teilnahme am Bundeswettbewerb bedeutet, und Malikas Chancen standen nicht schlecht.

Viktoria weckte Malika um fünf Uhr dreißig, damit sie in Ruhe frühstücken und noch ein bis zwei Stunden üben konnte. Um sechs Uhr kam sie noch einmal ins Zimmer, und halb sieben zog sie ihrer Tochter die Decke weg. Als Malika gegen acht noch immer beim Frühstück saß, nahm Viktoria die Geige aus dem Kasten, spannte den Bogen und begann, das Instrument zu stimmen.

Ich übe jetzt nicht mehr, sagte Malika, *ich habe genug geübt.*

Nach diesem Satz folgte die bedrohliche Stille, die Malika kannte. Sie zog den Kopf ein und löffelte mit gesenktem Blick ihr Schokoladenmüsli.

Wie blöd bist du eigentlich, brach es aus Viktoria heraus. *Das ist deine Chance! Die meisten wären froh, einmal im Leben eine solche Gelegenheit zu bekommen, und würden sich vorbereiten, anstatt Müsli in sich hineinzustopfen und dabei fett zu werden. Du könntest ein Star werden, Malika! Ein Star!*

Und damit hielt sie ihr die Geige und den Bogen entgegen, und Malika stand auf, nahm den Bogen und schlug ihn mit voller Wucht gegen die Tischkante.

Sie war selbst überrascht gewesen. Mit dem kaputten Bogen in der Hand stand sie da, vollkommen regungslos. Die Mimik ihrer Mutter war eingefroren. Ihre hübschen, leicht asymmetrischen Züge wirkten fratzenhaft in ihrer Fassungslosigkeit, doch statt einer weiteren Schimpftirade folgte ein kühler Plan.

Ein neuer Geigenbogen musste her. Das Vorspiel war alles, was zählte.

In diesem Augenblick sah Malika den Ausweg. Hätte sie den Wettbewerb gewonnen, wäre alles nur schlimmer geworden.

Und während Viktoria telefonierte, ging sie zurück in ihr Zimmer, schloss die Tür und drehte den Schlüssel herum. Sie legte die von beiden Eltern verhasste Kassette mit Rock und Heavy Metal in den Rekorder und ließ sich auf ihr Bett fallen. *This is not a love song* von PIL dröhnte aus den Lautsprechern und übertönte Viktorias Geschrei, das gleich darauf vor ihrer Tür begann und von heftigem Klinkendrücken begleitet wurde.

In die Geschichte der Familie Noth ging dieser Tag als *Der Tag, als Malika ihr Leben zerstörte* ein.

Es war Jorinde, die Viktorias Träume erfüllte und mit ihrem Abschluss an der Schauspielschule Ernst Busch all die ihretwegen durchwachten Nächte und durchlittenen Sorgen vergessen machte.

Am Ende des Lehramtsstudiums Musik, das Malika dem Geigenstudium nach einer einjährigen Pause angeschlossen hatte, lief sie mit dem Zeugnis gleich zu den Eltern. Sie hatte in allen Fächern Bestnoten erreicht.

Auf dem Weg fiel ihr ein, dass Helmut mit dem Orchester in Asien tourte. Einen Augenblick lang erwog sie, den Besuch zu verschieben. Seit bei Viktoria die Wechseljahre eingesetzt hatten, schwankte ihre Stimmung mehr noch als gewöhnlich. Ohne Helmut als Dämpfer war die Streitgefahr größer. Doch ein Studienabschluss mit diesen Noten musste selbst ihre Mutter freuen.

Sie lief schneller, klingelte dreimal kurz hintereinander, nahm statt des Fahrstuhls die Treppen und schob sich an ihrer Mutter vorbei in die Wohnung. Statt einer Begrüßung starrte Viktoria Malika fragend an. Sie war ungeschminkt und trug einen Handtuchturban auf dem Kopf.

Komme ich ungelegen?, fragte Malika.

Nein, nein, murmelte Viktoria und schloss die Tür.

Malika warf ihre Tasche ab, holte das Zeugnis heraus und hielt es ihrer Mutter entgegen. *Ja, gleich.* Viktoria ging den Flur entlang ins Badezimmer und kam kurz darauf gekämmt und mit einem geordneteren Ausdruck im Gesicht zurück. *So, jetzt*, sagte sie.

Sie griff nach dem Zeugnis und suchte hektisch nach ihrer Lesebrille, die an einem Band um ihren Hals hing. Nachdem sie sie aufgesetzt und mehrmals zurechtgerückt hatte, strich sie mit übertriebener Sorgfalt einen leichten Knick an der rechten oberen Ecke des Papiers glatt. Erst dann schien sie wahrzunehmen, worum es sich handelte. Ihre Augen bewegten sich langsam von oben nach unten und von links nach rechts. Sie nickte, dann sagte sie: *Musiklehrerin ... wenn man bedenkt, was du hättest werden können.*

Der Migräneanfall, der sofort nach ihrer Ankunft zu Hause einsetzte, war heftiger als gewöhnlich. Die extreme Sichtfeldverengung zwang sie, sich kriechend zur Toilette zu bewegen. Sie übergab sich dreimal, schaffte es bis ins Schlafzimmer, hievte sich in ihr Bett und blieb bewegungslos liegen.

Sie wünschte, dass ein so kraftvolles Gefühl wie Hass ihr die richtigen Worte eingegeben hätte. Aber als sie vor ihrer Mutter gestanden hatte, war nichts als eine tiefe, lähmende Enttäuschung in ihr gewesen.

*

In den nächsten Wochen verließ Malika die Wohnung nur zum Einkaufen. Der erste Anruf ihrer Mutter begann mit dem Satz *Nun sei doch nicht so empfindlich!* und endete mit einer halbherzigen Entschuldigung. Alle weiteren ignorierte sie.

Sie schaute alle Staffeln einer amerikanischen Arztserie, aß, worauf sie Lust hatte, hörte auf, sich die Haare zu waschen, und ließ die Geige in ihrem Kasten. Als sie im Supermarkt einer Bekannten begegnete, die neugierig auf ihren Bauch schielte, kam Malika ihr mit den Worten *Ich bin nicht schwanger, ich bin nur fett* zuvor.

Allmählich geriet sie in einen sichtbaren Zustand der Verwahrlosung. Heul- und Fressattacken wechselten sich ab, und manchmal kauerte sie in einer Ecke der Wohnung und stellte sich vor, dass ihre Leiche erst gefunden würde, wenn sich Nachbarn über den Gestank beschwerten. Obwohl sie müde war, schlief sie kaum, was sie schließlich zu einem Arztbesuch veranlasste. Die frei verkäuflichen Mittel zeigten keine Wirkung, und Malika hoffte auf ein Rezept für ein stärkeres Medikament.

Zu ihrem Bedauern gab es im Wartezimmer der Praxis Dr. Judith Gabriel nicht ein einziges Exemplar der Klatschpresse. Die Zeitschrift *Cicero* war in Benutzung einer älteren Dame, und auf das *Rondo Magazin für Klassik und Jazz* hatte sie keine Lust.

Aus zwei Lautsprechern tönte leise Klaviermusik – Bach, die *Französischen Suiten*. Der ganze Raum hing voller Bilder eines hochmütig blickenden Pferdes. Selbst über dem Tresen der Arzthelferin prangte ein Porträt des Gauls. Mal schimmerte sein Fell goldbraun im Abendlicht, mal wirkte es fast schwarz.

Malikas Antipathie für Frau Dr. Gabriel wuchs. Sie mochte weder Pferde noch Pferdemenschen.

Ihre ganze Familie war nach der Pensionierung des alten Dr. Uhlenbrock von der jungen Ärztin übernommen worden. Malika hatte mehrfach darüber nachgedacht zu wechseln. Judith Gabriels Blick enthielt die übliche Verachtung, die sie von disziplinierten, sportlichen Menschen kannte. Sie hielten Übergewicht für einen Ausdruck von Schwäche und Maßlosigkeit, bestenfalls von Krankheit. Einmal empfahl die Gabriel unverhohlen ein neueröffnetes Fitnessstudio.

Doch die sichtbar straffe Organisation der Praxis hielt die Wartezeiten kurz, und fachlich schien Frau Dr. Gabriel gut zu sein.

Ein Mann betrat die Praxis. Um seine linke Hand war ein Handtuch gewickelt. Das Blut sickerte heraus und lief an seinem Arm herab. Er wartete geduldig, bis die Sprechstundenhilfe ihr Telefonat beendet hatte, erklärte dann, er sei Tischler und sei mit der Holzsäge abgerutscht, und bat schließlich darum, im Wartezimmer Platz nehmen zu dürfen. Als die Arzthelferin das Blut sah, lief sie zu ihrer Chefin.

Keine zwei Minuten saß er neben Malika, da rief ihn die Gabriel auch schon herein. Er stand auf, lächelte, zuckte entschuldigend die Achseln und verschwand im Behandlungsraum.

Malika war wie betäubt. Ihr Blick war fest auf die Stelle gerichtet, wo er gesessen hatte. In der Polsterung der Bank war eine kleine Einwölbung zu sehen, und sein Geruch hing noch immer in der Luft.

Dann flog die Tür wieder auf, und die forsche Stimme von Judith Gabriel rief: *Siegrun!* Die Arzthelferin ließ alles stehen und liegen und rannte hinein.

Am liebsten wäre Malika mitgegangen.

Die Erregung, die seine körperliche Nähe in ihr ausgelöst hatte, war stark. Das Kribbeln im Unterleib so glühend, dass sie beide Hände gegen den Bauch presste. Sie stellte sich vor, seine Frau zu sein, malte sich aus, wie die Gabriel zu ihnen beiden sprechen und Malika Hinweise für die Pflege der verletzten Hand geben würde.

Dann ging die Tür des Behandlungszimmers auf, und er kam heraus. Ohne sie anzusehen, nahm er am Tresen ein Rezept entgegen, verabschiedete sich und verließ die Praxis.

*

Etwa eine Woche später stand er vor ihr an der Kinokasse. Malika hatte die Wartezeit in der Schlange genutzt, um ihre Schüler darüber zu informieren, dass in den nächsten vierzehn Tagen kein Geigenunterricht stattfinden würde. Ihr war die Vertretung eines Geigers in einem größeren Orchester angeboten worden. Vermutlich hatte der Vater die Hände im Spiel gehabt.

Sie tippte in ihrer bedächtigen Art eine wortreiche Erklärung in ihr Smartphone und nahm einen schwachen Geruch war.

Er war es. Sie wusste es, ohne aufzuschauen.

Er stand direkt vor ihr, und genau wie sie war er allein unterwegs.

Malika zählte jede vor ihnen stehende Person wie die Ziffer eines Countdowns herunter. Kurz bevor er dran war, beschloss sie, ihm in jeden Film zu folgen.

Dann war es so weit, und für einen Augenblick lähmte die Enttäuschung ihr Denken. Er kaufte einen Geschenkgutschein im Wert zweier Karten. Aus der Hosentasche holte er eine zerknautschte lederne Geldbörse und zahlte.

Ein weiteres Mal würde sie ihm nicht zufällig begegnen. *Wie geht es Ihrer Hand?*, fragte sie hastig, als er sich abwandte. Überrascht blieb er stehen. *Sie saßen in der Arztpraxis neben mir.*

Und so begann, was anders hätte beginnen sollen, denn nichts lag Malika ferner, als zu erobern.

∗

Ohne Anstrengung aß sie weniger und bewegte sich mehr. Kollegen machten ihr Komplimente, und zum ersten Mal nahm sie die vielen positiven Rückmeldungen ihrer Schüler und deren Eltern ernst. Sie sah sich selbst durch die Augen anderer, und was sie sah, gefiel ihr.

Es kam ihr vor, als gebe es mehr Licht, mehr Schönheit, mehr Freundlichkeit. Und obwohl sie wusste, wie wenig Wert die Bewunderung eines Laien besaß, tat ihr Götz' Begeisterung gut. Immer wieder war er von ihrem Geigenspiel beeindruckt. Er hörte zu, wenn sie übte, betrachtete die Notenblätter auf dem Pult und sagte kopfschüttelnd: *Wie findest du dich in dem Chaos nur zurecht.*

Die Zeit des Alleinseins war vorbei. Mit der Kraft seiner Liebe bewegte sie sich mühelos in die Richtung ihrer besten Eigenschaften.

Später musste sie sich eingestehen, die Vorsicht vergessen zu haben. Beim ersten Treffen mit den Eltern war neben dem Glück in ihrem Leben die jüngste Kränkung durch ihre Mutter verblasst.

Tatsächlich hatte sie geglaubt, dieses eine Mal ihrer Schwester gegenüber im Vorteil zu sein. Weder Viktoria noch Helmut nahmen Jorindes Freund Torben besonders ernst. Zu dessen Antrittsbesuch im Hause Noth war auch Malika gekommen. Es begann mit der unheilversprechenden Erklärung, Torben stamme aus einem antiautoritären Elternhaus. Wie in einer Choreographie drehten sich Helmut und Viktoria mit hochgezogenen Augenbrauen einander zu und lächelten synchron.

Nach dem Essen, das Torben nutzte, um sie alle über ökologisch korrektes Leben zu belehren, und das gereicht hätte, um Helmuts Sympathie zu verspielen, testete er die Grenzen noch weiter aus. Er behauptete, in einem Unrechtsregime wie der DDR wäre er in den Widerstand gegangen.

Helmut lachte dröhnend. Dann stand er auf, schlurfte kopfschüttelnd ins Musikzimmer hinüber und begann ohne weitere Erklärung, den Cello-Part des Schubert-Trios in es-Dur zu üben, das er im Rahmen eines Hausmusikprogramms zu spielen beabsichtigte.

Er kam den Rest des Abends nicht wieder heraus, und Viktoria spülte ihren Ärger darüber mit Rotwein hinunter.

In Erinnerung dieser Szene war sich Malika sicher, mit Götz nichts falsch machen zu können.

Am Nachmittag rief er von unterwegs an.

Er fragte nach Viktorias Lieblingsblumen und Helmuts Alkoholvorlieben und erschien kurz darauf mit einem Strauß Hortensien und einem schweren spanischen Rotwein. Zum ersten Mal sah sie ihn in weißem Hemd und Sakko, und wieder einmal fragte sie sich, wie dieser schöne Mann ihr Freund hatte werden können.

Gemeinsam radelten sie durch den Park, und während der ganzen Fahrt sprachen sie lebhaft über ein Buch, das beide gelesen hatten. Es hieß *Die Kraft positiven Denkens*. Während sie Götz von den Stellen erzählte, die sie am meisten beeindruckt hatten, ertappte sie sich bei dem Gedanken, ihren Eltern gegenüber davon besser zu schweigen.

An der Gegensprechanlage erklang Helmuts Stimme.

Ja?, sagte er, und Malika antwortete: *Wir sind's.*

Wer, wir?, fragte Helmut.

Götz und ich, Papa.

Ach! Das ist heute?

Bevor sie antworten konnte, hörte sie ihn in die Wohnung hineinrufen: *Vicky! Malika ist da. Sie hat ihren Freund dabei.* Dann trat Stille ein.

Ein paar Sekunden später ertönte der Türsummer.

Helmut stand im Türrahmen. *Na, dann kommt rein,* brummte er.

Er ging voraus und sagte im Gehen und ohne sich umzuwenden: *Möbelrestaurator also! Wir hätten da auch ein paar Stücke mit kleinen Defekten.*

Kann ich mir gern ansehen, antwortete Götz.

Viktoria kam aus der Küche geschossen und breitete die Arme aus. *Willkommen!*, rief sie. Normalerweise erledigte sie jede Art von Hausarbeit in ihren besten Kleidern, doch an diesem Tag trug sie eine Schürze. Sie war unbefleckt, und die Faltkanten waren noch deutlich sichtbar. Sie musste sie soeben aus der Verpackung genommen haben.

Das improvisierte Abendessen bestand aus Tomatensalat mit zu vielen Zwiebeln, Röstbrot und Rührei. *Großartige Eier*, sagte Helmut schmatzend.

Götz ließ sich nichts anmerken. Sie sah die Lustlosigkeit in den Augen ihrer Eltern, sah dann auf die prachtvollen Blumen und den teuren Wein und spürte Wogen aus Enttäuschung und Mitleid.

*

Das erste und einzige Treffen mit beiden Elternpaaren fand statt, als Malika und Götz ein knappes Jahr zusammen waren. Der Termin war dreimal verschoben worden, und die Gründe dafür lagen jedes Mal bei Viktoria und Helmut.

Götz und Malika holten seine Eltern vom Hotel ab und liefen zum Restaurant. Erst wenige Tage zuvor hatte Helmut scherzhaft gedroht loszulachen, sobald die Schwaben das Wort *Geld* oder *sparen* fallenlassen würden. In Anbetracht dieser Aussicht war Malika ein Zusammenkommen auf neutralem Boden sicherer erschienen.

Der Spaziergang vom Hotel zum Lokal führte an Nikolaikirche und Thomaskirche vorbei. Malika erzählte von Felix

Mendelssohn Bartholdy, der maßgeblich an der Wiederauf-
führung des zeitweise vergessenen Bach beteiligt gewesen
war und ihm als Erster ein Denkmal gestiftet hatte. Die Besichtigung dieses ältesten Bach-Denkmals bedeutete lediglich einen kleinen Umweg, doch Götz' Vater sah auf die
Uhr und sagte: *Also ich habe jetzt Hunger.* Die Mutter
nickte zustimmend und hakte sich bei ihm ein. Das Thema
war erledigt.

Noch während der Begrüßung stellte Götz' Vater klar, dass
er sie alle einlade, und nachdem die Getränke bestellt und
die Speisen gewählt waren, sagte er mit einem seltsamen
Stolz in der Stimme, seine Frau und er seien erst zweimal
in den neuen Bundesländern gewesen. Und heute sei das
zweite Mal.

Pro Jahrzehnt Wiedervereinigung einmal, erwiderte
Helmut, wandte sich dann sogleich an Viktoria und fragte:
*Wie oft waren wir schon im Westen, Vicky? Siebzig-, acht-
zigmal?*

Viktoria warf in einer übertriebenen Geste ihr Haar zurück und begann laut zu rechnen. *An die hundertzwanzig-
mal werden es wohl gewesen sein,* stellte sie fest. Sie lächelte,
und ihre Grübchen und die winzigen Fältchen um die grünen Augen waren so hübsch, dass es Malika einen Stich gab.
Götz' Mutter antwortete rasch: *Da haben wir wohl ein
bisschen was nachzuholen.*

Den restlichen Abend redeten sie aneinander vorbei.

Während Viktoria hartnäckig versuchte, dem Gespräch
durch gezielte Themensetzung eine gewisse Tiefe zu verlei-
hen, erzählten Götz' Eltern die Werdegänge ihrer drei an-

deren Kinder. Sie plauderten über die jüngst geborenen Enkel, den Umbau des Hauses und die Vor- und Nachteile von Jahreswagen. Helmut langweilte sich schon bei der Vorspeise. Er scharrte unruhig mit den Füßen, ging mehrfach vor die Tür, um zu rauchen, und verwickelte Götz in ein seltsames Gespräch über Holzwürmer.

Auch Viktoria sah sich genötigt, über ihre Töchter zu sprechen. Allerdings waren es hauptsächlich Jorindes Erfolge, die aufgezählt wurden. Die süße Enkeltochter Ada, die jüngste Rolle in einem Fernsehfilm der ARD und die zahlreichen weiteren Angebote, zwischen denen Jorinde wählen konnte. Die Erwähnung des Fernsehfilms ließ Götz' Mutter aufhorchen. Sie hatte den Film gesehen, und augenblicklich schlich sich Unterwürfigkeit in ihr Verhalten ein.

Helmut und Viktoria warfen sich vielsagende Blicke zu.

Malika hatte keinen Zweifel: Das Hausfrauenleben von Götz' Mutter, ihre Ehrfurcht vor einer Fernsehschauspielerin und ihre Unkenntnis des Ostens würden Helmut und Viktoria die halbe Nacht als Gesprächsstoff dienen. Leider hatte Götz' Vater das Wort *Geld* dann doch recht häufig in den Mund genommen. Spott und Frotzelei hatten die Eltern schon immer verbunden.

Götz schien ihre Verspannung gespürt zu haben. Er legte seine Hand in ihren Nacken, und ein angenehmer Schauer fuhr ihr über den Rücken.

Mit ihm konnte Malika nichts passieren. Der Einfluss ihrer Eltern endete dort, wo seine Liebe begann.

* * *

Sie biegt ab in das Blumengeschäft, das ihre Mutter bevorzugt. Mit der Geige auf dem Rücken, der Tasche über der Schulter und einem Arm voll prächtiger Hortensien setzt sie ihren Weg durch den Spätsommernachmittag fort. Der Schweiß läuft ihr zwischen den Brüsten und am Rücken hinab. Sie hasst die staubige Hitze der sterbenden Jahreszeit, sie hasst die Trockenheit und die welken Blätter, das verbrannte Gras und die Müdigkeit allen Lebens. Die Platanen, die ihren Weg säumen, werfen massenhaft die alte Rinde ab. Hell und ungeschützt stehen ihre Stämme, und ein wüstenwarmer Wind wirbelt früh gefallene Blätter auf. Malika kneift die Augen zusammen und biegt ins Musikviertel ein.

Vicky wird leuchten, wenn auch nicht mehr so schön wie früher. Niemand spricht sie noch mit ihrem Spitznamen an. Sie hat sich ihren Anspruch auf *Die Schöne* längst weggeraucht und weggetrunken. Die Verzweiflung über das Verblühen manifestiert sich im Badezimmer.

Für jede einzelne Zone des Körpers steht dort eine Creme und für die besonders heiklen Bereiche, wie die Partie um die Augen, ein zusätzliches Fluidum. Algenextrakte, Hyaluronsäure, Aloe Vera und Vitamin A sollen Viktorias dünne, fast durchscheinende Haut polstern und nähren. Die Sorgfalt und die Zeit, die sie ihrem welkenden Körper angedeihen lässt, rühren Malika. Hinter den Tiegeln und Töpfchen der teuren Kosmetika wohnt die Angst. Auch ihre Mutter ist zerbrechlich.

Helmut scheint das Älterwerden nicht zu bekümmern.

Auf der Ablage seines Waschbeckens stehen lediglich ein

Becher mit seiner Zahnbürste, eine Schale mit Rasierseife, ein Rasierpinsel und ein Nassrasierer. Sein feistes Gesicht ist praktisch faltenfrei.

Malika öffnet die Haustür.

Seit ihre Eltern krank gewesen waren, hat sie einen eigenen Schlüssel. Mit einem Knopfdruck ruft sie den Fahrstuhl, der ihr nun hinter dem schmiedeeisernen Jugendstilgehäuse entgegenfährt. Die Räume oben sind nicht mehr dieselben wie jene, in denen sie aufgewachsen ist. Mit der Sanierung des Hauses wurden die riesigen Wohnungen geteilt. Drei Jahre lang hatten die Eltern ein paar Straßen weiter gelebt, waren dann aber zum zehnfachen Mietpreis in die verkleinerte Wohnung zurückgekehrt.

Im Fahrstuhl strafft sie sich und denkt an das Bild, das ihr der Psychotherapeut in ihrer letzten Sitzung mit auf den Weg gegeben hat. Darin trägt sie einen unsichtbaren Schutzanzug, der alles Verletzende abfängt und alles Wohlwollende durchlässt.

Sie steckt den Schlüssel ins Schloss der Wohnungstür, öffnet und tritt ein.

* * *

Gab es etwas Schöneres als diesen Moment?

Sie stand in der Küche und kochte.

Durch das Westfenster fiel Abendlicht auf den gedeckten Tisch. Stoffservietten lagen auf den Tellern, die Wasserkaraffe mit den Edelsteinen war gefüllt.

Dann sein Schlüssel im Schloss, seine Schritte im Korridor. Sie drehte sich nicht um. Sie wartete darauf, dass seine Hände ihre Schultern berührten, er ihre Haare zur Seite strich und ihren Nacken küsste.

Es gab nichts Schöneres als diesen Moment.

Seit mehr als zwei Jahren waren sie ein Paar. Etwa eineinhalb Jahre wohnten sie schon zusammen in der sonnigen Dreiraumwohnung nicht weit vom Laden und der Werkstatt entfernt.

Das Ungleichgewicht in ihrer Liebe störte Malika nicht. Vom ersten Augenblick an war ihr Gefühl für Götz unerschütterlich gewesen.

Sie war die treibende Kraft der ersten Begegnungen.

Sie hatte den Zeitpunkt des Zusammenziehens bestimmt.

Dabei teilten sie nicht alles.

Die klassische Musik erreichte ihn lediglich auf einer emotionalen Ebene. Er las Reiseberichte und Bücher über alternative Lebensformen, kannte aber keinen einzigen der großen Romane der Literaturgeschichte. Seine Klugheit war von anderer Art, als Malika sie von zu Hause kannte. Sie gründete sich auf Erfahrung, Wahrnehmung und die Erlebnisse in den Jahren seiner Gesellenwanderschaft.

Im Bett wollte er Dinge, die sie nicht mochte. Und er wollte sie oft und heftig. Nicht einmal ihre monatliche Blutung hielt ihn davon ab, ihren Körper im hellen Tageslicht zu erkunden. Seine Neugier ließ sie erstarren, seine offen ausgesprochenen Wünsche beschämten sie.

Am liebsten nahm sie ihn im milden Licht der Abenddämmerung in sich auf, still und mit geschlossenen Augen. Wenn sich sein Atem beschleunigte und sein ganzer Körper anspannte, dann gab auch Malika ein paar lustvolle Laute von sich.

Der Wunsch nach einem Kind wurde mit Götz zu einem mächtigen Trieb, und dass Jorinde ihr zuvorgekommen war, verstärkte ihn noch.

Im Laden entdeckte sie das Kinderbett. Es stammte aus einem alten bayrischen Bauernhaus. Sie strich mit beiden Händen über das geschwungene Kopfteil, über die zart gemalten Enzian- und Edelweißblüten, und als Götz zu ihr herantrat, seine Arme von hinten um sie legte und *Was denkst du gerade?* fragte, sagte sie: *Dieses Bett soll unser Kind bekommen.* Statt zu antworten lachte er, nahm ihre Hand und zog sie nach hinten in die Werkstatt.

*

Zwei Jahre später stand das Bett noch immer an seinem Platz. Jeder konnte es vom Gehweg aus durch die Schaufensterscheibe sehen. Mehrfach hatten Kunden nach seinem Preis gefragt, und immer hatte Götz das Gleiche geantwortet: *Das Bett ist unverkäuflich.*

Inzwischen war zum Ende ihres Zyklus hin jeder Gang auf die Toilette von Angst begleitet, jedes Ziehen im Unterleib ein Vorzeichen kommender Enttäuschung. Und wenn Malikas Hoffnung auf ein Kind wieder einmal in Menstruationsblut ertränkt worden war, lag sie oft stundenlang bei zugezogenen Vorhängen im Bett.

Auch an jenem schwülen Sommertag war es so gewesen.

Am frühen Abend hörte sie wie immer seine Schritte im Korridor. Sie nahm den Auberginenauflauf aus dem Backofen, streifte die Kochhandschuhe ab, zündete ein Streichholz an und hielt es an den Docht der Kerze auf dem Tisch. Gleich würde sein Bart in ihrem Nacken kratzen, und seine warmen Lippen würden ihre Haut berühren. Dann wäre der Schmerz besänftigt.

Er rief ein *Hallo* zur Tür herein, ging dann aber an der Küche vorbei ins Badezimmer.

Malika drehte sich um.

Im Korridor blickte sie auf seine Schuhe, die er achtlos im Weg hatte stehen lassen. Die Badezimmertür war verschlossen. Das Wasser lief, sie stand still und horchte.

Als das Rauschen verstummte, ging sie rasch in die Küche zurück. Gleich darauf kam er herein, doch statt der gewohnten Zärtlichkeiten gab er ihr lediglich einen flüchtigen Kuss auf die Wange.

Beim Essen erwähnte er, dass sich erneut eine Kundin für das Bett interessiert hatte. Er erwähnte ein ausbrechendes Gewitter, als er wie üblich *Das Bett ist unverkäuflich* gesagt hatte, erinnerte sich sogar an den Namen der jungen Frau und schüttelte, während er ihn aussprach, lächelnd den Kopf: *Brida Lichtblau.*

Ihr Puls stieg an, ihr Mund wurde trocken, und ihre Wahrnehmung verengte sich auf seine Mimik, seinen Blick. Eine entsetzliche Angst ergriff sie.

*

Kurz darauf entdeckte Malika beim Wechseln der Bettwäsche eine Packung Kondome in dem Spalt zwischen Bettrahmen und Matratze. Sie hatten schon lange nicht mehr verhütet. Über das Kinderthema waren sie sich einig gewesen. Nichts in Malikas Leben war bedeutsamer, und so warf sie die Kondome kurzerhand weg.

Noch am selben Abend suchte Götz nach ihnen.

Er brauche eine Pause von dem Zeugungsdruck, erklärte er aufgebracht. Er habe das Gefühl, sie schliefen nicht mehr um der Lust willen miteinander, sondern nur noch mit dem Ziel einer Schwangerschaft.

Abermals stieg die Angst in ihr auf. Und es quälte sie der Verdacht, dass hinter seiner Verweigerung etwas anderes steckte.

Sie schwieg, als er begann, sich sorgfältiger zu kleiden.

Sie schwieg, als seine Reisen sich häuften und dehnten und er bei seiner Rückkehr nicht hungrig nach ihr war.

Und sie fragte nicht nach dem Grund, als er begann, sein Telefon zu Hause stumm zu schalten und bei sich zu tragen.

Nachts rissen Alpträume sie in finstere Welten.

Wachte sie auf, war ihr übel vor Angst.

Sie konnte Götz nicht verlieren.

* * *

Malika!

Viktoria kommt auf sie zugelaufen und umarmt sie. Der leichte Alkoholgeruch in ihrem Atem mischt sich mit dem

Gestank einer soeben gerauchten Zigarette. Sie nimmt die Blumen entgegen, steckt ihre Nase in eine Blütendolde, atmet übertrieben tief ein und rennt in die Küche.

Die Zahl der Gäste ist übersichtlich. Einige gewohnte Gesichter fehlen.

Es sind jene, die sich mit Helmuts Art zu denken schon immer schwergetan haben. Die Empörung, wenn er seine ketzerischen Fragen stellte, war stets gewaltig gewesen. Malika hat es oft erlebt.

Ist die spätkapitalistische westlich-liberale Gesellschaftsordnung wirklich das beste System?, warf er lustvoll in eine fröhliche Runde. *Sollte jeder Idiot das Wahlrecht haben? Was haltet ihr von einem weisen König?*

Alle, die in diese Richtung nicht einmal denken wollten, schimpfte er je nach Grad ihrer Verweigerung *kleingeistig, geistfeindlich* oder *geistlos*. Aber erst seit die Medien über Ostdeutschland herfielen und es den Menschen zum Vorwurf machten, dass sie die Demokratie beim Wort nahmen, hatte die Spaltung zwischen den Freunden zu so manchem Kontaktabbruch geführt. Mit den Übriggebliebenen spricht Helmut, wie ihm der Schnabel gewachsen ist.

Malika erblickt Viktorias beste Freundin Ruth und deren Mann Karl-Ursus, den serbischen Klarinettisten Milovan mit seiner Frau Una und den russischen Geiger Wassilij mit gesamter Familie. Sie begrüßt die polnische Bratschistin Agata, die Musikredakteurin Viola Lenz und den grau gewordenen Rüdiger, den schon lange keiner mehr Dachpappen-Rudi nennt.

Im Musikzimmer steht eine kleine Gruppe neuer Leute.

Ein tadellos gekleideter Mann mit randloser Brille, dessen Gesicht keine auffälligen Merkmale aufweist, reicht ihr die Hand.

Es freut mich sehr, Sie kennenzulernen, sagt er und stellt sich selbst als Bertram Weißhaupt vor.

Kurz durchfährt es sie. Seine Stimme ähnelt der von Götz. Sie hört aufmerksam zu, als er erzählt, wie viel Freude ihm der Kammermusikabend mit den Schubert-Streichquartetten im Gohliser Schlösschen gemacht habe. Malika war eine der Mitwirkenden gewesen. Sie schien ihn beeindruckt zu haben, und offenbar versteht er etwas von Musik.

Während Viktoria mit einem Tablett Sektgläser von Gast zu Gast geht, spricht Bertram Weißhaupt weiter. Hin und wieder fasst er sich mit dem linken Zeigefinger an die Brille und lächelt schüchtern. Etwas Linkisches ist in seiner Haltung. Wie eingeknickt steht er vor ihr. Bestimmt würde er sie nicht mehrmals pro Woche mit dem Bedürfnis nach Sex behelligen. Vielleicht ist dieser schmalgliedrige Mann das Beste, was ihr passieren kann.

Als der Vater vorschlägt, das Gespräch im Sitzen weiterzuführen, folgt sie ihnen in die Küche und nimmt neben Bertram, der ihr noch im Gehen das Du anbietet, Platz.

* * *

Sie wartete in einem Hauseingang.

Bewohner kamen und gingen. Manche sahen sie misstrauisch an, andere hielten ihr die Tür auf oder fragten, zu wem sie wolle.

Den Laden ließ sie nicht aus den Augen. Einmal trat

Götz mit zwei Männern vor die Tür, verabschiedete sich per Handschlag und ging gleich wieder hinein. Dann geschah lange nichts.

Zweimal schon hatte sie halbe Nachmittage in unterschiedlichen Hauseingängen gestanden und gewartet. Das erste Mal war es der Regen, der sie zum Abbruch gezwungen hatte, das zweite Mal das Nachdenken über Würde.

Dieses Mal hielt nichts sie auf.

Noch vor Ladenschluss kam er heraus. Er hatte die Kleidung gewechselt, hängte das *Geschlossen*-Schild in die Tür, trug sein altes Rad hinein und erschien gleich darauf mit dem Rennrad über der Schulter. Er lehnte es an die Wand, schlang die Lederklemme, die Malika ihm zum Geburtstag geschenkt hatte, um das rechte Hosenbein, stieg auf und fuhr los.

Malika hielt nur mühsam mit seiner Geschwindigkeit mit. Zweimal überquerte sie auf riskante Weise Straßen, um ihn nicht zu verlieren.

Sie folgte ihm die Gießerstraße entlang auf die Karl-Heine, raste ihm die Josephstraße bis zum Lindenauer Markt hinterher und sah ihn schließlich in ein Haus schräg gegenüber der Nathanaelkirche gehen.

Dort, am hinteren Teil der Kirche, zwischen zwei dichten Büschen und einer Mauer, suchte sie sich einen Platz.

Etwa eineinhalb Stunden später verließ er das Haus in Begleitung einer Frau.

Sie berührten sich nicht, standen jedoch dicht beieinander und sahen sich in die Augen. Dann schlossen sie ihre Fahrräder von einem Laternenpfahl los und fuhren auf getrennten Wegen davon. Beide drehten sich noch einmal um und winkten sich zu.

Die Frau trug einen bunt geblümten Glockenrock und ein tief dekolletiertes schwarzes Oberteil. Ihre dunkelblonden Haare lagen in einem geflochtenen Kranz um den Kopf. Ihr Körper war fest und kompakt, ihre Bewegungen federnd. Wenn sie im Stehen fuhr, bewegte sich ihre Hüfte geschmeidig hin und her.

Vor einer Drogerie hielt sie an. Sie lehnte das Fahrrad an eine Hausmauer, zog ihr Telefon aus der Handtasche, las eine Nachricht und lächelte. Dann tippte sie selbst etwas, packte das Telefon zurück in die Tasche und ging hinein.

Bei den Gesichtscremes blieb sie stehen. Sie entschied sich für ein teures Bioprodukt, ging weiter zur Haarpflege, wo sie ein Haaröl in den Korb legte, das sie zu kennen schien. Weiter packte sie eine Nusskernmischung und zwei Tafeln Bitterschokolade ein.

An der Kasse stellte sich Malika, die lediglich eine Packung Kaugummi samt abgezähltem Geld aufs Band legte, so dicht hinter sie, dass sie die blonden Härchen im Nacken der Frau sehen konnte. Mit den straffen, schmalen Schultern und dem leichten Hohlkreuz sah sie aus wie ein überspannter Bogen.

Kassenzettel?, fragte die Verkäuferin.

Nein, vielen Dank, den Kassenzettel brauche ich nicht, sagte die Fremde. Ihre Stimme war kratzig und dunkel.

Malika schaute zu, wie sie ihre Einkäufe in eine schwarze Stofftasche packte, auf der *Kulturbeutel* stand, wie sie ein paar widerspenstige Haare aus der Stirn strich und mit kleinen, kapriziösen Schritten den Laden verließ.

Zweifellos gehörte sie zu jenen Frauen, die Götz gewöhnlich als anstrengend bezeichnete und zu denen er sich dennoch hingezogen fühlte. Frauen, die ohne Aufmerksamkeit nicht existierten, die selbst den Gang zum Supermarkt in einen Bühnenauftritt verwandelten.

Draußen legte sie den Stoffbeutel in den Fahrradkorb, stieg auf und fuhr davon.

Malika schob ihr Rad. Die für den frühen Abend angesetzte Probe ihres Kammerorchesters würde sie absagen müssen. Auch in der Musikschule würde sie sich krankmelden. Es war unvorhersehbar, was in den kommenden Tagen geschehen würde.

Als sie die Treppen zu ihrer Wohnung hinaufgestiegen war und die Tür geöffnet hatte, trat sie in den Korridor und stand still.

Götz kam aus dem Badezimmer.

Ich dachte, du unterrichtest, sagte er und küsste sie auf die Wange. Um seinen Hals hing ein Handtuch, sein Haar war nass. Er wich ihrem Blick nicht aus.

Alles in Ordnung?, fragte er, während er sich die Haare trockenrubbelte.

Malika trat dicht an ihn heran und sagte zu ihrer eigenen Überraschung: *Ich bin schwanger.*

* * *

Bertram hält die Hand über sein Glas. Seine Finger sind lang und dünn.

Ach kommen Sie!, sagt Viktoria hartnäckig. Menschen, die nicht trinken, sind ihr suspekt. Mit irritiertem Blick und nach einem kurzen Griff an seine Brille murmelt Bertram: *Aber nur einen kleinen Schluck.*

Zufrieden füllt Viktoria das Glas bis zur Hälfte mit Wein, und Bertram fährt mit seinen Ausführungen über die Milchmädchenrechnung der Bundesregierung fort, nach der die Massen an schlecht ausgebildeten, selbst in ihrer eigenen Sprache oft nur unzureichend alphabetisierten Zuwanderer unsere künftigen Renten erwirtschaften sollen.

Sein Faktenwissen ist umfangreich, nicht einmal Helmut kann folgen. Malika sieht ihrem Vater die Anstrengung an seinen zuckenden, herabhängenden Mundwinkeln an und richtet ihren Blick wieder fest auf Bertram.

Anders als Götz ruft er lediglich kühles Interesse in ihr hervor, gemischt mit einer leichten Skepsis. Die neuen Freunde ihres Vaters haben eines gemeinsam: Sie halten Reden und stellen selten Fragen. Ihr Weltbild wirkt geschlossen, sie scheinen eindeutige Antworten auf nahezu alles zu haben. Wie ihr Vater da hineinpasst, weiß sie nicht. Den Überzeugten hat er nie getraut.

Eine Weile hört sie zu, dann geht sie die eigene Ansprache durch, die sie Jorinde später zu halten beabsichtigt. Am Anfang stünde das *Nein!* zu dem Kind. Davon ausgehend, würde sie all die Ungerechtigkeiten auffächern, die sie ihretwegen von den Eltern zu erdulden gehabt hatte. Und ganz zum Schluss würde sie sagen: *Warum fragst du nicht Viktoria? Die kennt sich mit dem Loswerden von Kindern aus.*

Es ist ein Schmerz, der nie vergeht.

Keine drei Wochen nach Malikas Geburt hatten Viktoria und Helmut sie mitsamt einem Koffer voller Kleider und Windeln zu Viktorias Mutter ins Erzgebirge gebracht. Ihr ganzes erstes Lebensjahr war Malika bei der Großmutter geblieben. Viktoria setzte ihr Studium fort und besuchte ihr Baby angeblich, sooft es ging. Glaubt man der Großmutter, geschah dies etwa alle drei Monate, also insgesamt viermal. Nach der Rückkehr zu den Eltern wurde Malika jeden Tag gegen sechs Uhr morgens in der Kinderkrippe abgegeben und gegen achtzehn Uhr am Abend wieder abgeholt.

Das Frühchen Jorinde dagegen wurde ein halbes Jahr gestillt und in dieser Zeit kein einziges Mal in fremde Obhut gegeben.

All das und noch mehr würde Malikas *Nein!* enthalten.

Entschuldigt mich kurz. Helmut steht auf und geht in seinem typischen Schleppschritt Richtung Badezimmer. Malika schaut ihm nach. Sie hofft, dass er schnell zurückkommt.

Ich bewundere Künstler wie deinen Vater und dich, sagt Bertram, *aber ich bin Wirtschaftswissenschaftler. In der Welt der Zahlen und Fakten fühle ich mich wohler.*

Ich bin keine Künstlerin, erwidert Malika, *ich bin Handwerkerin meines Instruments.*

Schon damals mit Götz war ihr der Unterschied wichtig gewesen. Er hatte den Abstand überbrückt und ihre Berufe auf gleiche Ebene gestellt.

Das ist interessant, sagt Bertram und beginnt, über die Kunst als Erzieherin der Menschen zu referieren, und seine

Rede verzweigt sich, bis Malika nicht mehr folgen mag. Sie nickt und lächelt und denkt an Götz. Sein schönes Gesicht steht vor ihr. Mit ihm war kein Bemühen nötig gewesen. Sie hatte ihn einfach lieben können.

* * *

Als das magische Wort verklungen war, konnte Malika es noch immer hören. Es war aus ihr herausgekommen, ohne dass sie etwas damit zu tun gehabt hätte.

Schwanger?, fragte Götz.

Ja, sagte sie.

Aber wir haben doch verhütet.

Ja, sagte sie, *manchmal passiert es eben trotzdem.*

Er nickte stumm, nahm sie in die Arme und hielt sie fest.

*

Eine Weile kam er pünktlich nach Hause. Er war freundlich und zugewandt, wenn auch still und nachdenklich.

Der Grund ihres häufigen Weinens ließ sich gut hinter der Schwangerschaft verstecken. Selbst ihre Anhänglichkeit war problemlos auf Hormone zurückzuführen.

Das Kind schien die Rettung zu sein.

Nur gab es kein Kind, und in der Hoffnung, die Lüge in Wahrheit zu verwandeln, schlief Malika fast jeden Tag mit ihm.

An dem Tag, als ihre Periode einsetzte, hatte Götz die Wohnung früh verlassen. Der Transport und der Aufbau eines

Kleiderschranks standen an. Beim Frühstück hatte er von dem alten Stecksystem geschwärmt. Das Möbel aus dem neunzehnten Jahrhundert kam ohne eine einzige Schraube aus. Mit halbem Ohr hatte sie ihm zugehört, hatte ihn begeistert von *Nuten* und *Keilen* reden hören, während in ihrem Unterleib das typische Ziehen begann.

Nachdem die Wohnungstür ins Schloss gefallen war, legte sie sich ins Bett zurück und schloss die Augen. Sie spürte, wie das Blut in Schüben aus ihr floss, wie es warm an ihren Pobacken herunterlief und ins Laken sickerte.

Später fuhr sie mit der Straßenbahn zur Praxis ihrer Gynäkologin. Dort, auf dem Gehweg vor dem Haus, blieb sie stehen, rief ihn an und bat ihn, sie abzuholen.

Zu Hause bezog er das Bett neu, brachte ihr Tee und setzte sich zu ihr. *Beim nächsten Mal geht es gut,* sagte er, *eine Fehlgeburt ist nichts Ungewöhnliches.*

*

Dann häuften sich die Abende, an denen er erst spät nach Hause kam, erneut. Auch seine Reisen dehnten sich wieder aus. Ein paarmal war Malika kurz davor, ihn zur Rede zu stellen, doch die Rettung der Liebe lag in der Fähigkeit wegzusehen. Helmut hatte es genauso gemacht. Er hatte den Blick abgewandt und geschwiegen.

Während der Zeit seiner Untreue nahm Malika stetig zu, und bei jedem Blick in den Spiegel wuchs ihr Hass auf die andere Frau. Krankheiten kamen und gingen nahtlos ineinander über. Das Leiden wurde alltäglich.

Eines Nachts erwachte Malika von einem Lärm. Götz lag sturzbetrunken im Korridor. Er war gegen den Schuhschrank gekracht und stöhnte.

Den Rest der Nacht verbrachte er auf dem Fußboden vor der Toilette. Hin und wieder stemmte er sich hoch und hängte den Kopf über die Schüssel, so lange, bis nichts mehr rauskam. Sie säuberte den Toilettendeckel und wischte ihm mit einem feuchten Lappen die Spuren aus dem Gesicht.

Den nächsten Tag verschlief er, und am Abend kam es ihr vor, als sei sie aus einem Traum erwacht. Sie stand im Schlafzimmer mit dem Rücken zum geöffneten Fenster. Alles fühlte sich nah und echt an. Der Nebel, der sie lange umgeben hatte, war verschwunden.

Götz blickte sie an. Er streckte den Arm nach ihr aus. In seinen Augen war Dankbarkeit.

*

Die folgenden Wochen waren viel zu glücklich.

Wegen der Sommerferien öffnete er den Laden nur wenige Stunden am Tag. Die Arbeit in der Werkstatt ließ er ruhen. Morgens schliefen sie aus und frühstückten gemeinsam, an den Nachmittagen radelten sie zum Kulkwitzer See und schwammen bis auf die andere Seite hinüber. Auf einem Wiesenhang mit Apfelbäumen lagen sie nackt in der sinkenden Sonne und sprachen endlich wieder über Dinge, die in der Zukunft lagen.

Die Affäre war vorbei.

Sie war sich sicher.

*

An ihrem letzten gemeinsamen Abend hatte Götz ein großes Stück Fleisch auf den Tisch gelegt.

Kannst du das zubereiten?, fragte er. *Es ist Wild. Frisch
geschossen.*

Woher hast du es?, fragte Malika, während sie das Fleisch
aus dem beschichteten Papier wickelte.

Von einem Kunden, antwortete er und ging ins Bad hinüber.

Ist es Reh oder Hirsch?, rief sie ihm hinterher.

Ich glaube, es ist Hirsch, rief er zurück.

Du weißt es nicht?

Nein.

Sie stutzte. Der Götz, den sie kannte, hätte den Kunden
gefragt. Er hätte sich die ganze Geschichte der Jagd ange-
hört und um Details gebeten.

Sie nahm das Fleisch in beide Hände und fühlte, dass es
innen noch gefroren war. Frisch geschossen, wie er behauptet hatte, konnte es nicht sein.

Ihr Puls stieg an.

Die einzige Zubereitung von Wild, die sie kannte, war ein
Bratenrezept mit Rotweinsauce und Preiselbeeren. Für die
Zutaten schickte sie Götz noch einmal los. Er zog seinen
dunkelgrünen Parka über, steckte die Geldbörse in die hin-
tere Hosentasche und trat ins Treppenhaus. Dort hielt er
inne, kam zurück und griff nach seinem Telefon, das auf
dem Garderobentisch lag.

Der Verstand stellte keine sinnvolle Verbindung zwischen
dem Fleisch und dem Telefon her. Doch ihr Instinkt schlug
Alarm, und ihr Magen krampfte wie damals, als es begann.

Sie legte ihre warmen Hände um das Fleisch. Das eisige Innere taute. Ein dünnes rotes Rinnsal tropfte von der Tischkante auf ihr Kleid. Jeder Gedanke drängte in dieselbe Richtung. Und am Ende jedes Gedankens stand ein Bild.

Noch einmal würde sie das Wegsehen nicht schaffen.

Dann fiel ihr Blick auf die Wanduhr. Er hätte längst zurück sein müssen. Der Laden lag keine fünfhundert Meter entfernt. Sie stand auf, wischte sich die Hände an ihrem Kleid ab, nahm ein Messer aus dem Block und stieß die Klinge in das Fleisch. Immer wieder.

Als er kam, war es dunkel.

Malika saß still auf ihrem Stuhl.

Es tut mir leid, sagte er, *aber ich kann so nicht weitermachen.*

* * *

Bertram redet eindringlich auf den Vater ein. Sein Gesicht, das Malika anfangs so nichtssagend erschienen war, wirkt nun hart und entschlossen.

Seit Helmut von der Toilette zurückgekommen ist, zeigt Bertram kein erkennbares Interesse mehr an ihr.

Sie schaut zu Viktoria hinüber, die neben Ruth im Türrahmen lehnt. Malika schnappt ein paar Worte auf, Namen von klassischen Sängern und Musikern. Vermutlich geht es um die letzten Händel-Festspiele, deren Konzerte Viktoria nahezu vollständig besucht hatte.

Fragen wir meine Tochter, sagt Helmut plötzlich und

schlägt die Hand auf den Tisch. *Gibt es eine natürliche Be-stimmung für Frau und Mann? In einer Neuordnung der Gesellschaft muss diese Frage geklärt werden.*

Malika lächelt. Auch Bertram kommt um Helmuts Lieb-lingsthema nicht herum.

Welche Neuordnung der Gesellschaft?, fragt sie, um Zeit zu gewinnen.

Die bevorstehende, springt Bertram Helmut bei. *Die Diktatur der Moralisten wird nicht ewig halten. Die Welt wird wieder konservativer, und Männer und Frauen müssen ihre Rollen wieder klarer voneinander abgrenzen.*

Wäre alles so gekommen, wie sie es sich gewünscht hatte –

Doch so ist es nicht.

An Helmut gewandt, sagt sie eine Spur zu scharf: *Un-sinn! Welche natürliche Bestimmung sollte das sein?*

Als es deinen schwäbischen Handwerker noch gab, hast du anders geredet, kontert Helmut.

Und?, fragt sie. *Was wollt ihr mit kinderlosen Frauen wie mir machen? Ins Kloster stecken? Zwangsverheiraten?*

Ihr Vater lacht. *Warum nicht,* antwortet er und nimmt einen großen Schluck aus seinem Weinglas. Bertram schüt-telt energisch den Kopf. *Nein,* sagt er, *so war das nicht ge-meint. Es geht um die Verschiedenheiten, die wir anerken-nen sollten, und um die Grenzen unserer Selbstbestimmung.* Auch Malika widerstrebt der Gedanke, dass der Mensch sich selbst und die Welt nach Belieben formen könne, doch während sie nach den richtigen Worten sucht, schrillt ein Mobiltelefon. Bertram greift in die Innentasche seines Sak-kos. Er drückt den Anrufer weg und legt das Telefon auf den Tisch. Das Hintergrundbild zeigt einen Dobermann mit glänzendem Fell.

In diesem Moment betritt Jorinde die Küche.

Malika spürt, wie die Spannung aus ihrem Körper weicht.

Helmut steht auf. Er breitet die Arme aus und wartet, bis Jorinde sich anschmiegt. *Mein Kätzchen*, sagt er mit zärtlicher Stimme und schaut über sie hinweg Richtung Korridor. Doch weder Torben noch die Kinder sind dabei. Jorinde ist allein gekommen.

Für einen Moment schließt Malika die Augen und hält sich an den therapeutischen Rat. Statt sich mit Jorinde zu vergleichen, setzt sie sich in Bezug zu ihrem alten Ich. Sie sieht, wie weit sie sich entwickelt hat, was sie erreicht hat, dass eine beliebte Geigenlehrerin aus ihr geworden ist.

Erst dann erhebt sie sich und geht aufrecht auf ihre Schwester zu.

※

Jorinde sitzt auf dem Balkon. Allein. Malika hätte ihr folgen können, doch das Gespräch mit Bertram war interessant geworden. Während sich die Gäste nun in der Küche um den Tisch mit den Canapés drängen, geht sie hinaus. Im Badezimmer verriegelt sie die Tür und setzt sich auf den Rand der Wanne. Bertram hatte ihr eindeutig zugelächelt, als sie sich an den Hungrigen vorbeigeschoben hatte. Geistig scheint er ihr näher zu sein als angenommen. Die Übereinstimmungen hatte sie augenzwinkernd zusammengefasst. *Nicht alles Neue ist gut. Nicht jeder Fremde kommt friedlich. Nicht jede Grenze engt ein.* Er hatte erleichtert genickt, dann war sie aufgestanden.

Den Vergleich mit Götz besteht er dennoch nicht.

Als sie damals, an einem kaltblauen Novembertag, aus der psychiatrischen Klinik entlassen wurde, hatte sie die Zukunft klar vor sich gesehen.

Vicky und Helmut warteten neben einem abgedeckten Flügel und einer Oase tropischer Grünpflanzen. Patienten hingen schlaff in den überall verteilten gelben Kunstledersesseln und starrten auf die Displays ihrer Smartphones. Malika ging Stufe für Stufe die Treppe hinab und dachte, dass ihr Leben ab sofort eine aussichtslose Suche sein würde. Noch einmal so lieben könnte sie nicht. Und weniger lieben wollte sie nicht.

Nach ihrem Umzug half ihr ein gleichförmiger Rhythmus aus Arbeit, Therapie und geregelter Freizeitgestaltung. In den kommenden zwei Sommern fuhr sie sogar hin und wieder zum See hinaus, zum Wiesenhang mit den Apfelbäumen. Sie schwamm bis zum anderen Ufer und zurück. Götz sah sie kein einziges Mal.

Als die Erinnerungen sich nicht mehr bleiern über jedes bisschen Gegenwartsglück legten, sah sie den Aufsteller vor ihrer Stammbuchhandlung. Die Frau auf dem Bild war Brida Lichtblau. Ihr Buch hieß *Lebensmuster*.

Am Abend der Buchpremiere war Malika sich sicher gewesen, ihn zu treffen. In der ersten Reihe. Stolz auf seine Frau, die dort an einem Tisch saß und lesen würde. Sie suchte die

Stühle ab. Vorn rechts erkannte sie Frau Dr. Gabriel. Daneben nahm die Buchhändlerin mit den roten Locken Platz. Götz fehlte.

Ihr Blick ging erneut umher. Er war nicht da.

Vom Inhalt des Buchs bekam sie kaum etwas mit. Die Gedanken standen nicht still. Seine Abwesenheit konnte alles bedeuten, und dieses *Alles* enthielt auch die Chance auf einen neuen Versuch. Doch Bridas Worte am Schluss der Lesung zerschlugen die Hoffnung. Sie danke ihrem Mann Götz, der heute leider nicht dabei sein könne, weil ihre kleine Tochter krank sei.

Am nächsten Vormittag fuhr Malika zum Laden und blickte durch die Schaufensterscheiben. Das Bett war weg. Sie radelte weiter zur Buchhandlung und holte sich ein Exemplar von *Lebensmuster*.

Seither liest sie alles, was Brida Lichtblau schreibt. Jede männliche Figur trägt Züge von Götz. Näher kommt sie ihm nicht.

Laut der Buchhändlerin ist Malika Bridas größter Fan.

Sie stellt sich vor den Spiegel, türmt die Haare zu einem hohen, lockeren Dutt und trägt Lippenstift auf. Es muss ein Ende haben. Sie weiß es.

Durch das Milchglas in der Badezimmertür sieht sie jemanden stehen. Ein letzter prüfender Blick, dann tritt sie in den Korridor.

Gehen wir ins Schlafzimmer, sagt sie zu Jorinde, *da stört uns keiner.*

Vor dem Jorinde-Schrein bleiben sie stehen. Er ist vollgestopft mit kleinen Strickjacken und Stramplern aus ihrem ersten Lebensjahr, ihrem ersten Paar Schuhe, ihrer Lieblingspuppe Lilli, diversen Kuscheltieren, einem Stoffsäckchen mit Murmeln, einem Schuhkarton mit Schreibheften, Bildern und Aufsätzen aus den höheren Schuljahren.

Die sichtbaren Erinnerungen an Malikas Kindheit hat Viktoria gründlich getilgt. Es existieren weder Babykleidung noch Spielzeug, nur ein paar Zeichnungen und Briefe aus der Grundschulzeit und zwei Urkunden über die Teilnahme an unbedeutenden Geigenwettbewerben.

Hast du noch mal darüber nachgedacht? Jorinde blickt sie angstvoll an.

Wie klein ihre Schwester ist. Ihre Präsenz im Film und auf der Bühne hat nichts mit körperlichen Attributen zu tun. Es ist vielmehr eine von innen nach außen wirkende Selbstsicherheit.

Und ja. Sie hat nachgedacht.

Ganze Nächte hatte Malika konkrete Situationen durchgespielt. Hatte sich gefragt, was sie tun würde, wenn Jorinde ihr Kind zurückverlangte. Hatte sich vorgestellt, was das Kind tun würde, wenn es später erführe, dass seine Tante in Wahrheit seine Mutter war. Hatte sich auch die Reaktionen der Eltern, der Kollegen und Freunde ausgemalt. Und jedes Bild, jede Antwort war ein schlagendes Argument gegen Jorindes Plan.

Dennoch hatte sie den schmerzhaften Wunsch verspürt, dieses Kind als ihr eigenes großzuziehen.

Jorinde setzt sich auf die Kante des Elternbetts, verbirgt ihr Gesicht in den Händen und weint. Die Schluchzer kommen von tief drinnen; ihr Körper bebt.

Malika blickt schweigend auf sie herab. Auf Bühnentränen fällt sie nicht herein. Zu oft hat sie die theatralischen Auftritte ihrer Schwester miterlebt. Jorinde reibt sich die verheulten Augen und wischt den Rotz am Ärmel ihres Kleids ab.

Setz dich wenigstens zu mir, sagt sie.

Ein paar Sekunden sitzen sie still nebeneinander.

Meine Ehe ist am Ende, sagt Jorinde tonlos, *und du bist noch immer wütend auf mich.* Sie schaut Malika an. *Auf die Eltern müsstest du wütend sein, nicht auf mich. Ich war nur ein Kind. Deine kleine Schwester.*

Dann legt sie ihren Kopf in Malikas Schoß und greift nach ihrer Hand.

Über Malikas Gesicht laufen Tränen. Sie schaut zur Tür. Viel Zeit haben sie nicht. Viktoria wird bald nach ihnen suchen.

Das hier ist ein Anfang, nur weiß sie noch nicht, wovon. *Gib mir ein paar Tage,* sagt sie. *Ich komme nach Berlin. Und dann reden wir.*

Jorinde

Jorinde legt den Finger auf die Klingel.

Sie zieht die Mundwinkel nach oben und macht große Augen. Sie weiß, wie sie das innere Strahlen erzeugt. Jetzt muss es lediglich bis in die dritte Etage halten.

Der Summer ertönt, sie rennt die Treppen hinauf und nimmt bei jedem Schritt zwei Stufen gleichzeitig. Die Wohnungstür oben ist angelehnt. Als ihr die Mutter im Korridor entgegenkommt, breitet Jorinde die Arme aus, eilt ihr entgegen und ruft mit ihrer tiefsten und sichersten Stimme: *Alles Liebe zum Geburtstag, Vicky!*

Keine drei Stunden sind vergangen, seit Torben dicht vor ihr gestanden und gebrüllt hatte, sie sei vollkommen verrückt. Krank und durchgeknallt und irre. So eine Idee könne nur jemand haben, der aus einer gestörten Familie komme. Als er sich ausgetobt hatte, stieß er erschöpft hervor, sie könne allein zu ihrer bescheuerten Mutter und ihrem Nazivater fahren, die Kinder und er blieben in Berlin.

Jorinde war gegangen.

Hatte völlig abwesend in der Tram zum Hauptbahnhof gesessen, war wie ferngesteuert durch den Bahnhof gelaufen und die Rolltreppen hinunter zu den tiefliegenden Gleisen 1 und 2 gefahren. Auf der gesamten Strecke Berlin–Leipzig starrte sie aus dem Zugfenster, statt ihren Text für die bevorstehenden Dreharbeiten zu lernen. Eine Nebenrolle in einem *Tatort,* immerhin.

Während die vertraute Landschaft vorüberzog, entschied sie sich für eine Krankheit als Ausrede dafür, dass ihre Familie nicht bei ihr war. Dann kreisten ihre Gedanken um das, was sie mit Malika besprechen muss.

Wo sind meine Süßen?

Viktoria tritt einen Schritt zurück. Sie schaut halb skeptisch, halb vorwurfsvoll. Ohne zu zögern, erzählt Jorinde von einem grassierenden Virus in der Schule. Sie schmückt die Geschichte mit ekligen Details aus, die Vickys Interesse wie erwartet ersticken.

In der Küche sitzt Malika mit dem Vater und einem anderen Mann am Tisch. Jorinde kennt ihn nicht, doch ein Blick genügt. Uninteressant. Helmut steht auf. *Mein Kätzchen,* sagt er, als sie sich an ihn schmiegt. Und ein zweites Mal ersetzt die Geschichte mit dem Virus die unschöne Wahrheit, dass ihre Ehe am Ende und sie zum dritten Mal schwanger ist.

Als sich gleich darauf die weichen Arme ihrer Schwester um sie schließen, möchte Jorinde nur noch weinen.

Seit sie denken kann, kämpft sie um Malikas Liebe.

Wie oft hatte sie vor der verschlossenen Kinderzimmertür ihrer Schwester gestanden. Hatte geklopft und gebettelt und wütend dagegengetreten, wenn Malika wieder einmal *Verschwinde, ich muss üben!* gezischt hatte. Dann war sie zur Mutter gerannt, hatte sich trösten lassen und schlecht über Malika gesprochen.

Der Blick ihrer Schwester sagt ihr, dass sie ihre Meinung nicht geändert hat. Dennoch. Einen letzten Versuch ist es wert.

Die drei am Tisch setzen ihr Gespräch fort. Mit einer Flasche Limonade stellt sich Jorinde ans Fenster und tut so, als gäbe es da draußen etwas Sehenswertes.

Nur eine Gesellschaft, die die Gemeinschaft höher schätzt als das Individuum, bleibt widerstandsfähig, sagt der farblose Mann neben Malika.

Was man an der DDR *gut sehen kann,* wirft Malika ironisch ein.

Das Scheitern der DDR *hat andere Gründe,* entgegnet er, *die friedliche Revolution –*

Das war keine friedliche Revolution, unterbricht ihn Helmut, *das war eine kapitalistische Restauration. Das Volk hat seine Seele an den Konsum verkauft, und keiner hat es davor bewahrt.*

Wie immer die ganz großen Themen. Helmut kann nicht anders. Sie schaut in den angrenzenden Park hinüber. Früher haben sie dort die Eichhörnchen gefüttert. Manche fraßen ihr aus der Hand, so zutraulich waren sie. Einmal hatte Malika in einem dieser besonderen Momente in die Hände geklatscht und das Tier in die Flucht geschlagen. Jorinde weinte fürchterlich, und Malika durfte eine ganze Woche nicht in die Schwimmhalle gehen, obwohl das Schwimmen damals ihr Liebstes war.

Am Tisch geht es jetzt um Zuwanderung. Zum Glück ist Torben weit weg. Er würde Dinge sagen, für die sie sich schämte, und Helmut würde milde lächeln. Torben fehlt jedes bisschen politische Vernunft, und Helmuts Güte macht alles nur schlimmer.

Die weltanschaulichen Differenzen zwischen ihr und ihrer Familie haben sich verringert. Sie ist keine Antifa-Aktivistin mehr. *Opportunistisch, gesichtslos* und *feige* hatte Torben sie deswegen genannt.

Vicky wirbelt herum und schenkt ungefragt Alkohol nach. Sie ist erst zufrieden, wenn die meisten Gäste so betrunken sind wie sie selbst. Trotz des Make-ups schimmert ihre Nase rot. Seit vielen Jahren trinkt ihre Mutter zu viel. Sie leidet unter den sichtbaren Auswirkungen und trinkt weiter, um sie zu vergessen.

Du stehst ja ganz allein hier, sagt sie und schimpft deswegen mit Helmut. Aber Jorinde will sich nicht dazugesellen. Sie hat keine Lust auf politische Diskussionen.

Anfänglich war auch sie von Helmuts neuen Ansichten, denen Vicky in der Regel beipflichtet, befremdet. Die Toleranz ihrer Freunde und Kollegen endet in der Mitte des politischen Spektrums. Sie sind linksliberal und kosmopolitisch, woraus sich zwangsläufig die Verachtung von Nationalismus und Abgrenzung ergibt. Das mantraartige Wiederholen ihres moralisch hohen Standpunkts erstickt die Zweifel, die dennoch keimen.

Den neuen Konservatismus der Eltern nahm sie zunächst nicht ernst. Ein Generationenkonflikt. Nicht mehr und nicht weniger. Doch nun, bei genauerem Hinsehen, erscheint ihr Helmuts und Vickys Gesinnungswandel weniger widersprüchlich. Den Fortschrittsoptimismus, der nach der bedingungslosen Westanbindung in den Neunzigern eingesetzt hatte, teilten sie nie. Vielleicht war Jorinde den Eltern damals näher gewesen als angenommen. Heute kann sie sich nirgends mehr verorten. Während Torben links außen zu Hause ist, sucht sie vergebens nach einer Heimat.

Jorinde würde Torben kein zweites Mal heiraten. Sie hatte ihn bei der Arbeit an einem der Freien Berliner Theater getroffen. Es funkte sofort. Die innere Unruhe, die ihn trieb, jagte auch sie. Die Angst, etwas Wesentliches zu verpassen, sorgte dafür, dass sie immer zu den Ersten gehörten, die im Rausch versanken, und immer unter den Letzten waren, die ein Fest verließen. Der Hunger nach Leben wurde dennoch nie gestillt.

Sie soffen, vögelten, rauchten schachtelweise Zigaretten und kamen oft zu spät zur Probe. Der Kontakt nach Hause beschränkte sich auf Vickys gelegentliche Anrufe. Dann plauderte Jorinde in einem Tempo, das keine Zwischenfragen erlaubte, über das großartige Theaterleben, den kurz bevorstehenden Durchbruch und die außergewöhnliche Begabung ihres Freundes. Es war das, was Vicky hören wollte und was sie später herumerzählen konnte. Die Rolle des Problemkinds hatte Malika schon besetzt.

Helmut belächelte Torben von der ersten Begegnung an, aber Jorinde hielt an ihm fest. Der wichtigste Grund dafür war das Würmchen in ihrem Bauch, das am Tag von Torbens Antrittsbesuch bei den Eltern noch keinen Millimeter groß war und von dem noch keiner wusste.

Ada war die Notbremse. Von einem Tag auf den anderen hörte Jorinde auf zu rauchen. Sie trank keinen Alkohol mehr und glättete die Wogen, die sie vorher aufgeworfen hatte. Als sie im Hechelkurs, wie Torben die Geburtsvorbereitung abfällig nannte, auf Vera traf, waren die zügellosen Tage auch für die Zukunft gezählt. Ihre Casting-Agentur wurde Jorindes Sprungbrett zum Film.

Torben machte weiter wie gehabt. Erst die sichtbare, hörbare, fühlbare Ada hielt ihn eine Zeitlang in der Spur, und in der Zuversicht jener Phase heirateten sie.

Später jedoch, als die Jahre und die Kinder eine Anpassung der Wünsche an die Wirklichkeit erforderten, verweigerte er sich. Kompromisse ging er kaum ein, schon gar nicht beruflich. Seine als Ehrlichkeit getarnte Taktlosigkeit kostete ihn zahlreiche Freundschaften und berufliche Chancen.

Gegenüber den Eltern verteidigt sie Torben noch immer. Einen Irrtum wie diesen gibt niemand gerne zu. *Was für ein Schaumschläger!,* hatte Helmut nach dem ersten Treffen gesagt, und seine Einschätzung bestätigte sich immer wieder aufs Neue.

Ihr Mann ist ein fast ein Meter neunzig großes Kind, das trotz all seiner Fehler bedingungslos geliebt werden will. Nur ist sie nicht seine Mutter.

Auch ihrer Schwester hat sie die volle Wahrheit über den Zustand ihrer Ehe bisher verschwiegen.

Aus den Augenwinkeln beobachtet sie Malika und den Mann mit den kalten Augen. Der feine Schwung seiner Lippen steht in merkwürdigem Kontrast zum oberen Teil seines Gesichts. Je länger sie ihn anschaut, umso bemerkenswerter erscheint er ihr. Wenn sie wollte, könnte sie seine Aufmerksamkeit auf sich lenken, doch nicht einmal dazu hat sie Lust.

Sie muss mit Malika sprechen. Die Zeit drängt, und das letzte Telefonat hatte unschön geendet. *Warum kümmert sich Torben nicht um seinen Spross?*, hatte Malika wissen wollen.

Weil das Kind nicht von ihm ist.

Malikas Stimme wurde hart. *Wie konnte das passieren? Es gibt doch Verhütung.*

Und Jorinde hatte patzig gefragt, ob sie es noch nie erlebt habe, dass einen die Lust überwältige. Ohne ein weiteres Wort hatte Malika aufgelegt.

Die Raucher kommen vom Balkon, Dachpappen-Rudi zuerst.

Niemals würde sie vergessen, was Malika ihr über Vicky und Rüdiger erzählt hatte. Damals hielt sie die Geschichte für eine Erfindung ihrer Schwester, heute ist sie sich nicht mehr sicher.

Jorinde tritt auf den Balkon hinaus. Die Bepflanzung ist extravagant. Geranien und andere Langzeitblüher verachtet ihre Mutter. Stattdessen gibt es weiße Agapanthus-Blütenbälle neben lilafarbenen Prachtscharten und Sonnenblumen. Sie setzt sich in einen Korbstuhl und schaut durch die Gitterstäbe auf den Gehweg hinunter, wo eine Frau mit vier Kindern steht.

In drei Wochen wird es bei ihr zu spät sein. Dann endet die legale Abtreibungsfrist. Der Vater des Kindes weiß nichts. Seine Frau und seine kleine Tochter werden auf den Bildern der Klatschpresse weiterhin neben ihm strahlen. Er ist ein reales Klischee. Sein Name lässt kluge Frauen auf ihre Würde pfeifen. Sein Spieltalent entschuldigt alles. Zwischenmenschlich eine Null. Aber was für eine physische Präsenz. Und darum hatte sie es drauf angelegt und später in seinem Hotelzimmer *Ja!* gesagt, als er sie fragte, ob sie verhüte. Sie hatte einfach keine Unterbrechung gewollt.

Abtreibung wäre der leichtere Weg. Doch wer wünscht sich nicht ein Kind von diesem Mann?

Wenn die Dreharbeiten für ihre erste Hauptrolle in einem Kinofilm nicht ausgerechnet wenige Wochen nach der Geburt beginnen würden, wäre alles halb so schlimm. Mitnehmen konnte sie das kleine Wesen nicht. Es würde sich auf die Qualität ihrer Arbeit auswirken. Sie muss frei sein. Obwohl es keine Nacktszenen geben wird, muss ihr Körper ihr allein gehören.

Torben hatte klargemacht, dass er sich lediglich um Ada und Jonne kümmern werde. Dabei weiß er noch nicht einmal, dass ein anderer Mann der Vater des Babys ist.

Sie dreht sich um und sieht durch die geschlossene Balkontür, wie sich die Gäste langsam in der Küche sammeln. Am liebsten würde sie nicht wieder hineingehen.

Die Idee, das Baby Vicky anzuvertrauen, hatte sie sofort wieder verworfen. Allzu gut erinnert sie sich an die Szenen nach Adas Ankunft.

Vicky war mit einem Berg Geschenken angereist und hatte sich enthusiastisch auf das Baby gestürzt. Dabei jammerte sie, wie schwer sie es selbst gehabt hatte, ohne die technischen Hilfsmittel der heutigen Zeit, ohne eine helfende Hand, mit einem Mann, der ständig mit dem Orchester unterwegs war und das Wickeln eines Säuglings als unter seiner Würde ansah. Dazu die häufig kranke Malika mit ihrem wenig liebreizenden Wesen. Jorinde dagegen sei von Beginn an ein Sonnenschein gewesen und habe in ihrem ersten Lebensjahr immer nur gelacht.

Während sie sprach, hielt sie die winzige Ada im Arm, lief herum, schuckelte sie hektisch und wunderte sich, warum das Baby nicht aufhörte zu schreien.

Du sollst es besser haben, rief sie Jorinde über Adas Kopf hinweg zu, *ich werde dir helfen, ich werde dir das Kind abnehmen, damit du Zeit für dich hast.*

Nur wollte Jorinde keine Zeit für sich. Sie wollte mit Ada zusammen sein. Damals lief es noch zwischen Torben und ihr, und das einzig Störende war ihre Mutter gewesen.

Später, als Ada wirklich anstrengend wurde und einen von Torben unterstützten trotzigen Widerspruchsgeist entwickelte, wollte Vicky nichts mehr von ihrem Angebot wissen.

Genau zwei Mal bat Jorinde ihre Mutter um Hilfe.

Beim ersten Mal war sie mit Jonne schwanger, und Vicky war für einen Tag nach Berlin gekommen. Sie waren Eis essen gewesen. Weil Adas Eiskugel tropfte, drückte Jorinde sie mit den Fingern ein bisschen tiefer in die Waffel hinein. *Das Eis soll wieder hoch!,* brüllte die dreijährige Ada, völlig unberührt von Jorindes Erklärungen, dass das Eis nun nicht mehr kleckern könne. *Das Eis soll wieder hoch!*, schrie sie noch, als es sich längst verflüssigt hatte und in einen Mülleimer entsorgt worden war. *Kannst du sie für ein paar Tage mit nach Leipzig nehmen?*, fragte Jorinde. Vicky warf einen skeptischen Blick auf Ada, die sich ihrer Hysterie restlos hingegeben hatte. Dann sagte sie entschlossen: *Nein.* Helmuts Nerven hielten das nicht aus. Er habe letztens einen Tinnitus gehabt, und Frau Dr. Gabriel habe Ruhe verordnet.

Beim zweiten Mal war Ada schon ein Schulkind. Sie war morgens mit dem Skateboard losgefahren, war gestürzt und hatte sich den linken Arm gebrochen. Zufällig waren Helmut und Vicky an diesem Tag in Berlin, um ein Konzert der Philharmoniker zu hören. Jorinde rief Vicky gegen vierzehn Uhr auf dem Mobiltelefon an und fragte, ob sie und Helmut für ein bis zwei Stunden vorbeikommen könnten. Torben sei nicht da, Ada jammere über den Gips und die Schmerzen, und der Kühlschrank sei leer.

Jorinde konnte deutlich hören, wie Vicky zu Helmut sagte: *Unterarmfraktur, vier Wochen Gips. Und das bei diesem Temperament.*

Zu Jorinde sagte sie: *Eigentlich gern, aber heute wird uns das zu knapp.*

Die Erste, die von der Schwangerschaft erfahren hat, ist Kira gewesen. Jorinde hatte den Test in der Toilette eines Filmstudios gemacht und war später in der Maske in Tränen ausgebrochen. Kira musste ihre Arbeit von vorn beginnen. Während sie Jorindes verheulte Augen bearbeitete, hörte sie aufmerksam zu, und als Jorindes Lippen erneut zu zittern begannen, sagte sie: *Stopp!*

Sie sah ihr prüfend ins Gesicht und zündete sich eine Zigarette an. *Warum fragst du nicht deine Schwester? Die wollte doch immer Kinder.*

In Kiras Kopf gibt es keine Grenzen. Ihre Ratschläge anzunehmen hieß, auf geltende Normen zu pfeifen. Und je öfter Jorinde über den Vorschlag nachdachte, desto weniger aberwitzig erschien er ihr.

Was hatte sie zu verlieren? Das Verhältnis zu Malika war kompliziert, aber nicht hoffnungslos zerrüttet. Die Begegnungen zu den Geburtstagen der Eltern und an den hohen Feiertagen verliefen in der Regel friedlich, und im besten Fall würde ihre Schwester das Kind als Erfüllung eines Traums betrachten.

Die Schwachstelle des Plans war der Augenblick, in dem Jorinde ihr Kind wieder zu sich nehmen würde. Und so entstand aus der Idee einer vorübergehenden Pflegschaft der Gedanke, Malika das Kind ganz zu überlassen.

Die Balkontür wird aufgerissen. *Herbei, herbei, gekocht ist der Brei,* ruft Vicky und lacht über den eigenen Witz.

In dem Märchen *Der kleine Muck* ruft die Frau Ahavzi so ihre Katzen an die Näpfe, und auch Malika und Jorinde sind von der Mutter oft auf diese Weise zu Tisch gebeten worden. Jorinde hatte sich meistens hüpfend und springend fortbewegt und manchmal nach Malikas Hand gegriffen, um sie mit sich zu ziehen. *Lass mich,* hatte Malika dann gesagt.

Drinnen stehen die Gäste dichtgedrängt um den Tisch mit den Canapés und Salaten. Malika ist nirgends zu sehen.

Auch im Musikzimmer und im Wohnzimmer ist sie nicht. Jorinde bleibt im Korridor stehen und blickt auf die Badtür, während die Gäste sich mit gefüllten Tellern in der ganzen Wohnung verteilen.

Die Tür öffnet sich. Malika hat ihr langes schwarzes Haar zu einem hohen, lockeren Dutt aufgetürmt. Sie trägt ihren knallroten Lippenstift, der sonst ihren Auftritten vorbehalten ist. *Gehen wir ins Schlafzimmer,* sagt sie, *da stört uns keiner.*

* * *

Machst du auf, Ada?

Jorinde wäscht sich die Hände im Spülbecken, trocknet sie am Geschirrhandtuch ab und eilt ihrer Tochter in den Flur hinterher.

Was gibt es zu essen, Mutter?, fragt Ada, während sie den Türöffner drückt.

Lass dieses »Mutter«. Wenn du mich ärgern willst –

Will ich nicht, Mutter.

Jorinde holt Luft. Später würde sie Adas Hilfe nötig haben. Freundlich sagt sie: *Es gibt zwar nicht dein Lieblingsgericht, aber deine Lieblingsnachspeise.* Sie blickt in das trotzige Gesicht ihrer Tochter. Es ist nicht immer leicht, sie zu lieben. Es ist nicht leicht, gerecht zu sein. Und die größte Herausforderung besteht darin, die Macht einer Mutter nicht zu missbrauchen.

Im Treppenhaus öffnet sich der Fahrstuhl. Malika hat den Rucksack bereits abgenommen und stellt ihre Sachen kurz vor der Türschwelle ab. In ihrem Gesicht ist keine

Antwort zu lesen. Drei Tage sind seit Vickys Geburtstag vergangen. In diesen drei Tagen haben sie nicht miteinander gesprochen. Malika wollte es nicht.

Ada reicht Malika die Hand. *Guten Tag, liebe Tante,* flötet sie.

Jorinde verdreht die Augen, doch wie so oft hofft sie vergeblich auf ein Bündnis mit ihrer Schwester.

Guten Tag, liebe Nichte, erwidert Malika. *Ich freue mich, dich wohlauf zu sehen. Ich bin erschöpft von der Reise. Wärest du so liebenswürdig, das Gepäck in mein Gemach zu bringen?*

Ada greift nach dem Rucksack und trägt ihn fröhlich ins Gästezimmer. Malika folgt ihr. Es versetzt Jorinde stets einen Stich, wenn sie sieht, wie ihre Schwester mit den Kindern umgeht. Sie kann das gut. Und nicht nur mit Ada und Jonne, mit allen Kindern. Ihre natürliche, unaufgeregte Autorität lässt Erziehung mühelos erscheinen. Von Helmut weiß sie, dass die Anmeldungen für Malikas Geigenunterricht ihre Kapazitäten bei weitem übersteigen. Ihre Schüler glänzen in den Klassenvorspielen, und schon zwei erreichten bei »Jugend musiziert« vordere Plätze. Aber Malika brachte es schon als Kind fertig, in einem Lob nichts anderes als versteckte Kritik zu sehen. Ihr Glas ist immer halb leer. Die einzige Zeit im Leben ihrer Schwester, in der sich diese Perspektive geändert hatte, war jene mit Götz gewesen.

Sie deckt für alle den Tisch. Torben fehlt. Am Vortag hat sie ihm gesagt, dass das Kind in ihrem Bauch nicht von ihm sei und sie die Scheidung wolle.

Er wirkte nicht überrascht. *Dann wirst du Unterhalt für*

mich zahlen müssen, entgegnete er in gleichgültigem Ton. Bis zu diesem Moment hatte es eventuell noch eine winzige Chance für ihre Ehe gegeben.

Vorübergehend ist er bei Freunden untergekommen, und noch wissen die Kinder nichts. Ihr graut vor dem Moment, in dem sie es aussprechen wird. Jetzt, wo Malika da ist, muss sie den Schmerz der Kinder wenigstens nicht allein aushalten.

Während des Essens stellt Jonne bohrende Fragen.

Wo ist dein Mann, Mali? Warum hast du keine Kinder? Magst du keine Kinder?

Taktgefühl ist nichts Angeborenes, sie muss es ihm beibringen, denkt Jorinde, während Malika geduldig Antwort gibt.

Ich habe keinen Mann, sagt sie, *ich wollte gerne Kinder, aber ich kann keine bekommen, und natürlich mag ich Kinder. Euch besonders.*

Meine Mutter wollte eigentlich keine Kinder, wirft Ada ein. *Ich habe gehört, wie sie zu Kira gesagt hat: Warum habe ich mir nur Kinder angeschafft! Ich muss verrückt gewesen sein.*

Jorinde spürt den Blick ihrer Schwester.

Das habe ich nicht so gemeint, Ada, ich war gestresst.

Du bist immer gestresst.

Verdammt, Ada!

Ja, Mutter?

Jorinde knallt das Besteck hin und geht raus.

Als sie zurückkommt, erklärt Malika gerade, dass auch Mütter Menschen mit Gefühlen seien. Sie redet so vernünftig und klug, dass es Jorinde fast schlecht wird.

Malika kennt die Belastung nicht. Außer ihr und ihrer Katze gibt es nichts, worum sie sich kümmern muss. Sie hat keine Ahnung vom Alltag mit Kindern. Sie weiß nicht, dass sie immer dann krank werden, wenn es am ungünstigsten ist, dass sie auf Elternbedürfnisse keine Rücksicht nehmen und in den stressigsten Momenten die meiste Aufmerksamkeit fordern.

Plötzlich zweifelt Jorinde daran, ob es richtig war, ihre Schwester zu holen. Ob der ganze Plan nicht ein riesiger Fehler ist. Ob sie das Kind nicht doch besser abtreibt.

Ada nimmt Jonne an die Hand und zieht ihn aufs Sofa vor den Fernseher. Sie hat keine Lust, ihn beim Spielen mit seinen Dinosauriern zu beaufsichtigen, also muss er den japanischen Zeichentrickfilm mitgucken.

In einer Stunde sind wir wieder da, sagt Jorinde. Eine Antwort bekommt sie nicht.

Malika läuft aufrecht neben ihr. Mit Absatzschuhen ist sie fast einen Kopf größer. Von der Zionskirchstraße gehen sie die Anklamer bis zur Ackerstraße und von dort bis zur Gedenkstätte Berliner Mauer. Malika spricht, und was sie sagt, klingt vernünftig.

Nicht alles, was machbar sei, sei auch richtig. Ein Kind gehöre zur Mutter. Jorinde müsse Verantwortung übernehmen, auch wenn es hieße, die Karriere zu unterbrechen.

Das kann ich mir nicht leisten, wirft sie wütend dazwischen und führt andere Gesellschaftsformen an, wo Kinder in größeren Gemeinschaften ohne enge Elternbindung aufwachsen.

Malikas Blick dazu sagt alles.

An der Versöhnungskapelle setzen sie sich auf eine Bank.

Wenn's nach Helmut ginge, würden wir die Mauer wiederaufbauen, sagt Jorinde mit einem bitteren Lachen.

Quatsch, entgegnet Malika, *er hat nur keine Lust, in einer Konsumkolonie zu leben.*

Warum verteidigst du die Eltern eigentlich immer? Ich an deiner Stelle –

Aber du bist nicht an meiner Stelle.

Eine Gruppe amerikanischer Touristen geht vorbei.

Die Konsumkolonialisten, flüstert Jorinde verschwörerisch. Malika lacht. Es ist der erste gelöste Moment zwischen ihnen. Jorinde lehnt ihren Kopf an Malikas Schulter und blickt in den Abendhimmel.

Was soll ich nur tun?, sagt sie.

Bei ihrer Rückkehr kommt ihnen Jonne im Flur entgegengerannt. *Wann kommt Papa?,* ruft er. Sie sieht in sein erwartungsvolles Gesicht. Die Arglosigkeit darin macht sie fertig. Auch Ada kommt aus dem Wohnzimmer. *Wo ist Papa eigentlich?,* fragt sie.

Jorinde schaut erst zu Malika, dann zurück zu den Kindern. Sie hatte es sich anders gewünscht – an einem Tisch, vernünftig und ruhig. Als sie den gefürchteten Satz ausspricht, sacken Adas Beine zusammen. Im letzten Moment fängt Malika sie auf. Jorinde nimmt ihr das zitternde Mädchen ab und hält es im Arm. Ada wehrt sich nicht. Im Bruchteil einer Sekunde hat der Schmerz ihr Gesicht verändert.

Jonne kniet still daneben. *Warum denn?,* fragt er.

Zu viert sitzen sie im Korridor. Weinend erklärt sie den Kindern, dass sie sich scheiden lassen wird, und niemals fühlte es sich besser an, eine Schwester zu haben.

Als die Kinder schlafen, ist es fast Mitternacht. Jorindes Augen brennen vor Müdigkeit. Malika stellt die leere Weinflasche neben den Abfalleimer, füllt den Wasserkocher und hängt zwei Beutel Kamillentee in einen Krug. Ihre Lippen bewegen sich.

Jorinde sieht die Handgriffe ihrer Schwester, hört die Geräusche und Worte, doch Malikas Stimme kommt von weit her. Ihre Sätze erreichen sie, nur die Bedeutung versteht sie nicht. Jetzt, wo sie Tatsachen geschaffen hat, kommt die Angst. Sie liebt Torben nicht mehr, doch das Leid der Kinder nimmt ihr die Luft. Malika stellt eine Tasse auf den Tisch. Steingut trifft auf Holz. Jorinde schaut auf.

Hast du mir zugehört?, fragt Malika.

Sie nickt, dann schüttelt sie den Kopf.

Es gibt einen Weg, den ich mir vorstellen kann, aber du müsstest mit den Kindern nach Leipzig kommen.

Nach Leipzig?

Ja.

Wann?

So schnell wie möglich. Noch vor der Geburt.

Ja, sagt sie, ohne nachzudenken, *dann machen wir das so.*

Widerspruchslos lässt sie sich von Malika ins Bett bringen und zudecken. Und sie schläft wirklich ein.

* * *

Monatelang hat Malika Anzeigen durchforstet und Bekannte angesprochen. Eine Fünfraumwohnung mit zwei Bädern und großer Küche war auch in Leipzig nicht mehr einfach zu bekommen. Jorinde schleppt sich die letzten Stufen hoch. Ihr Bauch erscheint ihr größer als bei den ersten beiden Schwangerschaften, dabei hat sie noch zwei Monate.

Die Männer arbeiten?, fragt der Makler und lässt sie eintreten.

Männer?, sagt Malika.

Jorinde lächelt, schaut sich um und geht von Raum zu Raum. Überall Licht und Platz und eine gute Atmosphäre. Die Wohnung ist perfekt. Ost-West-Ausrichtung, Parkett, großer Hinterhof, und nach vorne geht der Blick ins Grüne.

Was Besseres finden wir nicht, flüstert Malika, die nun hinter ihr steht.

Glaube ich auch, erwidert Jorinde.

Sie wünschte, die Zweifel würden endlich schweigen. Die Dominanz ihrer Schwester, Adas Weigerung, eine neue Schule zu besuchen, Jonnes angeschlagene Gesundheit seit der Trennung – die Summe der Probleme ist groß. Die einzelnen Summanden jeder für sich zu viel.

Bei der möglichen Verteilung der Zimmer einigen sie sich mühelos. Ein gutes Zeichen. Und als sie zusammen auf dem Balkon stehen und in den Hof hinuntersehen, sagen sie zeitgleich: *Schön!* Ein letztes Mal denkt Jorinde den anderen Weg. Ohne Malika, allein mit den Kindern. Doch wie immer mündet der Gedanke im Chaos.

Meine Schwester und ich nehmen die Wohnung, sagt sie zu dem Makler.

Ihre Schwester und Sie?

Ja. Und unsere drei Kinder.

Aha.

Er blättert in seinen Unterlagen. *Ein paar Dinge wären da noch zu klären,* murmelt er, während er einige Vordrucke aus einem Hefter zieht. *Schufa-Auskunft, Einkommensnachweise und – bitte nicht falsch verstehen – möglicherweise eine Bürgschaft Ihrer Eltern.*

Jorinde sieht, wie Malikas Augen dunkel werden.

Zwei Frauen und drei Kinder, fügt er achselzuckend hinzu, *da wird der Eigentümer Sicherheiten fordern.*

*

Eine seltsame Anspannung liegt in der Luft.

Während Vicky mit den Kindern in der Küche Halma spielt, sieht sich Helmut den Grundriss an. Er stülpt die Lippen vor, geht auf und ab und scheint sich unwohl zu fühlen.

Die Wohnung ist großartig, platzt es aus Jorinde heraus, *der Park liegt direkt gegenüber, und auch zu euch ist es nicht weit. Die Wohnung ist ein Hauptgewinn, ein Sechser im Lotto, na ja, vielleicht kein Sechser, aber ein Fünfer auf jeden Fall.* Und während weitere Worte aus ihr strömen, legt Helmut den Plan auf den Tisch und wendet sich ab. Mit verschränkten Armen steht er am Fenster. Sein Schädel ist ihm auf die Brust gesunken.

Jorinde verstummt.

Er muss es nicht aussprechen. Hilfesuchend blickt sie zu Malika. Im Gesicht ihrer Schwester steht eine ernste Traurigkeit.

Warum?, fragt sie.

Warum? Er dreht sich zu ihnen um. *Warum? Weil einer euch die Flausen austreiben muss.*

Dass du allein bleibst, damit habe ich mich abgefunden, sagt er, an Malika gewandt. *Aber du?* Er schaut Jorinde an. *Was führst du für ein Leben? Drei Kinder, die nicht einmal alle denselben Vater haben! Mit deiner Schwester in einer Wohnung! Ohne Mann!* Er schnaubt und holt Luft. *Das unterstütze ich nicht!*

Jorinde presst ihre Lippen aufeinander. Sie sieht zu Malika, in deren Miene nichts als Fassungslosigkeit steht.

Komm!, sagte sie und zieht Malika mit sich.

Dann reißt sie die Tür zur Küche auf und ruft Ada und Jonne, die mitten im Spiel sind und nicht gehen wollen.

Nicht fragen, zischt sie, *einfach mitkommen. Ich erklär's euch später.*

In Vickys Blick ist keine Überraschung.

* * *

Ada zeigt auf einen Stapel Umzugskartons. *Kann alles weg,* sagt sie. Die Kartons enthalten Spielzeug und Kinderbücher, zu klein gewordene Sachen, Kästchen mit Muscheln, Gläser mit Ostseesand, all ihre Puppen samt Puppengarderobe und den kompletten Inhalt ihrer Verkleidungskiste. Als würde Ada die Zeugnisse ihres Kinderlebens auslöschen wollen, als wäre es ihr peinlich, überhaupt ein Kind gewesen zu sein.

Jorinde nickt. Später wird sie all die aussortierten Dinge dennoch in den Umzugswagen tragen lassen.

In Jonnes Zimmer sieht es aus wie immer. Spielzeug bedeckt den Boden. Die Kartons um ihn herum sind leer. Immer wenn er etwas einpacken will, fängt er an, damit zu spielen, und dann vergisst er, dass er es einpacken soll.

Auch Jorinde trennt sich von vielen Dingen. Das Beste an Umzügen ist die Korrektur vorangegangener Übertreibungen. Wozu braucht sie zwölf Jeans? Was will sie mit sechsundzwanzig Kompottschüsseln? Der reinigende Effekt des Wegwerfens lässt sie das Chaos ringsherum leichter ertragen.

Im Korridor vibriert ihr Mobiltelefon.

Ruf bitte mal an. Mama.

Sie kann sich nicht erinnern, wann sich Vicky zum letzten Mal als Mama bezeichnet hat. Es ist lächerlich. Und natürlich wird sie nicht anrufen. Beim letzten Telefonat überschlug sich Vickys Stimme fast. Der Grund war eine Karte gewesen.

Es lebe das Matriarchat!, hatte Jorinde darauf geschrieben und zusammen mit einer Kopie des Mietvertrags in einen Briefumschlag gesteckt und an ihren Vater geschickt.

Auch ohne Bürgschaft hatten sie die Wohnung bekommen. Ein einziges Telefonat mit dem Hauseigentümer hatte gereicht. Wie beiläufig ließ sie den Namen des Mannes fallen, dessen Kind sie erwartet, und vermutlich tat die Einladung zur Premiere ihres nächsten Films das Übrige.

Nach dem Lesen der Karte habe Helmuts Herz angeblich einen Doppelschlag gemacht und dann für mindestens drei Schläge ausgesetzt. Daraufhin habe er einen halben Tag im Bett verbringen und am Abend Frau Dr. Gabriel kommen lassen müssen, die ihm dringend empfohlen habe, den

Kardiologen aufzusuchen. Das alles ihretwegen! Man habe zwar nichts feststellen können, aber was hieße das schon. Jorinde benehme sich schrecklich! Sie solle sich mal in die Eltern hineinversetzen. Helmut mache sich nur Sorgen.

Sie hatte wirklich versucht, ihren Vater zu verstehen. Und sie weiß, was Sorge anrichten kann. Als Ada letztens zu spät nach Hause kam und auch auf ihrem Telefon nicht zu erreichen gewesen war, hatte Jorinde sie erst in den Arm genommen, dann angebrüllt und Dinge von sich gegeben, die sie nur allzu gern zurücknehmen würde.

Helmuts Sorge hingegen ist von anderer Art. Es ist nicht nur das, was ihr Vater gesagt hat. Es ist vor allem das Wie. Seinen Töchtern die Flausen auszutreiben schien ihm Lust zu bereiten. Etwas Befremdliches hatte sie in seiner Stimme gehört, etwas, das ihr Angst machte.

Ohne nachzulassen, packt sie Kiste für Kiste und bemerkt nicht, das Torben hereingekommen ist. Mit einem arroganten Grinsen lässt er das unterschriebene Schriftstück vor ihr fallen, das ihr erlaubt, mit den Kindern umzuziehen, ihren Wohnsitz umzumelden und die Verträge für die neuen Schulen zu unterzeichnen. Auch in Zukunft wird sie für jedes bisschen seine Zustimmung brauchen. Jede Klassenfahrt, jede Arztbehandlung muss von ihm genehmigt werden. Sie wird ihn nicht los. Nie mehr.

Sein kampfloses Aufgeben hatte sie erstaunt. Zufällig begegnete ihr der Grund dafür im Foyer des Theaters, wo sie mit den Dokumenten ein paar Tage zuvor auf ihn gewartet hatte.

Sie war jung. So jung, dass Jorinde Mitleid bekam. Doch eine Warnung würde nichts nützen. Ihre Verliebtheit würde sie unempfänglich für die Wahrheit machen.

❋

Am Umzugstag ist eine Gruppe Helfer gekommen. Von Jorinde angeleitet und von Kira angeführt, packen die Freunde letzte Dinge, beaufsichtigen die Kinder, stellen Essen bereit und putzen die leeren Räume. Der Möbeltransport verlässt Berlin am späten Nachmittag, und am frühen Abend erreichen auch Jorinde, Ada und Jonne Leipzig.

Malika wohnt schon einige Tage in der neuen Wohnung. Bei ihrem Umzug hat Helmut geholfen, und auch vorher haben sie sich schon zweimal getroffen. Erst war Jorinde wütend darüber, dann zwang sie sich, die Umstände zu betrachten.

Malika ist dem Vater schon immer hinterhergelaufen. Ein aussichtsloses Rennen. Zu früh Verlorenes ist nicht mehr aufzuholen. Ihr ganzes erstes Lebensjahr war Malika von den Eltern getrennt gewesen, und erst nach Jorindes Geburt entdeckte Helmut, dass auch kleine Kinder einen Vater brauchen.

Sie kann den Schmerz ihrer Schwester nicht fühlen, doch die Kälte ihrer Eltern kann sie nachvollziehen.

Auch sie hat ihre Kinder oft zurückgelassen. Für irgendeinen Dreh, an irgendeinem Ort, über Wochen hinweg. Zu Hause erlebte eine Kinderfrau, wie Ada mit gerade einmal drei Jahren zum ersten Mal Fahrrad fuhr und, als sie wieder abstieg, ihre Sprache verloren hatte. Und es war Torben, der sie tröstete und geduldig blieb. Und am dritten Tag kamen die Wörter zurück. Aber Jorinde ist nicht dabei gewesen.

Jedes Mal bei ihrer Rückkehr erkämpfte sie sich das Vertrauen ihrer Kinder aufs Neue. Den Kindern war es egal, dass Torben meistens herumsaß und im Internet surfte, dass er abends Pizza bestellte und morgens keinen Haferbrei zustande brachte, dass der Haushalt verwahrloste und Termine vergessen wurden. Er war da, und sie war es nicht. Nichts anderes zählte. Aus diesem Schmerz wuchs die Distanz zu den Kindern. Und in der Distanz ließ die Wärme nach.

Sie steigt die Treppen hinauf. Ada und Jonne rennen an ihr vorbei. Oben steht Malika in der Tür. Es riecht nach gebratenen Zwiebeln und geschmolzenem Käse. Jorinde umarmt ihre Schwester, dann tritt sie über die Schwelle in ein anderes Leben.

✳ ✳ ✳

Die ersten gemeinsamen Tage vergehen in geschäftiger Gleichförmigkeit. Malika sorgt dafür, dass zügig ausgepackt wird, der Kühlschrank voll ist und die Wohnung geputzt. Sobald es um die Angelegenheiten der Kinder geht, zieht sie sich taktvoll zurück.

Doch bald sind es die Kinder selbst, die sich an Malika wenden. Ein paarmal erhebt Jorinde schwachen Einwand, in Wahrheit jedoch ist sie dankbar über jede Hilfe. Jonne begleitet Malika bereits kurz nach dem Umzug sooft es geht in die Musikschule. Nach unergiebigen Klavier- und Flötenschnupperstunden entscheidet er sich für die Gitarre.

Ada will ihre Hausaufgaben nur noch mit Malikas Hilfe machen. Wenn Jorinde die beiden am Küchentisch über den Büchern sitzen sieht, geht sie leise hinaus. Sobald Ada etwas nicht begreift, gerät sie in Panik. In Berlin hatte es schreckliche Szenen gegeben, und natürlich lernte das verängstigte Kind danach keineswegs leichter. Wie Malika es schafft, dieselbe Sache zehnmal zu erklären und dabei vollkommen ruhig zu bleiben, ist ihr ein Rätsel.

Abends sitzen sie in der Küche zusammen.

Erzählend tasten sie sich vorwärts, und manchmal kommt es Jorinde so vor, als hätten sie nicht in einer Wohnung mit denselben Eltern gelebt. Malikas Einsamkeit muss grenzenlos gewesen sein.

Wenn es zu schmerzhaft wird, brechen sie ab und schauen Filme. Das Kino ist Malikas zweites Zuhause; auf ihren guten Geschmack ist Verlass, und die fremden Geschichten überlagern die Bilder ihrer eigenen Vergangenheit.

* * *

Lilli kommt in einer kalten Aprilnacht.

Jorinde war kaum eingeschlafen, als kurz vor Mitternacht der typische Schmerz begann. Seit einer Stunde schon geht sie umher. Vom Bad in die Küche in den Korridor und wieder ins Bad zurück. Bei jeder Wehe stützt sie sich ab, dann läuft sie weiter.

Vicky weiß Bescheid. Sie ist bereits unterwegs. Malika steht mit der gepackten Tasche an der Tür. Die Wehen kommen in erträglichen Abständen von etwa zwölf Minuten. Es ist noch Zeit.

Im Taxi zum Krankenhaus hält Malika ihre Hand. Auf den Gängen zum Kreißsaal ist sie ihr Ruhepol und ihre Stütze. Sie bleibt bei ihr. Die ganzen vier Stunden. Und als die Hebamme Lilli auf Jorindes Brust legt, weint Malika.

In den Wochen nach Lillis Geburt ist Jonne das einzige männliche Wesen in der Wohnung. Eine undefinierbare Kraft liegt in der Verdichtung des Weiblichen. Jorinde erholt sich schneller als nach den Geburten der anderen Kinder. Der Kreis der Frauen tut ihr gut.

Vickys Bitte, dass Helmut kommen dürfe, lehnt sie ab.

Warum Malika den Kontakt zum Vater weiterhin aufrechterhält, versteht sie nicht. Vielleicht ist ihr Maß an Enttäuschung voll.

Als der Drehbeginn näher rückt, erwägt Jorinde, alles hinzuwerfen. Sie will Lilli nicht verlassen. Sie will dem Baby die Trennung nicht zumuten. Diesmal hat sie die Chance, es richtig zu machen. Alles in ihr wehrt sich gegen die Vorstellung, wochenlang weg zu sein. Rückblickend erscheint ihr der Einfall, Malika das Kind zu geben, monströs. Bei dem Gedanken daran muss sie weinen, und als gelte es, die bloße Absicht wiedergutzumachen, teilt sie Malika eines Nachmittags mit, sie werde die Rolle der Elsa Bruckmann nicht spielen.

Ihre Schwester steht im Korridor. Den halben Nachmittag sind Jonne und sie in der Stadt gewesen, um nach einer eigenen Gitarre für ihn zu schauen. Sie hält einen Schuh in der Hand, den anderen hat sie noch an. *Spinnst du?*, sagt sie. Jonne verschwindet sofort in seinem Zimmer. *Was ist das für eine Schnapsidee? Wir haben doch alles besprochen.*

Mit Lilli im Arm geht Jorinde auf und ab. Ihr Blick ist auf das Baby gerichtet. *Ich kann nicht weg von ihr,* sagt sie.

Malika streift auch den zweiten Schuh ab und zieht sie mit sich in die Küche. Hinter verschlossener Tür sprechen sie weiter, und den vernünftigen Worten ihrer Schwester hat Jorinde nichts entgegenzusetzen. Es stimmt: Sie ist ein sprunghafter Mensch. Ihre Entscheidungen beruhen häufig auf spontanen Ideen und Gefühlen. Und die erste Hauptrolle in einem Kinofilm auszuschlagen wäre schlicht bescheuert. *Ich kenne dich schon mein ganzes Leben,* sagt Malika, *und ich weiß, du wirst es bereuen.*

*

An jedem neuen Drehtag wird Jorinde vom Bing des Telefons geweckt. Mal ist Lilli allein auf dem morgendlichen Foto, mal hat Jonne sie auf dem Arm, mal Ada. Malika ist auf keinem der Bilder zu sehen. Sie mag keine Fotos von sich.

Auch am Abend gibt es immer ein Zeichen von zu Hause. Meistens liegt Lilli dann in dem Beistellbett, das sie für die Zeit von Jorindes Abwesenheit bei Malika montiert haben.

In allen Pausen am Set zieht sie sich mit der Milchpumpe zurück, um nach ihrer Rückkehr weiterstillen zu können.

Anders als die Kollegen trinkt sie keinen Alkohol und schläft, sobald die Zeit es zulässt. Sie arbeitet konzentrierter als sonst. Der Preis, den Lilli zahlt, soll gerechtfertigt sein.

* * *

Die Fenster stehen offen. Mauersegler jagen in kleinen Gruppen vorüber. Zum dritten Mal erlebt sie den Mai in der Stadt. Felicitas kommt angelaufen. Sie maunzt, schaut nach, ob es Futter gibt, dann kehrt sie um und verlässt die Küche. Vermutlich hat Lilli sie aus Malikas Zimmer verscheucht. Lilli liebt die Katze. Umgekehrt ist das nicht der Fall.

Jorinde wäscht die Hähnchenbrustfilets und tupft sie mit Küchenpapier trocken. Sie denkt an den Abschied am Bahnhof. Ada hatte lediglich die Hand gehoben und war ohne einen weiteren Blick in den Zug gestiegen. Sie wollte nicht fahren. Auch Jonne wollte diesmal nicht. Sein bester Freund feiert Geburtstag, doch die verdammte Vereinbarung zwischen Torben und ihr sieht vor, dass die Kinder alle vierzehn Tage zu ihm nach Berlin müssen. Dort sitzen sie dann in einer nur halb eingerichteten Wohnung in einem kleinen Zimmer und werden weitgehend sich selbst überlassen. Torben nennt das Freiheit.

Seit neuestem hängt er einer esoterisch angehauchten Lebensweise an. Kräuter und Räucherungen scheinen dabei eine große Rolle zu spielen. Wenn die Kinder zurückkommen, stinken nicht nur ihre Kleider und Haare nach verbrannten Hölzern, Harzen und Kräutern, sondern auch ihre Taschen, Haarbürsten, Schulhefte und Kuscheltiere. Alles Waschbare wäscht sie sofort, einschließlich der Kinder selbst.

Anfangs wollte Ada immer nur zurück nach Berlin. Erst als sie Freunde in ihrer neuen Klasse gefunden hatte, ließ ihre Wut nach, und binnen kurzem weigerte sie sich, jedes zweite Wochenende mit Torben zu verbringen. Die alten Berliner Freundschaften gab es bald nicht mehr, und mit Jonne in einem Zimmer zu hausen fand sie unerträglich.

Ein paarmal gab Jorinde nach. Sie genoss es mit anzusehen, wie die Kinder in der verlässlichen Struktur, die Malika und sie schufen, ruhig und zufrieden wurden. Doch dann schaltete Torben den Allgemeinen Sozialdienst des Jugendamts ein, und alles begann von vorn. Freitags nach der Schule nach Hause jagen, Sachen packen, zum Bahnhof fahren und die Kinder in einen Zug setzen, der sie in eine Welt ohne Regeln, ohne feste Mahlzeiten und ohne die neugewonnenen Freunde bringt. Am Sonntagabend spuckt ein anderer Zug sie wieder aus. Mit den Auswirkungen des Dazwischen kämpft Jorinde tagelang, und wenn die Beziehungen wieder stabil sind, steigen Ada und Jonne erneut in einen Zug.

Sie reibt Ingwer in den Mörser, gibt Knoblauch, Chili, Kurkuma und Pfeffer hinzu und stampft alles mit dem Stößel klein. Dann brät sie Zwiebel an, streicht die Paste in das heiße Öl, gießt Kokosmilch darauf und gibt das geschnittene Fleisch dazu.

Lilli liebt Fleisch. Jedes Fleisch. Selbst Leber verdrückt sie genüsslich.

Die Großen beneiden Lilli. Sie muss niemals weg. Ihr

Vater zahlt stillschweigend Geld und mischt sich nicht ein. Wenn sie groß genug sei, stehe er zur Verfügung.

Beim Essen sitzt Lilli neben Malika.

Jorindes Telefon piept. Für Ada und Jonne gilt: am Esstisch keine technischen Geräte. Die Diskussionen darüber sind mühselig, vor allem, weil Jorinde sich nicht daran hält. Sie schielt zu Malika, dann zieht sie das Telefon aus der Hosentasche und liest: *Bin schon da. Victors Residenz-Hotel. Kommst du bald? Kuss, Albrecht.*

Sie kennt ihn vom Drehen nach Lillis Geburt. Er spielte Hugo von Hofmannsthal, sie die Elsa Bruckmann – Ehefrau des Verlegers Hugo Bruckmann, Münchner Salonnière und spätere Hitler-Förderin.

Der Film lief nicht gut, doch glücklicherweise stürzten sich die Kritiker auf das schlechte Drehbuch. Jorindes Darstellung der Elsa Bruckmann dagegen fand einhelliges Lob. Wenn etwas diesen Film rette, dann sie. Wenn es einen Grund gebe, ihn sich anzusehen, dann ihretwegen. Die Journalisten schrieben sie auf die nächsthöhere Ebene. Dorthin, wo die Rollen interessanter wurden.

Seit der gemeinsamen Arbeit verbindet sie mit Albrecht eine Freundschaft, die sie später um das Körperliche erweitert hatten. Etwas, das Malika nicht verstehen würde.

Ja, mache mich gleich auf den Weg, tippt sie und drückt auf Senden.

Lilli hat ihr Gemüse derweil an den Rand des Tellers geschoben; sie schaufelt nur das Fleisch in sich hinein. Jedes ihrer Kinder ist anders. Ada exzentrisch und äußerst intelligent, Jonne introvertiert und gänzlich uninteressiert an

Schule und Lilli schlicht vergnügt. Mit ihrem glucksenden Lachen, ihrer Freude an Musik und ihrem fleißig-konzentrierten Mampfen am Tisch wirkt sie, als sei ihr ganzes Dasein mit Glück gesegnet. Nichts scheint sie zu beschweren. Sie weint selten, schläft gut und eignet sich alles Neue mit größter Selbstverständlichkeit an. Für einen Augenblick lockt die Vorstellung, sich mit Lilli hinzulegen und mit ihr einzuschlafen. Doch dann kommt eine weitere Nachricht von Albrecht.

Champagner ist kaltgestellt. Beeil dich!

Ich muss noch mal los, sagt sie zu Malika, *kannst du Lilli ins Bett bringen?*

Malika nickt und mahnt zum wiederholten Mal, dass sie die kommenden Abende nicht aufpassen könne.

Weiß ich doch, erwidert Jorinde und küsst beide zum Abschied.

Es ist nicht einfach. Beim Koordinieren der Termine ergibt sich oft die Notwendigkeit, auf Babysitter zurückzugreifen. Malika unterrichtet hauptsächlich spätnachmittags. Auch die Ordnung im Haushalt und die unterschiedlichen Auffassungen von Erziehung sorgen hin und wieder für Streit. Doch im Gegensatz zu Torben ist Malika gesprächsbereit. Kompromisse mit ihr zu schließen ist leicht, und nie fühlt sich Jorinde danach betrogen.

Für Lilli ist Malika überhaupt die Größte. Ihr erstes Wort klang wie *Geige,* nur ohne die beiden G zu prononcieren, dann kamen *Mama* und *Mali* etwa zeitgleich dazu.

Manchmal schafft Malika ein wenig Distanz. Wenn Lilli zu oft nach ihr ruft, sich zu sehr an sie schmiegt, dann schiebt sie die Kleine vorsichtig weg und sagt: *Geh mal zur Mama.* Und zum Anbruch einer jeden neuen Jahreszeit kündigt sie das Ende der Wohngemeinschaft an. Beim ersten Mal hatte Jorinde es ernst genommen, und auch beim zweiten Mal erschrak sie.

Aber Malika ist noch immer da.

Im Taxi holt sie ihren Taschenspiegel heraus, tuscht sich die Wimpern und malt sich die Lippen rot. Soweit sie weiß, gibt es im Leben ihrer Schwester außer dem Kaltäugigen keinen Mann. Sie umgehen das Thema. Die wenigen Versuche, darüber zu reden, gingen in Malikas Schweigen unter.

Mit Bertram Weißhaupt geht sie ins Kino oder ins Konzert, lässt sich zum Essen einladen oder begleitet ihn auf Ausflüge in die nähere Umgebung. Doch die Beziehung scheint asexuell und undefiniert zu sein. Manchmal taucht er wochenlang gar nicht auf, dann wieder sehen sie sich alle paar Tage. Ihre Wohnung betritt er nie. Seine Katzenhaarallergie verhindert es. Und da sein Dobermann Malika nicht mag, besucht sie ihn ebenso wenig.

Das Taxi hält vor dem Hotel.

Schöne Nachtschicht, sagt der Fahrer augenzwinkernd. Bis sie begreift, ist er längst weg.

Albrecht wartet im Foyer. Er steht mitten im Raum und lächelt ihr entgegen. Sein Selbstbewusstsein gefällt ihr. Unsichere Männer interessieren sie nicht. Sie fahren in die dritte Etage und sagen nicht viel. Im Zimmer macht er vor ihren Augen einen HIV-Schnelltest. In London, wo er einen Großteil des Jahres verbringt, gibt es sie in jeder Apotheke.

Jorinde lehnt ab. *Bei mir gibt's nichts zu testen,* sagt sie. Er runzelt ungläubig die Stirn. *Es ist fast vier Monate her. Tja,* sie zuckt die Achseln, *du musst eben öfter kommen.* Albrecht streicht ihr über die Wange, dann füllt er zwei Gläser mit Champagner und trinkt seines sofort aus.

Sein Test ist negativ.

Sie ziehen sich aus, jeder für sich, den Blick jedoch auf den anderen gerichtet. In seiner Körpermitte findet sie die sichtbare Gewissheit, dass er sie will.

Sie wird älter, die Tattoos auf beiden Oberarmen und ihrem Rücken, die sie schon zigmal bereut hat, verblassen und verziehen sich. Vernarbte Risse im Gewebe breiten sich über Po und Oberschenkel aus, aber Albrecht scheint es nicht zu stören. Er macht sie zufrieden wie kaum ein Mann vorher. Und sie liebt ihn nicht. Nur einem Mann, den sie nicht liebt, gesteht sie ihre geheimsten Wünsche.

✳

Am nächsten Morgen nimmt sie ein Taxi zurück nach Hause. Die Treffen mit Albrecht entfremden sie ihrer gewohnten Umgebung, und so bewegt sie sich ebenfalls wie eine Fremde. Lässt sich chauffieren und betrachtet die Stadt mit den Augen einer Reisenden.

Malika und Lilli sind nicht da.

Das gibt ihr ein wenig Zeit für sich allein. Die Rückverwandlung ist eine kraftraubende Metamorphose – als würde ein Schmetterling zurück in den Kokon gezwungen und in blasseren Farben wieder herauskommen.

Jorinde hat den Verdacht, dass Malika diese Spaltungen nicht kennt. Mutter zu sein wäre leicht für sie gewesen. Aber so spielt das Leben nicht.

Sie steht noch unter der Dusche, als Lilli hereingesprungen kommt und den Kindertoilettensitz auf die Klobrille legt. Sie wurschtelt ihre Strumpfhose runter, schiebt den Trittschemel vom Waschbecken zum Klo und klettert rauf.

Ada und Jonne waren nicht so selbständig in diesem Alter.

Alles gut da drin?, ruft Malika.

Ja, antwortet Jorinde, *sie sitzt auf dem Klo.*

Wo wart ihr zwei?, fragt sie, nachdem sie sich abgetrocknet und angezogen hat.

Auf dem Spielplatz. Wo warst du, wenn ich fragen darf? Dass du die ganze Nacht wegbleiben wolltest, war mir entgangen.

Malika! Ich bin noch jung. Ich brauche manchmal –

Achtung!, sagt Malika.

Lilli kommt in die Küche gelaufen. Sie zieht den Geigenkasten hinter sich her und lässt ihn vor Malika fallen.

Da hast du deine nächste Schülerin, sagt Jorinde, während ihre Schwester nachschaut, ob das Instrument beschädigt ist, und in strengem Ton mit Lilli spricht. *Du musst vorsichtig sein. Das ist meine Geige, Lilli. Nicht deine. Meine.*

Meine, wiederholt Lilli.

Sie kann nicht einfach eine Zwanzigtausend-Euro-Geige über den Fußboden schleifen, sagt Malika kopfschüttelnd.

Jorinde horcht auf.

Wo hast du sie her?, fragt sie.

Meine Geige?

Nein, die zwanzigtausend.

Die Eltern haben damals fünfzehntausend dazugegeben, sagt sie zögernd.

Ihr Blick verrät das schlechte Gewissen. Eine solche Summe hat Jorinde nie bekommen. Was denken die Eltern eigentlich? Dass alle Schauspieler reich sind? Die schönen Kleider, die sie auf den Bildern in den Zeitschriften trägt, waren geliehen. Der Mietpreis eines ansehnlichen Abendkleids liegt bei dreihundert Euro. Mit Schmuck, Make-up, Friscur und Taxi kostet sie ein Galaabend etwa fünfhundert Euro. Und zeigen muss sie sich. Sie muss Kontakte halten und neue knüpfen und das alles mit drei Kindern. Die erfolgreichsten ihrer Kolleginnen haben entweder keine Kinder oder höchstens eins.

Lilli hat sich an ihr Bein geklammert. Sie nennen es das Koala-Spiel. Jorinde muss mit ihr durch die Wohnung gehen, weil auch die kleinen Koalas an ihren Müttern hängen. Im Zoo haben sie es gesehen. Sie dreht eine Runde um den Esstisch, dann schüttelt sie Lilli sanft ab.

Übrigens, sagt Malika. *Viktoria hat vorhin angerufen.*

Und?

In einem Monat spielt Helmut zum letzten Mal mit dem Orchester. Er möchte uns beim Abschiedskonzert dabeihaben. Auch dich.

Jorinde schüttelt den Kopf.

Malika sagt, die Stadt sei zu klein, um sich dauerhaft aus dem Weg zu gehen, doch das stimmt nicht. Ihre Wege kreuzen sich nicht, und sie hat nicht vor, etwas daran zu ändern.

Seit jenem Tag, an dem er die Bürgschaft abgelehnt hatte, spricht sie nicht mehr mit ihrem Vater. Mehr als zwei Jahre sind seither vergangen. Zwei Jahre lang etwas nicht zu tun dauert länger, als es zwei Jahre lang zu tun. Einstein hatte die bessere Erklärung, doch auch sie weiß, dass Zeit keine konstante Größe ist.

Die Kinder jedoch sehen ihre Großeltern regelmäßig und gern. Besonders Ada legt Wert auf den Kontakt. Manchmal nimmt Malika auch Lilli mit.

Nach dem Ausscheiden aus dem Orchester will Helmut sich politisch engagieren. Sie ahnt, in welche Richtung das gehen wird. Fehlt nur noch, dass er für ein Amt kandidiert, dass sein Gesicht auf Plakaten zu sehen und sein Name darunter zu lesen ist. Dann würde Torben jedem erzählen, wessen Tochter sie ist. Schon als sie die Elsa Bruckmann spielte, erklärte er höhnisch, dass die Rolle perfekt passe: *Die Tochter eines Nazis spielt eine Förderin von Adolf Hitler.*

Manchmal schämt sie sich, mit Torben zusammen gewesen zu sein.

Und manchmal erinnert sie sich nicht mehr, wofür genau Helmut sich bei ihr entschuldigen soll. Nüchtern betrachtet, war nur der Ton falsch. Vielleicht spricht sie nur deswegen nicht mehr mit ihm, weil sie zu lange schon nicht mit ihm gesprochen hat.

Wieder und wieder versucht Lilli, in Malikas Zimmer zu gelangen.

Lilli auch, quengelt sie. Jorinde klemmt sich das Kind unter den Arm und trägt es in sein Zimmer. Dort toben sie eine Weile auf dem Bett herum, doch sobald Jorindes Aufmerksamkeit nachlässt, rennt Lilli in den Korridor und steuert Malikas Tür an. Jorinde zieht sich eine Jacke über, schnappt sich Lilli und verlässt die Wohnung.

Lilli liebt das Lastenrad. Sie sitzt vorn im Kasten, auf weiche Felle gebettet, mit einem Kissen im Rücken und ihrem Erdmännchen-Kuscheltier im Arm.

Vom Rosental weht der herbe Geruch von Bärlauch herüber. Vor der Blüte waren sie oft im Wald gewesen und hatten die jungen Blätter gepflückt. Dann gab es tagelang Bärlauchgerichte, von denen Malika nicht genug bekommen kann.

Nach einer Runde um die große Rosentalwiese biegen sie in den Wald ein. Jorinde bleibt gern in der Nähe des Wassers. Sie passieren die Weiße Elster, die Parthe und bleiben schließlich auf dem Radweg an der Neuen Luppe entlang. Am Auensee schließen sie das Rad an und steigen in die Parkeisenbahn – eine Schmalspurbahn, die früher Pioniereisenbahn hieß. Die Lokomotive dampft, und sie fahren um den See, auf dem Tretboote übers Wasser gleiten. Sie sehen aus wie riesige Schwäne. Für wenige Augenblicke verschlägt es Lilli die Sprache. Mit offenstehendem Mund zeigt sie auf die Schwäne, und Jorinde kommt der Gedanke, dass, wenn einmal das Staunen endet, das Sterben nahen muss.

*

Am Sonntag kommt der Zug aus Berlin mit vierzig Minuten Verspätung an.

Jonne steigt zuerst aus.

Wo ist Ada?, fragt sie ihn ängstlich.

Hat sich woanders hingesetzt.

Dann sieht sie ihre Tochter weiter hinten am Bahnsteig stehen. Sie schultert ihren Rucksack und kommt betont langsam angelaufen. *Papa ist ein Arsch*, sagt sie anstelle einer Begrüßung. Sie lehnt ihren Kopf an Jorindes Brust und lässt sich umarmen.

Ihr schlampiges Auftreten hat einen neuen Höhepunkt erreicht. Die Füße stecken in weißen Nike-Socken und Adidas-Badelatschen, die dünnen Beine in einer weiten Jogginghose. Bevor Jorinde Fragen stellen kann, zieht Ada ihre Kopfhörer über die Ohren und geht weiter.

Was war los?, fragt sie Jonne, der neben ihr läuft.

Mit hängendem Kopf sagt er: *Wir sollen Opa und Oma nicht mehr sehen.*

Sie bleibt stehen. *Das kann er nicht entscheiden.*

Er sagt, er kann.

Und warum?

Weil Opa zu Ada gesagt hat, dass sie lieber die Straßenseite wechseln soll, wenn eine Gruppe Araber auf sie zukommt.

Jorinde stöhnt.

Es tut mir leid, sagt sie, *ich kläre das.*

In der Straßenbahn nimmt Ada die Kopfhörer ab und fragt unvermittelt: *Kann Papa darüber bestimmen, ob ich Opa sehen darf?*

Nein, erwidert Jorinde, *du hast ein Recht darauf, deine Großeltern zu besuchen.*

Sichtlich zufrieden widmet sie sich sofort wieder ihrer Musik, von der Jorinde eine kurze Sequenz aufschnappt. Wenn sie sich nicht verhört hat, ist es die *Cellosuite Nr. 1* von Bach. Ada ist ein Mysterium.

Zu Hause wartet Malika bereits ungeduldig. Sie ist geschminkt und fertig angezogen für das Kammerkonzert am Abend in irgendeiner Kleinstadt in der Nähe.

Ist das der Weißhaupt, der vor unserem Haus steht?, fragt Jorinde und macht sich bereit, Lilli aufzufangen, die mit voller Geschwindigkeit auf sie zugerannt kommt und nicht den geringsten Zweifel daran zu haben scheint, sicher in Mamas Armen zu landen. Die Kraft ihrer Bewegung reicht für ein paar gemeinsame Umdrehungen.

Ja, er fährt mich hin, sagt Malika.

Dann wendet sie sich Ada und Jonne zu und fragt nach dem Wochenende.

Ich geh da nicht mehr hin, sagt Ada.

Dann geh ich auch nicht mehr, schließt Jonne sich an.

Malika hält in der Bewegung inne und wirft Jorinde einen fragenden Blick zu. Jorinde winkt ab. *Du musst jetzt los, wir reden morgen darüber.*

Malika nickt. Lilli rennt ihr bis ins Treppenhaus hinterher und ruft, so laut sie kann: *Tschüüüüß!*

*

Am nächsten Morgen, als die Kinder aus dem Haus sind, kocht sie Tee und frühstückt in Ruhe. Ihre Schwester schläft noch. Sie ist spät nach Hause gekommen, nach Mitternacht.

Jorinde hatte wachgelegen, die Tür ins Schloss fallen hören und sich gefragt, auf welche Weise Malika den Kaltäugigen wohl verabschiedet hat.

Als sie kurz darauf hereinschaut, *Guten Morgen* murmelt und ins Bad schlurft, klingelt das Telefon zum ersten Mal. Es ist die Agentur. Zwei neue Rollenangebote sind reingekommen. Eins davon interessant – ein Biopic über die schwedische Malerin Hilma af Klint. Vorteil: Es wäre eine Hauptrolle. Nachteil: Keiner kennt Hilma af Klint.

Gleich nach dem Auflegen klingelt es erneut. Diesmal ist es der Mann vom Jugendamt. Torben wolle eine Änderung des Umgangsrechts. Terminvorschlag für ein Gespräch sei heute in vierzehn Tagen.

Da kann ich nicht, sagt Jorinde, *da habe ich ein Vorsprechen für einen Film.*

Dann eine weitere Woche darauf, Mittwochvormittag?

Sie blättert in ihrem Kalender. *Tut mir leid, da drehe ich für zwei Tage in Hamburg.*

Sein Räuspern ist nicht zu überhören. *Frau Amsinck, wenn Sie Ihre eigenen Interessen über das Wohl Ihrer Kinder stellen –*

Der Vater meiner Kinder zahlt keinen Unterhalt. Ich muss arbeiten, um Geld zu verdienen.

Das mag ja sein, aber der Vater Ihrer Kinder nimmt sich Zeit. Er könne zu jedem erdenklichen Termin kommen, sagte er mir.

Jorinde veratmet die aufsteigende Wut. *Und diese Woche ist gar nichts mehr frei? Natürlich möchte ich das so schnell wie möglich klären.*

Sie hört das Rascheln von Papier, dann meint er: *Für morgen Vormittag hat jemand abgesagt.*

Prima, antwortet sie, *rufen Sie meinen Exmann an?*

Als er aufgelegt hat, ist ihr übel.

*

In der Nacht fängt Lilli an zu weinen. Sie fühlt sich heiß an. Jorindes erster Gedanke gilt dem Termin. Torben wird kommen. Wenn sie das Treffen platzen lässt, ist das ein weiterer Minuspunkt auf ihrer Liste. Das Fieberthermometer zeigt achtunddreißig neun. Sie schleicht in die Küche und schaut auf den gemeinsamen Planer. Malika hat einen Zahnarzttermin eingeschrieben und fällt damit aus. Sie könnte Vicky fragen, doch das will sie nicht. Mit einem feuchten Waschlappen geht sie in Lillis Zimmer zurück, kühlt ihr die Stirn und legt sich zu ihr. Es ist kurz vor halb zwei.

Gegen drei gibt sie dem Kind einen Fiebersaft, eine halbe Stunde später schlafen sie beide. Der Wecker klingelt zehn vor sechs.

Jonne muss sie dreimal rufen, bis er aufsteht. *Wer bringt mich heute zum Gitarrenunterricht, Malika oder du?*, fragt er und nimmt einen Schluck von seinem Kakao. Jorinde schaut zu ihrer Tochter.

Ich nicht!, sagt Ada. *Kann der nicht allein dahin? Zwei Haltestellen, Mama, und fünf Minuten laufen.*

Jorinde wendet sich Jonne zu. *Schaffst du das?*

Schaffen schon, sagt er mit vollem Mund, *aber wollen nicht.*

Sie setzt sich neben ihn und streicht ihm über den Kopf. Erst dann fällt ihr Blick auf Adas Hoodie – *there is a fuckin' idiot staring at me* steht quer über ihrer Brust. Ada grinst und dreht Jorinde den Rücken zu – *still staring at me*.

Wo hast du den her?, fragt sie.

Von Papa.

Zum Abschied küsst sie die Kinder und sagt zu jedem einzeln: *Ich hab dich sehr lieb*. Seit die Tochter einer Freundin auf dem Weg zur Schule von einem Laster erfasst worden war und getötet wurde, haben sie dieses Ritual. Die andere Familie war im Streit auseinandergegangen. *Raus jetzt!* waren die letzten Worte der Mutter an ihr Kind gewesen.

Es ist sieben Uhr, als sie mit einem starken schwarzen Kaffee am Frühstückstisch sitzt und sich fragt, ob Ada, Jonne und Lilli ihre Kindheit halbwegs unverletzt überstehen. Ob sie starke Erwachsene sein werden. Alle Erwachsenen richten je nach Grad ihrer Beschädigung mehr oder weniger Unheil in dieser Welt an.

Dann denkt sie an Malika. Daran, wie wütend ihre Schwester als Kind gewesen ist, wie widerspenstig und gleichzeitig still. Und wie der einzige Mann, den sie geliebt hat, sie betrog und verließ. Bis heute will Malika nicht darüber sprechen. Auf der Türschwelle vor seiner Werkstatt hatten die Eltern sie gefunden und in die Klinik gebracht. Erst die Gleichgültigkeit, in die sie dort jeden Morgen und jeden Abend nach der Einnahme ihrer Medikamente fiel, erlöste sie von Götz.

Noch immer steht das Cipramil in dem abschließbaren

Badezimmerschrank, und vielleicht ist es nur der erhöhte Serotoninspiegel, der Malikas Leben möglich macht.

*

Torben schaut auf sie herab. Eine beunruhigende Selbstgewissheit steht als Grinsen in seinem Gesicht. Er hat Zeit. Alle paar Wochen kommt er mit einer neuen Forderung, mit der sie sich auseinandersetzen muss, und mit jedem Mal hasst sie ihn mehr.

Auf dem Tisch im Beratungsraum stehen eine Wasserflasche und zwei Gläser. Torben schenkt nur sich ein. Er trinkt das Glas in einem Zug aus, stellt es energisch zurück und beginnt, leise vor sich hin zu pfeifen. Neugierig betrachtet ihn Lilli. Sie schmiegt sich eng an Jorinde und steckt den Daumen in den Mund.

Wir sind heute auf Wunsch des Kindsvaters hier, sagt Herr Kölmel, der Berater für die Klienten, deren Namen mit A beginnen, *es geht um die Kinder Ada und Jonne Amsinck.* Er nimmt seinen Stift auf, legt ein weißes Blatt Papier zurecht und nickt Torben ermunternd zu. *Bitte Herr Amsinck, Sie dürfen.*

Was Jorinde dann hört, klingt wie von einem Anwalt ausgearbeitet und enthält bereits die Erwiderungen auf jeden möglichen Einspruch. Er hat sich gut vorbereitet.

Die Argumentation ist einfach. Er und seine neue Partnerin erwarten ein Kind und wollen Ada und Jonne ganz zu sich nehmen. Anders als Jorinde biete er den Kindern eine stabile Familienstruktur – Vater, Mutter, Kinder und ein neues Geschwisterchen. Anders als Jorindes Vater würden

281

seine Eltern die Kinder nicht mit rechter Propaganda verseuchen. Sie kann die Lust in seinen Augen sehen, als er ein Bild ihres Vaters zeichnet, das ungefähr so viel mit Helmut zu tun hat wie der echte Torben mit dem Schauspieler, der vor ihr sitzt. Er wünsche keinen weiteren Umgang der Kinder mit diesem Mann.

Als sie Einwand erheben will, greift Herr Kölmel ein. *Wir kommunizieren hier gewaltfrei, Frau Amsinck. Das heißt, jeder darf ausreden.*

Ich muss diesen Namen loswerden, denkt sie, während Torben fortfährt und Kölmel wieder eifrig mitschreibt.

Anders als Jorinde sei er treu und verlässlich. Er wolle daran erinnern, dass die anwesende Lilli bei einem Seitensprung entstanden sei. Vermutlich habe Jorinde ihn noch öfter betrogen, und er könne sich nicht vorstellen, dass sich der Lebenswandel seiner Exfrau grundlegend geändert habe. Zwei Jahre lang habe er sich schweren Herzens damit zufriedengegeben, ein Wochenendpapa zu sein, aber das sei ihm zu wenig.

Lilli windet sich aus ihrer Umarmung. Sie tapst durch den Raum und nimmt einen Aktenlocher vom Schreibtisch. *Schon in Ordnung,* sagt Herr Kölmel.

In Jorindes Kopf rattern die Gedanken. Plötzlich ergibt Torbens Drohung Sinn. Als sie Unterhaltsvorschuss für die Kinder beantragt hatte, weil er nicht zahlte, hatte er angerufen. *Der Staat holt sich das ganze Scheißgeld von mir zurück,* hatte er gebrüllt, *ich bekomme ständig Briefe vom Amt!*

Es sind ja auch deine Kinder, hatte sie erwidert, *du kannst froh sein, dass der Staat deine Pflichten übernimmt.*

Er hatte höhnisch gelacht und aufgelegt. Kurz danach rief er noch einmal an. Ganz ruhig sagte er: *Das wirst du bereuen.*

Herr Kölmel blickt sie fragend an. *Frau Amsinck,* sagt er im Ton eines Therapeuten, *können Sie sich vorstellen, dass die Kinder dauerhaft bei Herrn Amsinck leben?*

Während er auf ihre Antwort wartet, zeigt er Lilli, wie der Locher funktioniert. Begeistert beginnt sie, das Deckblatt einer Broschüre zu durchlöchern. Jorinde räuspert sich und sagt: *Herr Amsinck zahlt nicht einmal Unterhalt für die Kinder. Wie stellt er sich das vor?*

Torben lächelt. *Das ist dann ja nicht mehr nötig,* entgegnet er. *Den noch ausstehenden Unterhalt können wir gern damit verrechnen, was meine Exfrau an mich zahlen muss.*

Sie starrt ihn an. *Hast du mal die Kinder gefragt, was sie wollen? Sie wollen nicht zu dir. Sie wollen überhaupt nicht mehr nach Berlin.*

Er lehnt sich zurück und verschränkt die Arme. *Und deine Schwester ersetzt ihnen den Vater, oder wie?*

Herr Kölmel legt den Stift beiseite und macht eine beschwichtigende Handbewegung. *Es geht hier ausschließlich um das Wohl der Kinder.*

Den Kindern geht es gut, sagt Jorinde. *Ich lehne den Vorschlag von Herrn Amsinck ab.*

Für einen Augenblick glaubt sie, Erleichterung in den Augen von Kölmel zu sehen. Sollte er auf ihrer Seite sein, hat er es verdammt gut versteckt.

In Torbens Gesicht zuckt es. *Dann sehen wir uns vor Gericht.* Sie spürt seine Wut. Noch ein paar Reizwörter, und der dünne Geduldsfaden reißt. Der entfesselte Torben würde Herrn Kölmel nicht gefallen.

Lilli hat offenbar genug gelocht. Sie schaut, was der Schreibtisch von Herrn Kölmel noch zu bieten hat, dann klettert sie mit einer Tipp-Ex-Maus in der Hand auf Jorindes Schoß zurück. Ihre Stirn ist wieder heiß, und die Augen glänzen fiebrig.

Beenden wir das hier, sagt Jorinde, *meine Tochter ist krank.*

Mit Lilli auf dem Arm verabschiedet sie sich. Torben nickt sie lediglich zu.

Das hier, sagt er, *ist noch lange nicht zu Ende!*

Draußen wartet Malika. Sie hat sich das Auto vom Kaltäugigen geliehen und sogar an den Kindersitz gedacht. Ihre rechte Wange ist geschwollen. *Ein Zahn weniger,* nuschelt sie achselzuckend.

Jorinde setzt Lilli ins Auto und schnallt sie an. *Er geht vor Gericht,* sagt sie tonlos, *ich weiß nicht, ob ich das schaffe.*

Wie immer fühlt sich Malikas Umarmung schlaff an, als wolle sie eine echte Berührung vermeiden. Ihre Worte jedoch widersprechen diesem Eindruck. *Du musst das nicht allein durchstehen,* sagt sie. *Ich bin bei dir.*

Dann steuert sie das Auto ohne weitere Worte durch den dichten Verkehr. An der nächsten Ampel dreht sich Jorinde zu Lilli um. Die dunklen Locken kleben an ihrer Stirn, die Augen sind halb geschlossen. Mehr als einmal wurde sie schon für Malikas Tochter gehalten, und stets war es Malika selbst, die den Irrtum aufklärte.

Zu Hause legen sie sich alle zusammen in Malikas Bett.

Lilli schläft zwischen ihnen. Jorinde betrachtet ihre Schwester, die eine Schmerztablette genommen hat und ebenfalls zu schlafen scheint.

Sie kann sich vorstellen, sehr lange so zu leben.

* * *

Es ist die *Auferstehungssinfonie*. Mahlers Zweite.

Helmut ist glücklich darüber. Ein letztes Mal auf der großen Bühne stehen. Fünf Sätze lang. Eineinhalb Stunden grandiose Musik.

Erstaunlicherweise hatten die Kinder nicht protestiert. Ada verlangte Geld, um sich ein Kleid für den Anlass zu kaufen, Jonne sagte, er würde vielleicht auch mal Musiker werden. Ihren Einwand, dass er dazu auch mal üben müsse, ignorierte er.

Kurz hatte sie erwogen, sogar Lilli mitzunehmen. *Sie ist zwei!*, hatte Malika mit rollenden Augen gesagt, *was soll sie in einer Mahler-Sinfonie?*

Natürlich haben sie beste Plätze in der Mitte der Saalempore. Als das *Allegro* – die Totenfeier –, beginnt, greift Vicky kurz nach Jorindes Hand. Beim fünften Satz, der Auferstehung, wischt sie sich ein paar Tränen aus den Augenwinkeln.

Jorinde mochte Mahler noch nie. Zu bombastisch, zu viel Marschcharakter, zu viele Instrumente. Das Hören überfordert und ermüdet sie. Sie ist ausschließlich wegen des Vaters hier.

Am Ende des Konzerts, nachdem der Applaus langsam

verklingt, ergreift der Dirigent das Wort. Er bittet den Cellisten Helmut Noth aufzustehen, dankt einem hervorragenden Musiker und einem verlässlichen Part des Orchesters für seinen jahrzehntelangen treuen Dienst und ermutigt das Publikum zu einem letzten Applaus. Dann huscht ein Mädchen mit Blumen auf die Bühne und überreicht Helmut den Strauß. Keine Minute später erheben sich die meisten Besucher von ihren Plätzen und strömen zu den Ausgängen.

Das war's.

*

Sie erwarten ihn zu Hause mit Sekt und Häppchen. Gläser werden aneinandergestoßen. Dann scheucht Vicky alle anderen hinaus und schließt die Tür.

Seine Hände stecken in den Hosentaschen, seine Beine stehen hüftbreit auseinander. Der Schädel sinkt ihm wie immer ein wenig nach unten, doch sein Blick trifft sie genau.

Langsam geht Jorinde auf ihn zu.

Dank

Mein Dank gebührt Philipp Keel und den Mitarbeitenden bei Diogenes, einschließlich der Vertreter, die durchs Land reisen und sich für uns ins Zeug legen. Sie alle empfingen mich mit überwältigender Herzlichkeit. Es war wie nach Hause kommen, obwohl es mein erstes Buch bei Diogenes ist.

Dank gilt auch meiner Lektorin Kati Hertzsch, die mir mit unerschütterlicher Begeisterung zur Seite stand. Nur mit ihrer Hilfe konnte dieses Buch entstehen.

Um ein Buch zu schreiben, braucht es vor allem Zeit. Dass sie mir diese Zeit verschafften, dafür danke ich meiner Mutter, Susanne Gabel, Lena Wingerter, Lene Stange und Elisabeth Holler. Ohne sie wäre vieles schwieriger und manches unmöglich gewesen.

Steffen Golibrzuch stand mir in so vielfältiger Weise bei, dass ich unmöglich alles aufzählen kann. Sein Vertrauen in meine Fähigkeiten und seine Liebe bilden die Basis, auf der alles gedeihen kann.

Auch meiner Tochter Clara möchte ich danken. Ihre Vorliebe für Happyends blieb nicht ohne Einfluss.

Mit Tanja Graf, in deren Verlag meine ersten beiden Bücher erschienen sind, fing alles an. Ohne sie hätte ich vermutlich nie ein Buch veröffentlicht.

Christof Schauer, Vigor Fröhmcke, Uschi Lehner, Birka Sonntag, Dany Wieländer, Ivo Eiberle, Egbert Pietsch, Anke Theinert und Frank-Michael Kroschel waren mir inspirierende Gesprächspartner, fachliche Berater und psychologische Helfer.

Für ihr Verständnis und ihre Geduld in den letzten eineinhalb Jahren danke ich Katia Klose-Soltau, Sylvia Kroneberger, Viola Grandke, Manuela Schmidt und Anna Weber.